INTRODUCTION À LA PHILOSOPHIE

2e ÉDITION

HÉLÈNE LARAMÉE
CÉGEP DE SAINT-JÉRÔME

AVEC LA COLLABORATION DE
GERARDO MOSQUERA
COLLÈGE DAWSON

Chenelière
Éducation

Introduction à la philosophie, 2e édition

Hélène Laramée

©2003, 1997 Les Éditions de la Chenelière inc.

Éditeur : Michel Poulin
Coordination : Monique Pratte
Correction d'épreuves : Chantal Quiniou
Conception graphique et couverture : Josée Bégin
Infographie : Jocelyne Cantin/Pomme Z

Catalogage avant publication de la Bibliothèque nationale du Canada

Laramée, Hélène, 1957-

    Introduction à la philosophie
    2e éd.

    Comprend des réf. bibliogr.
    Pour les étudiants du niveau collégial.

    ISBN 2-89461-755-0

    1. Philosophie - Introduction. 2. Philosophie - Problèmes et exercices.
I. Mosquera, Gerardo. II. Titre.

BD22.L368 2003   100   C2003-940763-2

 **Chenelière
Éducation**

7001, boul. Saint-Laurent
Montréal (Québec)
Canada H2S 3E3
Téléphone : (514) 273-1066
Télécopieur : (514) 276-0324
info@cheneliere-education.ca

ISBN 2-89461-755-0

Dépôt légal : 2e trimestre 2003
Bibliothèque nationale du Québec
Bibliothèque nationale du Canada

Imprimé au Canada
2   3   4   5   A   07   06   05   04

Dans ce livre, le masculin a été utilisé dans le but d'alléger le texte. La lectrice et le lecteur verront à interpréter selon le contexte.

Nous reconnaissons l'aide financière du gouvernement du Canada par l'entremise du Programme d'aide au développement de l'industrie de l'édition (PADIÉ) pour nos activités d'édition.

Gouvernement du Québec – Programme de crédit d'impôt pour l'édition de livres – Gestion SODEC

L'Éditeur a fait tout ce qui était en son pouvoir pour retrouver les copyrights. On peut lui signaler tout renseignement menant à la correction d'erreurs ou d'omissions.

DANGER

LE PHOTOCOPILLAGE TUE LE LIVRE

À mes parents

À Elena

AVANT-PROPOS

Cette édition du manuel *Introduction à la philosophie* a été conçue pour répondre de façon plus accessible et plus adéquate aux exigences de l'enseignement par compétences et satisfaire aux conditions de réussite du cours «Philosophie et rationalité». La première partie s'attache à définir les problèmes et les concepts fondamentaux de la philosophie. Les théories de quelques auteurs présocratiques y sont présentées dans le but d'illustrer ce qu'est la démarche rationnelle par opposition aux croyances, et de montrer en quoi la pensée scientifique moderne est à la fois indépendante et tributaire du questionnement philosophique.

La deuxième partie vise à fournir aux élèves les outils nécessaires pour comprendre et traiter de façon rationnelle les théories philosophiques; de manière plus générale, elle vise à valoriser l'utilité de l'échange rationnel dans toute situation problématique. En présentant des exercices où les élèves assimilent les notions de base de l'argumentation et apprennent à analyser, à évaluer et à argumenter, nous espérons rendre plus tangible l'acquisition d'un jugement critique et autonome. Cela devrait également contribuer à faire apparaître le rôle de propédeutique que joue le premier cours de philosophie dans tout cheminement académique.

Enfin, par un choix de quelques penseurs — les sophistes, Socrate et Platon — et thèmes privilégiés de la tradition grecque — comme la démocratie, la justice, le réel et la vérité —, la troisième partie montre la nécessité de l'argumentation rationnelle pour accéder à un savoir vrai. Les exercices qui s'y trouvent permettent aux élèves d'appliquer la méthode acquise dans la partie qui précède. Au terme de cette partie, les élèves devraient comprendre l'importance de la démarche rationnelle et être en mesure de défendre une thèse philosophique au moyen de raisonnements logiquement corrects.

REMERCIEMENTS

Je remercie chaleureusement Gerardo Mosquera d'avoir accepté d'élaborer et de rédiger avec moi la deuxième partie de ce manuel. Ses connaissances en argumentation et son souci de la clarté et de la précision m'ont été d'une aide précieuse.

Je tiens également à transmettre mes sincères remerciements à Luc Joos et à Maimire Mennasemay, qui ont lu et commenté certains passages de cette édition, à Jacques Cuerrier, dont la généreuse collaboration à la première édition marque également celle-ci, et à toute l'équipe de l'édition et de la production de Chenelière/McGraw-Hill.

Hélène Laramée

TABLE DES MATIÈRES

PARTIE 1

La rationalité
et les problèmes
philosophiques

CHAPITRE 1

Qu'est-ce que la philosophie ?

Nous avons été dotés de cette sorte de science, telle que nul bien plus grand ne fut jamais accordé, ni ne le sera jamais par les dieux à la race des mortels.

PLATON, *Timée*, 47 a-b.

LA CURIOSITÉ EST LE PREMIER PAS VERS LA PHILOSOPHIE

Il n'y a pas de philosophie sans interrogation à l'égard de ce que nous ne savons pas et sans remise en question de ce que nous croyons savoir. Les philosophes sont des questionneurs insatiables qui mettent à l'épreuve leur propre pensée et incitent autrui à en faire autant, car ils croient en la vocation de tout humain à penser par soi-même. Les philosophes sont réfractaires à tout ce qui asservit la conscience humaine. Contre le conformisme et la passivité, ils stimulent notre réflexion, ils nous incitent à dépasser nos vues étroites, à refuser et à choisir librement, à examiner le pour et le contre des lois, des valeurs, des traditions et du pouvoir établi. La philosophie s'oppose ainsi à l'opinion commune et au confort superficiel que procurent le quotidien et l'habitude parce qu'elle se fonde essentiellement sur le désir de comprendre et d'améliorer la situation de l'être humain dans le monde. Or, ce désir ne peut se réaliser véritablement sans une prise de conscience de la réalité qui nous entoure et sans le maintien d'une curiosité à son égard.

En fait, toutes les connaissances que nous tenons pour acquises sont nées de cette curiosité : dès l'origine, les humains ont voulu échapper à l'ignorance. Les premiers humains qui se sont livrés à la philosophie se sont d'abord questionnés sur les difficultés les plus simples, puis ont exploré des problèmes tels que le mouvement des astres et la genèse de l'univers. La curiosité a donc poussé les humains à quitter leur naïveté première en provoquant en eux un désir ardent de connaître. Elle a suscité la recherche d'explications rationnelles et la découverte de réponses aux questions que l'on se posait, et a encouragé un amour toujours croissant de la connaissance.

Cette curiosité n'est pas le bien exclusif des philosophes et des scientifiques ; elle existe naturellement chez tous les êtres humains, comme on peut le constater chez les enfants, qui ne cessent parfois de demander « pourquoi ? ». Selon Karl Jaspers (philosophe allemand qui a vécu de 1883 à 1969), cette curiosité serait même plus éveillée chez les enfants que chez les adultes, car ces derniers se laissent emprisonner dans les conventions, les opinions et les PRÉJUGÉS. Ils n'ont souvent pas le courage de se remettre en question et de faire les efforts qui leur permettraient de mener une existence réfléchie et autonome ; ils laissent à d'autres le fait d'assumer leur responsabilité à l'égard du devenir humain.

Opinions ou jugements que l'on tient pour assurés, mais qui ne sont pas fondés rationnellement. Les PRÉJUGÉS sont souvent acquis par l'éducation, la famille, le milieu social ou l'époque.

Néanmoins, la philosophie nécessite un effort de volonté. Elle n'a pas de réponses toutes faites à donner. Elle s'applique davantage à développer le désir de connaître qu'à communiquer un savoir déterminé. Elle s'oppose ainsi à toute forme de DOGMATISME. Pour être fructueuse, l'étude de la philosophie doit être abordée non pas comme la confrontation d'opinions ou de doctrines parmi lesquelles il faut choisir une fois pour toutes, mais plutôt comme un échange personnel avec les idées des plus grands philosophes, destiné à enrichir notre questionnement actuel.

La philosophie, apparue en Grèce autour du VIᵉ siècle avant Jésus-Christ, se présente donc comme un éveil et une ouverture à l'égard de tout ce qui suscite notre attention. Nous verrons, dans ce chapitre, qu'elle se distingue par son effort de rationalité et sa quête d'une connaissance suprême. Nous présenterons les problèmes qui, dès le début, ont constitué l'objet d'étude des philosophes. Enfin, nous aurons une idée plus précise de sa nature propre après l'avoir comparée avec les sciences qui, toutes, sont nées d'elle.

Calliope, la muse «à la belle voix», est l'inspiratrice de la poésie épique et, selon Platon, de la philosophie.

LA PHILOSOPHIE EST L'AMOUR DE LA CONNAISSANCE

Le mot «philosophie» vient du terme grec *philosophía* (en alphabet grec : φιλοσοφία), dans lequel on trouve le verbe *phileîn*, qui signifie «aimer», et le substantif *sophía*, qui signifie «sagesse». La philosophie ou *philosophía* est donc l'amour de la sagesse et, par conséquent, le philosophe (en grec, *philosophós*) est l'ami de la sagesse. Mais qu'entendaient les Grecs par «sagesse» ?

Aristote (philosophe illustre qui a vécu de -384 à -322) a fait une recherche sur la signification du mot «sagesse». Il a interrogé les gens de son époque et a établi un répertoire des sens qu'on attribuait à ce terme. Il a ainsi découvert que la sagesse était comprise de différentes façons, qu'il a regroupées en trois conceptions principales, que nous décrirons ici. La troisième est celle qu'ont retenue les philosophes.

D'abord, est reconnu sage l'individu qui possède une connaissance parfaite dans un domaine particulier. Par exemple, un architecte ou un cordonnier sont des sages s'ils accomplissent avec excellence leur métier et si, de plus, ils sont en mesure de bien transmettre à d'autres leurs connaissances.

Dans un deuxième sens, est reconnu sage celui qui possède une connaissance parfaite dans un domaine exclusivement intellectuel. Par exemple, le mathématicien qui fait des mathématiques pures (et qui, par opposition à celui qui fait des mathématiques appliquées, ne vise aucune utilité) est un sage. Contrairement à l'architecte, qui s'intéresse aux mathématiques parce qu'elles lui sont utiles pour tracer le plan des édifices, celui qui fait des mathématiques pures ne vise rien d'extérieur à la connaissance elle-même. Il fait des mathématiques pour l'amour des mathématiques. C'est pourquoi Aristote considère que ce deuxième sens donné au mot « sagesse » est supérieur au premier. Et il fait la même comparaison à propos des amis : le sage ne recherche pas l'amitié en vue du plaisir ou de l'utilité ; il aime ses amis pour eux-mêmes, non pour ce qu'il pourrait en retirer.

Le troisième sens concerne aussi une activité d'ordre intellectuel, mais il s'agit d'une connaissance générale de la vérité. Est reconnu sage celui qui détient une connaissance parfaite des **concepts** les plus généraux et des **principes** premiers dont dépendent toutes les autres connaissances, incluant les mathématiques. Pour les philosophes, c'est ce dernier sens qui correspond véritablement à la sagesse, car il concerne une connaissance suprême qui domine toutes les autres formes de savoir.

Les premiers philosophes accordaient donc beaucoup d'importance à la définition de concepts : sans concepts, nous aurions bien sûr la sensation et la mémoire pour nous guider, mais nous ne pourrions pas **abstraire**, de la réalité matérielle, les idées générales qui sont nécessaires à la science. C'est cette capacité d'abstraction qui nous distingue des autres animaux, car, même si certains d'entre eux sont capables d'apprendre une multitude de

Les *Catégories* (4a3-22) d'Aristote. Ce passage est tiré du manuscrit *Urbinas graecus 35*, daté du Xᵉ siècle apr. J.-C.

mots, ils ne sont pas en mesure de les dégager, par la pensée, des choses concrètes qu'ils représentent et de les combiner de façon logique pour former des phrases. Les concepts permettent de ranger les choses sous des dénominations communes et de les connaître de façon scientifique.

Les premiers philosophes recherchaient aussi des principes à partir desquels il serait possible d'énoncer des vérités valables pour tous les êtres et dans tous les types de savoir. Par exemple, ils constatèrent qu'une même chose, quelle qu'elle soit, ne peut recevoir deux attributs opposés en même temps. En effet, comment une chose pourrait-elle à la fois être vraie et être fausse, juste et injuste, chaude et froide,

DÉFINITIONS

CONCEPT
Idée générale, connue au moyen de la raison et à l'égard de laquelle les choses ne sont que des cas individuels et concrets. Par exemple, l'humain est un concept alors que Martin, Julie et Pierre sont des individus concrets. Un concept est ce qui donne un sens à un mot. Sans concepts, il ne pourrait y avoir de langage articulé.

PRINCIPE
Origine ou point de départ soit d'un mouvement naturel, soit d'une action, soit de la connaissance. Dans le sens d'origine de la connaissance, un principe est une proposition première dont les autres connaissances ne sont que des conséquences.

ABSTRAIRE
Considérer une notion en dehors des représentations concrètes où elle est donnée.

blanche et noire ? La nécessité de ce principe, nommé «principe de contradiction», était de toute évidence incontestable. Les philosophes découvrirent également d'autres principes dont la valeur était tout aussi **universelle**, par exemple : « Tout ce qui arrive a une cause. »

En résumé, selon les philosophes, le fait d'être sage dépend de la possession d'une connaissance supérieure, purement intellectuelle ; c'est une qualité de l'intellect. Être sage, c'est être savant. Mais puisqu'ils recherchaient cette connaissance parfaite et générale de la vérité, pourquoi les philosophes ne se sont-ils pas tout simplement appelés «sages» ?

Pythagore (philosophe et mathématicien grec du VIᵉ siècle avant Jésus-Christ) aurait été le premier à se dire «philosophe» au lieu de «sage», et, par la suite, on a eu tendance à réserver la qualité de «sage» exclusivement aux dieux. Cela témoigne, chez Pythagore, non seulement d'une marque d'humilité à l'égard de la perfection du savoir divin, mais aussi d'une reconnaissance des limites de la raison humaine. L'être humain désire tout connaître, il tend vers la perfection, mais il ne peut tout connaître, il n'est pas parfait. Toutefois, s'il ne peut être sage et posséder une connaissance parfaite, il peut aimer la sagesse (c'est le sens du mot «philosophie») et tendre le mieux possible vers elle. Beaucoup plus près de nous, le philosophe Emmanuel Kant (philosophe allemand qui a vécu de 1724 à 1804) a repris cette idée de Pythagore sur la finitude humaine. «L'homme, écrit Kant, n'est pas en possession de la sagesse. Il tend seulement à elle et peut avoir seulement de l'amour pour elle, et cela est déjà assez méritoire[1].»

Cette définition de la philosophie comme amour de la sagesse ou désir rationnel de posséder une connaissance parfaite et universelle de la vérité a prévalu de l'Antiquité grecque jusqu'à l'époque moderne (XVIIᵉ et XVIIIᵉ siècles de notre ère), où on l'a peu à peu remise en question. Cependant, les sophistes (voir le chapitre 5) émettaient déjà, au milieu du Vᵉ siècle avant Jésus-Christ, plusieurs objections concernant l'universalité de la vérité.

Nous avons donc établi que la philosophie est une activité intellectuelle. Mais peut-elle être aussi un mode de vie qui nécessite un travail sur soi-même ? En réalité, en même temps qu'une recherche intellectuelle de la vérité, la philosophie a toujours été un exercice spirituel, un examen de soi et une conversion de l'âme. La philosophie n'est pas exclusivement un savoir théorique, car il ne suffit pas de connaître le monde, il faut aussi y vivre et savoir comment y vivre. La philosophie concerne donc également le choix d'un mode de vie. Rechercher une conception juste de l'univers, c'est en même temps rechercher une conception de ce que l'on est comme être humain, c'est vouloir se connaître soi-même et adopter un mode de vie qui soit le meilleur pour soi. La recherche intellectuelle et les pratiques humaines sont indissociables. On peut d'ailleurs aisément constater que les valeurs

UNIVERSEL   DÉFINITIONS

Ce qui s'applique soit à tous les êtres de l'univers, soit à tous les êtres d'un même genre (par exemple, le genre animal) ou d'une même espèce (par exemple, l'espèce humaine), soit à tous les êtres d'un autre ensemble considéré.

1. Emmanuel Kant, *Opus Postumum*, trad. de F. Marty, Paris, P.U.F., 1986, p. 246.

évoluent (pour le meilleur et pour le pire) au rythme des découvertes scientifiques sur l'univers et sur l'homme.

LES PROBLÈMES DONT TRAITE LA PHILOSOPHIE

À l'époque des premiers balbutiements de la philosophie, le savoir était indifférencié. Tout – les êtres divins, les astres, les objets mathématiques, les êtres naturels – était objet de recherche pour les philosophes. C'est à partir de ce questionnement général sur l'être, par la répétition de la question « qu'est-ce que l'être ? », que les sciences telles que nous les connaissons aujourd'hui se sont progressivement constituées. C'est, en effet, par l'examen réitéré de cette question qu'ont pu se définir des sciences particulières qui étudient des parties spécifiques de l'être. Les sciences actuelles n'existent pas depuis toujours. C'est seulement au XVIe siècle de notre ère qu'une séparation s'est faite entre la philosophie et les sciences, mais, au début, elles étaient identiques. Aristote, par exemple, se disait philosophe même quand il étudiait l'anatomie des animaux ou qu'il répertoriait les différents types de constitutions politiques existantes. Aujourd'hui, alors que chacune des sciences (la biologie, la physique, la psychologie, etc.) étudie un aspect déterminé de l'être (le vivant, le mouvement, la conscience, etc.), la philosophie s'intéresse toujours à tout ; elle étudie les notions de base et les principes sur lesquels se fonde chacune des sciences particulières. C'est pourquoi on peut distinguer en philosophie différents champs d'intérêt. Ici, nous avons réparti en quatre grands **problèmes** l'objet d'étude des philosophes. L'ensemble des solutions de ces problèmes constitue un mode spécifique d'explication du réel qui, tout en entretenant des rapports avec les sciences, diffère du discours scientifique. Le tableau ci-dessous présente ces problèmes avec, en regard, les disciplines qui s'y rattachent.

TABLEAU 1.1	Les problèmes philosophiques et les disciplines correspondantes
Le problème de la nature	• La physique ou philosophie de la nature
Le problème de la connaissance	• L'épistémologie ou théorie de la connaissance • La logique
Le problème de l'être	• La métaphysique • L'ontologie
Le problème du bien	• La philosophie pratique : l'éthique, la politique.

DÉFINITIONS

PROBLÈME
Tout objet de questionnement qui suscite la recherche d'une explication rationnelle.

Le problème de la nature

Les tout premiers philosophes étaient des physiciens ; leur objet d'étude était la **nature**. Ils se sont d'abord interrogés sur ce qu'ils pouvaient percevoir directement avec leurs sens, c'est-à-dire les êtres **sensibles**. À l'époque, la physique était vue d'une manière beaucoup plus large qu'aujourd'hui : elle comprenait l'étude des différents aspects des êtres ayant une matière. De nos jours, plusieurs sciences différentes (l'anatomie, la biologie, la zoologie, l'astronomie, la physique, la psychologie, etc.) s'occupent chacune de l'un de ces aspects.

La première constatation des philosophes de la nature a porté sur ce fait d'expérience que toutes les choses de notre monde subissent continuellement le changement. Voici comment Jeanne Hersch (philosophe allemande qui a vécu de 1910 à 2000) a traduit l'esprit et l'étonnement de ces philosophes face à cette découverte :

> Nous vivons dans un monde où tout ne cesse de changer. Voici une bûche, peu après nous voyons une flamme, et un peu plus tard, il n'y a plus de flamme – rien qu'un petit tas de cendre. Un souffle de vent disperse la cendre. Elle disparaît. Et tout ce que nous contemplons, tout ce dont nous nous servons, et tous les êtres vivants, et les hommes, et nous-mêmes : tout ne cesse de changer, tout passe[2].

Pour nous, cela peut néanmoins se comprendre, car toutes les choses ou les êtres de notre monde ont une matière, et, par définition, aucune matière ne reste éternellement identique. Ainsi, ce qui vit meurt, de l'hiver nous passons au printemps, ce qui est froid devient chaud, la glace devient eau, les sentiments se transforment, etc.

Le **mouvement** est donc apparu aux premiers philosophes comme ce qu'il y avait de plus manifeste dans la nature, et a ainsi constitué le centre de leurs premières spéculations. Toutefois, cette constatation (« tout passe ») est vite apparue comme insuffisante pour rendre compte des êtres de la nature. Si le mouvement était la seule raison explicative des êtres sensibles, se sont dit les philosophes, il serait impossible de les étudier de façon sérieuse, puisque, rien n'étant jamais pareil, tout ne

---

DÉFINITIONS

NATURE
Le terme « nature » vient du mot latin *natura* et correspond au terme grec *phúsis*, qui est à la source de notre terme « physique ». La nature correspond à l'univers sensible, matériel et changeant.

SENSIBLE
La réalité (ou le monde) sensible est constituée de la somme des choses singulières qui peuvent être perçues par les sens (vue, ouïe, toucher, odorat, goût), bien que cela puisse nécessiter le recours à des instruments qui prolongent les sens (le microscope, le télescope). Si les êtres sensibles peuvent être perçus par les sens, c'est parce qu'ils ont une matière. Par exemple, les animaux sont des êtres sensibles alors que Dieu ne l'est pas.

MOUVEMENT
Les différentes sortes de changement que nous pouvons constater chez les êtres naturels. Par exemple, naître et mourir, croître et décroître.

---

2. Jeanne Hersch, *L'étonnement philosophique. Une histoire de la philosophie*, Paris, Gallimard, 1993, p. 11, coll. « Folio/Essais ».

serait que non-sens. S'il n'y avait pas de lois ni de principes qui régissent les changements et fondent notre savoir, la science serait impossible et nous ne pourrions acquérir aucune connaissance. En outre, cela contredirait toutes les régularités que, malgré le changement, nous pouvons observer dans la nature : les trajectoires du Soleil, de la Lune et des planètes, le cycle des saisons, la conservation des espèces. Les philosophes ont donc pensé que quelque chose, malgré le changement continuel, restait toujours identique. L'étude du mouvement s'est donc transformée en une recherche de ce qui est permanent et qui, logiquement, devrait expliquer l'être réel des choses. Cette recherche a elle-même fait naître deux autres problèmes : celui de la connaissance et celui de l'être.

Le problème de la connaissance

Avec le temps, les théories élaborées par les premiers philosophes pour expliquer la nature sont apparues imparfaites et contradictoires. D'autres philosophes ont donc pris du recul et ont fait porter leur réflexion sur les conditions de la science. Ils ont compris que, pour construire des théories qui soient conformes à la réalité, il fallait s'interroger sur le pouvoir et les limites des facultés humaines. Les humains ne sont pas, comme les autres espèces animales, réduits à la simple connaissance des choses qui font partie de leur entourage immédiat ; cependant, ils n'ont pas non plus une intelligence aussi parfaite que celle des dieux. Nous avons la capacité d'édifier les sciences, mais, pour cela, il faut respecter certains critères qui fondent la vérité de ce que l'on soutient. Pour ne pas prendre pour des vérités les chimères de notre esprit ou les connaissances qui ne sont que vraisemblables, il faut s'appliquer à différencier ce qui est **objectif** de ce qui est **subjectif**.

Ce que nous ont appris ces philosophes, c'est que nous devons éviter de prendre pour des faits tout ce que nous présentent nos perceptions sensibles, car, entre notre expérience subjective et immédiate des choses et la réalité objective, il n'y a pas de lien nécessaire. Nous avons, par exemple, tendance à croire que les couleurs sont des qualités propres aux choses ; pourtant, les couleurs ne sont en réalité que l'effet, sur nos yeux, de la lumière à la surface des choses. Bien sûr, dans la vie de tous les jours, nous n'avons pas besoin à tout moment d'utiliser une approche scientifique pour agir. Toutefois, nous devons être conscients que, lorsque nous faisons face à un problème, la recherche de la vérité implique un dépassement de l'expérience quotidienne.

En plus de vouloir solutionner les problèmes propres à l'ÉPISTÉMOLOGIE, les philosophes ont tenté d'établir les règles à suivre pour construire des raisonnements

Le mot ÉPISTÉMOLOGIE est formé des mots grecs *epistêmê*, qui veut dire « science » ou « connaissance », et *lógos* qui, placé ainsi à la fin d'un mot, veut toujours dire « discours rationnel », « théorie », « étude ». L'épistémologie est donc la théorie de la connaissance ; c'est un questionnement sur l'accessibilité de l'être humain à un savoir vrai.

OBJECTIF
Ce qui concerne la réalité telle qu'elle existe, indépendamment de la perception ou de la connaissance que j'en ai.

SUBJECTIF
Ce qui est déterminé par mon propre pouvoir de juger (par moi), par opposition à la réalité elle-même.

corrects et éviter les contradictions. Ils se sont donc penchés sur la logique interne du discours, c'est-à-dire sur la force des liens qui unissent les différentes propositions à l'intérieur du discours[3].

Le problème de l'être

Après avoir pris conscience de l'écart qui pouvait exister entre ce qui est véritablement, le réel objectif, et la connaissance que nous pouvons en avoir, il a fallu se questionner sur l'être même. Les philosophes de la nature étudiaient déjà l'être en tant qu'il est doté de matière et caractérisé par le changement, mais l'interrogation de ceux qui ont poussé plus loin la recherche est plus fondamentale. Elle porte sur l'être dans son sens le plus général et le plus **absolu** : on parle alors d'ONTOLOGIE. L'ontologie est l'étude de l'être en tant qu'être : elle s'intéresse non pas à une partie de l'être, comme le fait chacune des autres sciences, mais à l'être pris dans le sens de « fondement de tous les êtres ». L'ontologie ne s'applique pas aux différents êtres vivants que nous rencontrons dans la nature (un homme, un ours, une plante), ni aux différentes sortes d'êtres inanimés (une maison, un avion, un livre ou un crayon), mais à ce que toutes ces choses si différentes ont en commun : le fait d'être. Par exemple, si quelqu'un dit : « Je suis étudiant, je suis né en 1980, je suis d'origine montréalaise », on comprend facilement ce que cela signifie ; mais si la même personne affirme : « Je suis. J'existe », qu'est-ce que cela signifie ? C'est cette question que se pose l'ontologie : « Qu'est-ce que l'être ? »

Le mot ONTOLOGIE dérive du terme *óntos*, qui veut dire « être », et du terme *lógos*, qui veut dire « étude ». L'ontologie est donc l'étude ou la science de l'être.

L'autre discipline qui s'intéresse au problème de l'être est la MÉTAPHYSIQUE. Elle est une recherche générale sur les **causes** premières de l'être. Elle étudie les raisons générales qui expliquent ce que sont réellement les êtres. Jusqu'au XVIe siècle, les philosophes considéraient, pour la plupart, qu'il y avait quatre causes premières de l'être. Les tout premiers philosophes connaissaient déjà deux d'entre elles.

La MÉTAPHYSIQUE, qui est aussi appelée « philosophie première », est l'étude des causes premières et des êtres immatériels. Elle porte sur des questions qui vont au-delà de l'enquête sur les êtres de la nature. La métaphysique se confond parfois avec la théologie, qui est l'étude rationnelle des questions religieuses et selon laquelle l'être au sens absolu est Dieu.

- la cause matérielle : ce dont une chose est faite ; le substrat à partir duquel un être est engendré et qui demeure en lui comme un élément de sa composition (par exemple, la matière avec laquelle est conçu un enfant apparaît en lui sous l'aspect de la chair et des os). Pour connaître la cause matérielle d'une chose, nous posons la question « de quoi cette chose est-elle faite ? ».

- la cause du mouvement : ce qui fait qu'une chose acquiert l'existence, de même que les changements qu'elle subit tout au long de son existence. Pour comprendre le mouvement, nous devons poser la question « comment ? » (par exemple : « Comment s'opère la reproduction de telle espèce animale ? »).

DÉFINITIONS

ABSOLU
Qui porte en soi sa raison d'être ; qui ne dépend de rien d'autre.

CAUSE
Une cause est une raison explicative de l'être. C'est en quelque sorte un aspect que nous devons absolument considérer si nous voulons avoir une connaissance complète des choses. Dans son sens plus actuel, le mot « cause » est toujours corrélatif du mot « effet » ; « cause » ne peut désigner, en ce sens, que le changement ou la finalité.

---

3. L'acquisition de ces critères est au cœur de la deuxième partie de ce manuel.

Qu'est-ce que la philosophie ?

Puis, Platon (philosophe grec qui a vécu de –427 à –347 ; voir le chapitre 7) en a ajouté une troisième :

- la cause formelle ou l'essence : ce qui fait qu'un être est toujours le même ; ce qui est permanent dans l'être. Pour obtenir la définition essentielle d'un être, il faut poser la question « qu'est-ce qu'est essentiellement cet être malgré les changements qu'il peut subir tout au long de son existence ? » (par exemple, à la question « qu'est-ce qu'est essentiellement Pierre ? », on répondra : « Pierre reste essentiellement un être humain, de sa naissance jusqu'à sa mort, même s'il change de profession, s'il subit un accident et perd l'usage de ses bras, s'il vieillit. »).

L'essence est aussi ce qui rattache un être singulier à un ensemble (un genre ou une espèce) ; c'est l'universel en lui. Par exemple, Pierre appartient au genre animal et à l'espèce humaine. En ce sens, l'essence correspond à un type particulier de concept.

Enfin, Aristote a découvert une quatrième cause :

- la cause finale : ce vers quoi tend un être, le but de son existence, le bien qu'il vise. La fin que vise un être est toujours extérieure à lui et plus parfaite que lui. Nous connaissons la fin d'une chose lorsque nous posons la question « pourquoi ? » (par exemple, à la question « pourquoi le nouveau-né recherche-t-il la présence de sa mère ? », on répondra : « Pour se maintenir en vie et se développer. »).

Les métaphysiciens se sont également demandé si, parmi ces quatre causes premières, l'une était plus importante que les autres. Dans ce but, ils ont fait l'hypothèse de l'existence d'un être parfait et ils se sont demandé si l'explication rationnelle de cet être nécessitait la contribution des quatre causes. Ils ont dû alors conclure que cet être étant un être parfait, il resterait éternellement identique à lui-même, puisqu'il ne pourrait se détruire, ni se parfaire davantage ; il n'aurait donc ni mouvement ni finalité. Il n'aurait pas non plus de matière, étant donné que toute matière change. Ce serait donc une essence pure. Conclusion : l'essence est donc apparue comme la cause véritablement première. C'est pourquoi la métaphysique s'intéresse d'abord à l'essence et à ce qui est immatériel, alors que la physique s'intéresse aux êtres matériels et changeants.

Le problème du bien

Les différentes recherches des philosophes ont conduit ceux-ci à étendre leur réflexion sur l'être humain lui-même et sur les attributs d'une conduite qu'on pourrait qualifier de « bonne ». On nomme philosophie PRATIQUE la branche de la philosophie qui porte sur les affaires proprement humaines. La philosophie pratique diffère des autres disciplines philosophiques en ce qu'elle ne vise pas uniquement un savoir théorique, mais aussi un savoir-faire. Elle ne vise pas la connaissance de choses qui nous sont extérieures, mais plutôt, au moyen de l'action, la perfection de l'être humain dans toute sa personne. En ce sens, elle est plus exigeante que les autres branches de la philosophie. La philosophie pratique se divise elle-même en deux parties qui sont étroitement liées : l'éthique et la politique.

L'épithète PRATIQUE a pour origine le mot grec *prâxis*, qui signifie « tout ce qui a rapport à l'action humaine ».

L'ÉTHIQUE se penche sur la conduite de l'individu en général. Elle fait appel à notre conscience personnelle du bien et du mal, sans laquelle nous ne pouvons exercer notre libre arbitre et sommes condamnés à suivre ce que la nature nous dicte ou ce que nous a inculqué l'habitude. En ce sens, on distingue souvent l'éthique de la morale[4] : la morale nous incite à agir selon des valeurs dont nous n'avons pas décidé nous-mêmes (par exemple, un code religieux), alors que l'éthique nous pousse à être autonome. Cette dernière se fonde sur notre sens critique à l'égard des valeurs établies et sur l'examen continuel de nous-mêmes. Elle exige que, lorsque la raison nous fait découvrir une règle de conduite qu'elle juge bonne, nous respections cette règle dans l'action.

L'éthique considère l'ensemble des biens visés par l'individu et elle tente de déterminer un ordre hiérarchique des valeurs. Par exemple, de façon générale, les biens matériels seront considérés comme ayant moins de valeur que ceux qui se rapportent à la qualité de nos relations avec les autres.

L'éthique tente de définir les différentes vertus ou les différentes dispositions de caractère qui nous portent à agir selon le bien. Par exemple, la justice, le courage, la tempérance et la prudence sont des vertus. Elle cherche les critères qui font qu'une action sera dite vertueuse ou moralement bonne. L'action vertueuse est-elle une action accomplie par bonne intention ou une action dont le résultat est positif ?

L'éthique implique également d'autres questions, comme : l'action vertueuse est-elle celle qui résulte d'une bonne intention ou celle dont le résultat est positif ? ; l'action dépend-elle d'un choix individuel ou de déterminismes extérieurs ? ; quels sont les rôles respectifs de la raison et des passions dans l'action humaine ?

La POLITIQUE se penche sur les décisions des gouvernants et sur la conduite du CITOYEN. Elle tente d'établir une valeur dont dépendraient toutes les autres (par exemple : l'égalité, la sécurité, la liberté individuelle, la compétition, l'entraide), afin que les relations entre les citoyens soient harmonieuses.

La politique tente de déterminer quel serait le meilleur type de gouvernement. Elle évalue les forces et les faiblesses des différentes constitutions et tente de définir ce que serait un projet véritablement démocratique. Son but principal est de réaliser le bien commun tout en respectant les libertés individuelles. En ce sens, elle doit chercher à établir un équilibre entre les droits individuels et les devoirs des citoyens. Au-delà des lois (qui peuvent parfois ne pas être justes), elle tente de définir ce qu'est la justice comme valeur.

LA PHILOSOPHIE ET LES SCIENCES MODERNES

De façon générale, avant le XVIe siècle, les recherches des philosophes et celles des scientifiques portaient sur les causes premières des êtres[5]. Le but de ces recherches était de mieux connaître tous les aspects des êtres, simplement par amour de la connaissance. Les philosophes et les scientifiques étaient des amoureux du savoir.

---

4. Dans ce manuel, les deux termes (« éthique » et « morale ») sont employés indifféremment.
5. Pour un exposé de ces causes, voir p.15-16.

Qu'est-ce que la philosophie ?

Toutefois, les sciences vont progressivement s'émanciper et se définir des objets, des buts et une méthode qui leur sont propres.

Ce nouveau mode d'explication du réel prend forme au milieu du XVIe siècle avec le mouvement naturaliste qui valorise l'expérience sensible et le développement des sciences et des techniques sous de multiples formes. On observe les êtres matériels et on cherche à comprendre, à l'aide de l'expérimentation, les processus qui gouvernent les changements qu'on note. À partir de cette période de l'histoire, les scientifiques s'intéressent exclusivement au mouvement des choses (le comment) ; le but de leur existence (le pourquoi) et leurs attributs essentiels deviennent alors l'objet des recherches des seuls philosophes.

La valorisation de l'expérience et le développement des sciences modifient alors la façon de voir le rapport qui existe entre l'être humain et la nature. Jusque-là, on avait considéré que l'être humain faisait partie intégrante de la nature, qui était elle-même conçue comme vivante et ayant ses propres fins ; par exemple, on considérait que la reproduction des espèces et leur conservation

Galileo Galilei, dit Galilée (1564-1642).

étaient des finalités inscrites dans la nature elle-même. Désormais, on tend à penser que la nature, incluant les animaux, n'est que matière sans vie et qu'elle n'existe que pour les fins que l'humain lui donne. Par conséquent, l'être humain acquiert un statut supérieur à tout ce qui l'entoure, et les scientifiques se donnent pour but d'instaurer sur la terre son règne et son bonheur.

C'est ainsi que, dans son livre intitulé *Nouvel Organon*, Francis Bacon (philosophe anglais qui a vécu de 1561 à 1626 et principal représentant du mouvement naturaliste) décrit une utopie technique qui garantirait le bonheur des hommes ; c'est la nouvelle Atlantide, une île dotée d'une organisation de la recherche et qui profite de multiples innovations techniques imaginées par le philosophe : un centre d'élevage scientifique où on expérimente sur des animaux de nouvelles méthodes médicales, un centre de biochimie pour examiner la qualité des aliments, des explosifs, la machine à vapeur, le microscope, le télescope et un modèle de téléphone.

Le but du projet scientifique de Bacon est utilitaire : on cherche à comprendre comment fonctionnent les choses afin d'intervenir, au moyen de techniques, dans les processus naturels, et ainsi transformer la nature pour qu'elle nous serve. La connaissance doit permettre à l'humain d'exercer son pouvoir sur les choses et de soumettre les lois de la nature à ses propres fins. Par exemple, une fois que la science aura compris tous les liens de cause à effet dans le processus de la reproduction, elle pourra procéder à des manipulations génétiques.

Dans cette nouvelle perspective, la science cesse alors d'être simplement synonyme de connaissance vraie : elle doit permettre de faire des choses, elle privilégie l'utilité et l'efficacité. En fait, l'efficacité technique devient une preuve de connaissance vraie. C'est pourquoi de plus en plus de nouvelles sciences naissent et limitent, chacune, leur objet. Par exemple, la biologie se construit, puis se divise par la suite pour donner naissance à des spécialités comme la zoologie, la botanique, l'embryologie, la génétique, la biologie cellulaire, la biologie moléculaire, la bactériologie, la virologie, l'écologie, etc. Plus l'objet des sciences se rétrécit, plus celles-ci acquièrent de l'exactitude, et de plus en plus de découvertes scientifiques et technologiques sont rendues possibles.

La philosophie, elle, ne recherche pas ce genre d'exactitude ; au contraire des sciences modernes qui fragmentent l'être en parties de plus en plus restreintes, elle vise à sauvegarder les liens entre les différentes parties de l'être. Elle tend à considérer l'être dans son unité, afin de conserver un sens à son existence. Elle cherche, par exemple, à déterminer la place que doivent avoir les découvertes scientifiques dans l'univers humain, à quelles fins elles doivent être utilisées, le pourquoi des recherches. Aujourd'hui, par exemple, on sait comment fabriquer des armes extrêmement puissantes ou cloner des êtres vivants, mais – et c'est ce que font les philosophes – on doit se demander : cela veut-il dire qu'on doive le faire ?

La philosophie et les sciences sont donc complémentaires. En renouvelant l'interrogation fondamentale sur l'être, la philosophie veut montrer que, malgré l'utilité des sciences, le monde n'a véritablement de sens que dans le maintien de son intégrité. Elle veut que ce soit l'humain qui, par sa réflexion, se serve de la science, non pas qu'il soit asservi à elle. La philosophie est **réflexive**. Elle se fonde sur le pouvoir qu'a la raison de se remettre en question, de prendre conscience de ses limites et de ne rien tenir pour acquis. Elle est un questionnement sans fin sur les réponses déjà données et sur leur relation avec l'être pensé dans sa totalité. La philosophie nécessite donc que la raison prenne du recul à l'égard de ses propres jugements, même scientifiques, sur le réel.

Comme activité réflexive, la philosophie remplit à notre époque deux fonctions à l'égard des sciences expérimentales. L'une, éthique, qui questionne l'orientation des recherches (voir ce qui précède), l'autre, épistémologique[6], qui remet en question les principes mêmes sur lesquels les scientifiques fondent leurs recherches. Chaque science expérimentale fonde ses applications sur des lois **positives**. Partant

RÉFLEXIVE
Qualité de la pensée qui a la capacité de se détacher de ses représentations du monde extérieur et d'accomplir un retour sur elle-même, pour examiner son rapport avec les choses et en analyser sa compréhension.

POSITIVE
Est positif ce qui est connu comme fait d'expérience. Une loi positive est une loi tirée de l'expérimentation, que l'on reconnaît comme représentant de façon exacte la réalité.

6. Pour une définition, voir p. 9, en marge.

de l'observation des faits, elle formule des hypothèses qu'elle considère comme vraies, après en avoir vérifié l'exactitude dans l'expérimentation. Elle énonce que telle cause provoque (nécessairement ou dans certaines circonstances données) tel effet, dans tel domaine circonscrit du réel. L'hypothèse devient alors une loi générale.

En philosophie, on ne s'arrête jamais aux faits ; on s'intéresse aux résultats scientifiques, mais ces résultats ne sont pas considérés comme des conclusions définitives. La philosophie examine les lois scientifiques à la lumière de principes premiers, qui sont à l'origine de toutes les sciences. La différence qui existe entre philosophie et science ne porte pas tellement sur un contenu que sur une disposition d'esprit à l'égard de ce contenu. On peut comparer cette différence à celle qui existe entre le fait de connaître et de respecter les règles établies dans un sport et celui de réfléchir à la justesse et à la valeur de ces règles. Ainsi, la philosophie nous procure un savoir indispensable ; par sa réflexion, elle assure la validité de nos raisonnements et permet l'évolution de la pensée.

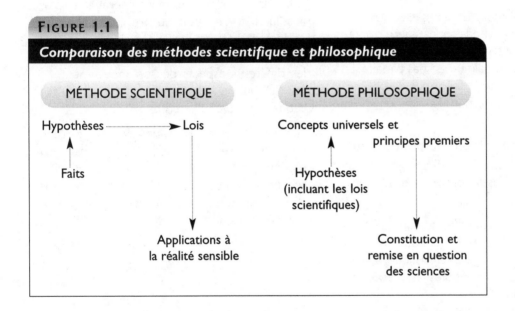

FIGURE 1.1

Comparaison des méthodes scientifique et philosophique

Qu'est-ce que la philosophie ?

La curiosité est le premier pas vers la philosophie

Les philosophes mettent à l'épreuve l'autonomie de la pensée. La philosophie se fonde sur notre volonté de comprendre et d'améliorer la situation de l'être humain dans le monde. Elle nécessite une curiosité constante. Cette curiosité est à l'origine de toutes nos connaissances. La philosophie s'oppose à toute forme de dogmatisme.

La philosophie est l'amour de la connaissance

La philosophie est l'amour de la sagesse. C'est une activité rationnelle. Elle vise la connaissance parfaite des concepts les plus généraux et des principes premiers. La raison humaine n'est pas parfaite. En même temps qu'un savoir théorique, la philosophie est un mode de vie qui nécessite un travail sur soi-même.

Les problèmes dont traite la philosophie

La philosophie s'intéresse à tout. Son objet d'étude peut se présenter sous la forme de quatre problèmes généraux.

1. Le problème de la nature suscite un questionnement sur les êtres perceptibles à nos sens. Le mouvement est la caractéristique la plus manifeste des êtres sensibles. La recherche sur le mouvement s'est transformée en une recherche sur les lois et les principes permanents.

2. Le problème de la connaissance concerne les conditions dans lesquelles se construit la science. Il existe un écart entre l'expérience subjective et la réalité objective. La science nécessite un dépassement de l'expérience quotidienne. La logique traite des règles qu'il faut suivre pour raisonner correctement.

3. Le problème de l'être exige une réflexion sur l'être dans son sens le plus général et le plus absolu : l'être en tant qu'être. Il nous convie également à une recherche sur les causes premières de l'être : ce dont une chose est faite, les différents aspects de son mouvement, ce qui fait qu'elle est essentiellement ce qu'elle est, ce vers quoi elle tend.

4. Le problème du bien renvoie aux attributs d'une conduite qui serait bonne. Il concerne aussi bien l'action que la pensée. Il suppose une réflexion critique sur les valeurs qui déterminent nos choix dans notre vie privée et dans nos relations avec les autres.

La philosophie et les sciences modernes

Avant le XVIe siècle, la science et la philosophie tendent vers un même savoir. Le mouvement naturaliste est à l'origine des sciences modernes ; il privilégie l'étude du mouvement à des fins utilitaires. Alors que les sciences fragmentent l'être pour plus d'efficacité, la philosophie s'intéresse à l'être dans son unité. La philosophie est réflexive : d'une part, elle évalue le but des recherches scientifiques ; d'autre part, elle remet en question les lois positives sur lesquelles se fonde la recherche scientifique.

Activités d'apprentissage

1. Aux pages 3 à 19 de ce chapitre, trouvez deux raisons qui nous permettent d'affirmer chacune des propositions suivantes.

   Pour le vocabulaire, n'oubliez pas de consulter les définitions et les explications en marge. Pour certaines propositions, il se peut que vous trouviez des réponses dans des endroits distincts ; les raisons que vous donnez doivent autant que possible être différentes l'une de l'autre.

   a) La philosophie s'oppose à toute forme de dogmatisme.

   b) Seuls les dieux sont sages.

   c) L'éthique exige qu'il y ait accord entre l'action et la pensée.

   d) Pour progresser dans la connaissance, il est nécessaire de se questionner sur les conditions qui permettent de reconnaître la vérité.

   e) La philosophie s'intéresse à tout.

2. En vous inspirant de ce que vous avez lu à la section « La philosophie et les sciences modernes » :

   a) trouvez deux ressemblances entre la philosophie et les sciences modernes ;

   b) trouvez deux différences entre la philosophie et les sciences modernes ;

   c) donnez deux raisons qui, selon vous, font que les sciences modernes procurent un savoir qui nous est indispensable ;

   d) donnez deux raisons qui, selon vous, font que la philosophie procure un savoir qui nous est indispensable.

3. Rédigez un texte d'environ une demi-page dans lequel vous expliquerez qu'il est important de se remettre en question soi-même. Afin que vos explications soient claires, essayez de donner des exemples de préjugés que nous avons souvent, sans que nous nous en rendions compte.

4. Lisez attentivement l'extrait de *Qu'est-ce que tout cela veut dire ?*, de Thomas Nagel, présenté à la page suivante, puis répondez aux questions suivantes.

   a) À partir de ce que vous venez d'apprendre, expliquez, en quelques phrases, en quoi les questions philosophiques que l'auteur donne en exemples diffèrent des questions que l'on se pose dans chacune des disciplines scientifiques.

   b) D'après le texte, qu'est-ce qui pourrait justifier le fait que la philosophie ne fournit pas, comme les sciences, des réponses exactes et définitives ?

   c) Choisissez un thème qui vous intéresse, et trouvez une question, reliée à ce thème, que l'on se pose dans la vie de tous les jours ou en science. Ensuite, formulez une question qui, d'après vous, est d'ordre philosophique, comparativement à la première.

Qu'est-ce que tout cela veut dire ?

Thomas Nagel, *Qu'est-ce que tout cela veut dire ? Une très brève introduction à la philosophie*, traduit de l'anglais (USA) par Ruwen Ogien, Perreux, Éditions de l'Éclat, 1993, p. 8-9.

La philosophie se distingue des sciences et des mathématiques. À la différence des sciences, elle ne repose pas sur l'expérimentation ou l'observation, mais seulement sur la pensée. Et, à la différence des mathématiques, elle ne s'appuie sur aucune méthode de démonstration formelle. On la pratique en ne faisant rien d'autre que questionner, argumenter, mettre des idées à l'épreuve, concevoir de bons arguments contre celles-ci et se demander comment nos concepts fonctionnent vraiment.

La préoccupation principale de la philosophie, c'est de questionner et de comprendre des idées tout à fait courantes, que nous utilisons quotidiennement sans trop y réfléchir. Un historien se posera des questions sur ce qui a eu lieu à un certain moment dans le passé, alors qu'un philosophe demandera : « Qu'est-ce que le temps ? » Un mathématicien étudiera les relations entre les nombres, alors qu'un philosophe demandera : « Qu'est-ce qu'un nombre ? » Un physicien cherchera à savoir de quoi sont faits les atomes ou ce qui explique la gravité, alors qu'un philosophe demandera comment nous pouvons savoir qu'il y a quoi que ce soit à l'extérieur de nos propres esprits. Un psychologue cherchera à savoir comment les enfants apprennent un langage, alors qu'un philosophe demandera : « Qu'est-ce qui fait qu'un mot peut signifier quelque chose ? » N'importe qui peut se demander si c'est mal de se faufiler sans payer dans une salle de cinéma, mais un philosophe demandera : « Qu'est-ce qui rend une action bonne ou mauvaise ? »

Nous ne pourrions pas nous débrouiller dans la vie si les idées de temps, de nombre, de connaissance, de langage, de bien et de mal n'allaient pas de soi le plus souvent. Mais, en philosophie, ce sont précisément ces choses que nous prenons pour objet d'investigation, afin de pousser un peu plus loin notre compréhension du monde et de nous-mêmes.

LECTURES SUGGÉRÉES

FOURASTIÉ, Jean. *Les conditions de l'esprit scientifique*, Paris, Gallimard, 1966. Voir le chapitre V.

JASPERS, Karl. *Introduction à la philosophie*, Paris, Union générale d'éditions, 1983, coll. « 10/18 ». Voir les chapitres I et II.

NAGEL, Thomas. *Qu'est-ce que tout cela veut dire ? Une très brève introduction à la philosophie*, traduit de l'anglais (USA) par Ruwen Ogien, Perreux, Éditions de l'Éclat, 1993.

PHILONENKO, Alexis. *Qu'est-ce que la philosophie ? Kant et Fichte*, Paris, J. Vrin, 1991. Lire en particulier les pages 17 à 21 sur l'étonnement.

RICŒUR, Paul. « Interrogation philosophique et engagement », dans *Pourquoi la philosophie ?*, Montréal, les éditions de Sainte-Marie, 1968.

RUSSELL, Bertrand. *Problèmes de philosophie*, Paris, Payot, 1989. Voir le chapitre XV.

CHAPITRE 2

L'avènement de la rationalité

*Apprends et enseigne
ce qui vaut le mieux.*

THALÈS DE MILET

LES PREMIERS PHILOSOPHES

La philosophie est née autour du VIe siècle avant Jésus-Christ, dans les colonies grecques (principalement Milet, Éphèse et Samos) de la région ionienne de l'Asie Mineure (emplacement actuel de la Turquie). À la fin du VIe siècle, elle connut également une activité importante dans une autre colonie grecque, la Grande Grèce, en Italie du Sud. Certes, il existait de grands penseurs dans d'autres régions du monde — en Asie et en Inde, par exemple —, mais leurs préoccupations différaient de celles des penseurs grecs. En Occident, la philosophie est une activité proprement rationnelle ; elle est à la source des sciences, telles que nous les connaissons aujourd'hui.

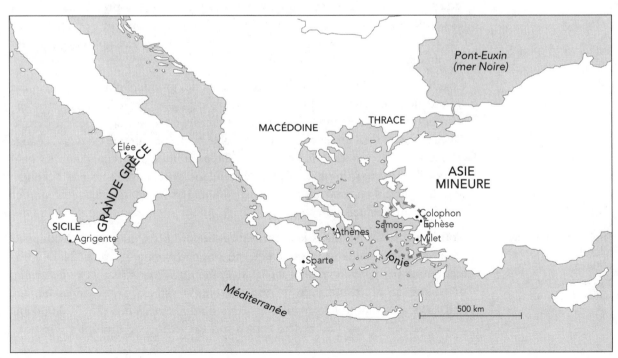

La Grèce et ses colonies.

On appelle «présocratiques» les premiers philosophes; ce nom signifie «avant Socrate» (Socrate est un philosophe né à Athènes en –469; il est mort en –399, condamné à boire la ciguë par le tribunal d'Athènes, voir le chapitre 6). L'expression « avant Socrate » peut elle-même avoir deux sens. D'abord, d'un point de vue chronologique, la majorité des présocratiques ont vécu avant Socrate bien que certains d'entre eux, comme Démocrite, aient été ses contemporains. Ensuite, d'un point de vue philosophique, les recherches des présocratiques, incluant Démocrite, se ressemblent en des points essentiels alors qu'elles diffèrent de celles de Socrate. Avec Socrate, comme nous le verrons plus loin, quelque chose de nouveau se produit: on assiste à un déplacement de l'objet de la philosophie et à une redéfinition de celle-ci.

Quant aux recherches de ceux qui viennent avant Socrate, qu'ont-elles de si particulier pour qu'on en parle comme de la naissance de la philosophie ? Le faisons-nous à tort ou à raison ? Aristote, déjà au IVᵉ siècle avant notre ère, semblait remettre en cause le statut des présocratiques en les accusant de n'avoir été que des physiciens. Selon lui, les présocratiques avaient seulement tenté de décrire la matière et le mouvement, et en avaient fait la nature totale de l'être. Cependant, si nous revenons à la définition de la philosophie que nous avons donnée au chapitre 1, nous constatons que les présocratiques étaient d'authentiques philosophes. D'abord, leur attitude à l'égard de la connaissance est conforme à l'une des premières exigences de la philosophie. Les présocratiques, contrairement à leurs voisins égyptiens, phéniciens et mésopotamiens, s'intéressaient à la vérité en elle-même et ne cherchaient pas à acquérir des connaissances dans un but utilitaire. Ensuite, même si nous ne disposons que de peu de fragments de leurs œuvres, ceux-ci suffisent pour que nous constations qu'une coupure s'est produite entre leur attitude à l'égard du réel et celle qui avait cours avant eux. Les présocratiques sont les premiers à avoir tenté de trouver une explication rationnelle de l'univers. Ils ont instauré un nouveau mode de pensée en précisant des concepts et en fondant une méthode propre à la philosophie.

Ce qui, par-dessus tout, animait les recherches des premiers philosophes, était la volonté de comprendre ce qui, dans la nature, explique l'ordre qui règne à travers les multiples changements[1]. Ils souhaitaient trouver ce qui demeure en permanence et donne ainsi un sens à la réalité sensible, malgré le fait que tout naît, change et meurt. Ces recherches ont conduit à l'élaboration de différentes théories qu'il est possible de répartir en deux grandes tendances; selon la première, l'explication de l'univers est fondée sur des principes matériels, selon la seconde, sur des principes intellectuels.

Nous comprendrons mieux la contribution des présocratiques dans l'histoire de la pensée occidentale une fois que nous aurons parcouru ce chapitre. Nous commencerons par y découvrir le type de discours qui préexistait à la philosophie. Bien que la philosophie soit née vers le VIᵉ siècle avant Jésus-Christ, l'HOMO SAPIENS, dont les premiers ancêtres sont apparus à peu près 100 000 ans avant Jésus-Christ, se posait déjà depuis fort longtemps de multiples questions

Type d'homme moderne d'après la théorie de l'évolution. Sur le plan culturel, l'HOMO SAPIENS se distingue de ses prédécesseurs par ses pratiques religieuses, l'art et la parole.

---

1. À ce propos, voir «Le problème de la nature», au chapitre 1.

sur l'univers et sur sa place au sein de cet univers. Toutefois, s'il n'y avait encore ni philosophie ni sciences, quel genre de réponses donnait-on alors à ces questions et en quoi celles-ci étaient-elles si différentes des réponses apportées par les premiers philosophes ? C'est ce que nous nous demanderons d'abord.

Nous examinerons ensuite les hypothèses des philosophes présocratiques. Nous verrons d'abord celles des philosophes de la première tendance, qui peuvent, à juste titre, être considérés comme les précurseurs lointains de la pensée scientifique moderne. Ensuite, nous nous pencherons sur celles des philosophes de la seconde tendance, pour qui il était impossible que le principe même de l'ordre soit quelque chose de matériel et de changeant.

LA PHILOSOPHIE ET LA PENSÉE MYTHIQUE

Avant la naissance de la philosophie, c'est au moyen de **mythes** que les humains tentent de se donner une explication des choses et des phénomènes dont ils ne peuvent avoir une connaissance rationnelle. Alors que les forces de la nature ne sont pas encore apprivoisées, tout ce qui peut éveiller la peur — les tremblements de terre, la foudre, la souffrance, la mort —, mais aussi tout ce qui se distingue par son importance ou son étrangeté — l'origine de l'univers et de la vie, l'apparition et la disparition de la lumière du soleil, le cycle de la reproduction et celui des saisons —, est conçu comme la manifestation de forces sacrées. Les humains s'imaginent que des forces invisibles et surnaturelles agissent dans la nature et qu'elles sont des signes d'un autre monde plus puissant que le nôtre. Par rapport à ces forces, qui lentement seront identifiées à des dieux, notre monde apparaît comme ayant peu de réalité : son existence dépend des volontés divines. Aussi, pour s'assurer une vie paisible que ne pourraient détruire les dieux, les humains inventent la religion et la magie. Par ces moyens, ils croient pouvoir entrer en contact avec les dieux, connaître leurs secrets et gagner leurs faveurs. Sur la base des mythes, les humains établissent donc des rituels religieux qui ponctuent l'année de moments sacrés ; par exemple, on fait des offrandes aux dieux pour leur demander que la pluie soit suffisante et que les récoltes soient bonnes, ou pour leur rendre

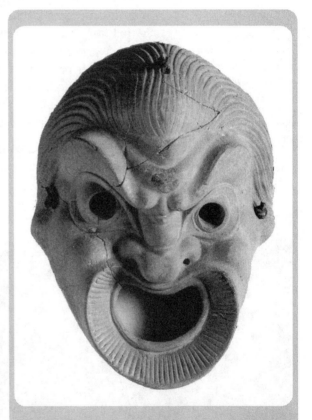

Masque de théâtre grec. Les grands auteurs de tragédies, comme Eschyle (525-456), Sophocle (496-406) et Euripide (485-406) étaient les contemporains des premiers philosophes.

MYTHE

Le mot « mythe » vient du grec *mûthos* qui signifie « légende, fable, conte ». Dans l'Antiquité, les mythes étaient, pour la plupart, des légendes ayant des dieux pour personnages principaux, et par lesquels on tentait de reconstituer l'origine de tout ce à quoi on accordait de l'importance. De nos jours, les grandes religions monothéistes s'appuient également sur des mythes de l'origine.

grâce au temps des moissons. La répétition cyclique des rites, déterminée par le rythme des saisons, donne l'impression aux membres des communautés humaines de participer, avec les dieux, au maintien de l'ordre de la nature. Par l'accomplissement des rites, les humains se rendent donc responsables de la réussite de leurs activités de subsistance et de la préservation de leur existence.

Étant donné que la pensée mythique a prévalu durant une partie extrêmement longue de l'histoire, depuis les débuts de l'humanité jusqu'au VIᵉ siècle avant Jésus-Christ, on peut distinguer deux périodes principales. On situe généralement la première avant l'avènement de l'écriture et des formes sociopolitiques évoluées. Elle se caractérise par le fait que les dieux n'ont pas encore d'identité précise ; ce sont des forces diffuses aux exigences desquelles les humains doivent se soumettre. La seconde période est celle des grandes mythologies antiques, qui nous sont connues grâce à des œuvres écrites. En Grèce, on doit aux poètes HOMÈRE et HÉSIODE d'avoir structuré les mythes auparavant transmis de génération en génération par la tradition orale. Dans leurs écrits se précise le caractère ANTHROPOMORPHIQUE des dieux : on leur attribue des personnalités, des traits physiques, des qualités morales, des passions, des fonctions sociales. Ces descriptions encouragent le renversement du rapport entre les humains et les dieux. Progressivement, le monde divin apparaît moins comme un monde à craindre que comme un miroir où se reflètent et agissent les besoins et les volontés politiques des hommes.

La personnification des dieux, la création d'une généalogie qui les réunit et l'établissement d'une hiérarchie qui situe leurs rapports ont aussi entraîné une explication plus systématique et plus cohérente de l'origine et de l'ordre de l'univers. Ainsi, dans son livre intitulé *La Théogonie*, Hésiode établit de longues filiations entre les dieux du panthéon grec et raconte comment Zeus, le roi des dieux, a mis fin au chaos primitif et a établi l'ordre définitif de l'univers. Après de nombreuses guerres contre Cronos (son père) et les Titans, Zeus, qui est le plus jeune de la lignée des Olympiens, a remporté la victoire et a fait régner la paix en établissant des hiérarchies entre les dieux et en leur distribuant des fonctions et des domaines où chacun devait régner.

On a qualifié la pensée mythique de « prélogique », car elle caractérise une période de l'humanité où, contrairement à nous qui, au moyen des sciences, rationalisons la nature afin qu'elle nous soit utile, les humains vivaient de façon affective et intuitive le rapport au réel. Ce type de rapport n'exclut pas l'usage de la raison ; mais, pour les humains de cette période de l'histoire, la conscience que les éléments et les phénomènes naturels sont des réalités matérielles ne s'oppose pas à la croyance qu'ils sont, en même temps,

Aristote contemplant le buste d'Homère, Rembrandt (1653).

Ruines du site de Delphes, lieu sacré où le dieu Apollon rendait des oracles.

des puissances surnaturelles. Par exemple, dans le mythe que raconte Hésiode, la Terre (Gaïa), le Ciel (Ouranos), la Mer (Pontos) sont conçus à la fois comme matières et divinités. De même, les guerres entre les dieux symbolisent le chaos primitif, alors que la paix instaurée par Zeus symbolise la naissance d'un univers ordonné.

Bien que nous soyons loin de la théorie actuelle du BIG BANG, l'esprit systématique présent dans les textes des poètes de l'Antiquité témoigne d'un certain souci de rationalité. De plus, l'écriture a permis une étude plus méthodique des mythes explicatifs de l'ordre de l'univers et un regard plus critique à leur égard, ce qui a facilité le passage à une forme de pensée proprement rationnelle.

Avec la naissance de la philosophie, ce qui étonne, c'est que, pour la première fois, les dieux et les forces surnaturelles sont éliminés comme éléments d'explication des phénomènes naturels. D'une certaine manière, on peut considérer que la philosophie s'est construite sur la base de la pensée mythique, mais en s'y opposant peu à peu, en en rejetant tout ce qui est irrationnel. Ce que recherchent les philosophes, ce sont des explications rationnelles, c'est-à-dire qui ne font pas intervenir des causes extérieures (comme les divinités) à l'objet de recherche. Ils tentent de découvrir des lois **immanentes** à la nature elle-même. Avec les premiers philosophes, les dieux cèdent la place à des lois physiques, et les luttes divines sont remplacées par des interactions mécaniques entre des éléments matériels. Les forces qui agissent dans la nature, jusque-là sacrées, sont LAÏCISÉES ; ce qui intéresse les penseurs, ce ne sont plus les raisons pour lesquelles Zeus enverrait la foudre,

Certains physiciens actuels avancent la théorie du BIG BANG comme explication matérielle de la naissance de l'univers. Avant l'existence de notre univers, il y aurait eu un moment où la matière était infiniment dense et chaude. L'énergie causée par cette température extrêmement chaude aurait provoqué une grande explosion (le Big Bang) à partir de laquelle l'univers se serait dilaté et la matière se serait refroidie, donnant ainsi naissance à l'univers tel qu'on le connaît.

Est LAÏCISÉ ce qui est dépouillé de tout caractère religieux.

Zeus, le roi des dieux et des êtres humains, a établi l'ordre définitif de l'univers.

mais les causes physiques qui produisent le phénomène. Une séparation apparaît entre la religion et l'étude de la nature, entre le monde surnaturel et la nature, entre les dieux et l'expérience humaine.

Cette mutation de la pensée a aussi été favorisée, historiquement, par les importantes transformations économiques et politiques qu'a connues le monde grec. La colonisation des côtes de la Méditerranée, qui a entraîné le développement de la vie urbaine et le commerce avec les étrangers, a profondément marqué les mentalités. Les Grecs découvrent alors le **relativisme culturel** et en viennent à contester la pertinence des mythes. Xénophane (philosophe ; né à Colophon, en Ionie, vers −570 et mort vers −475), par exemple, notera que chaque peuple a des dieux à son image : « Les Éthiopiens ont des dieux noirs au nez écrasé, alors que les dieux thraces ont les cheveux roux et les yeux bleus. » La recherche rationnelle sur la nature s'accomplit donc en même temps que se fait sentir le besoin de définir de nouvelles règles morales et politiques. L'organisation politique se détache de l'ordre religieux et devient l'objet d'une activité et d'un savoir particulier ; dans les cités, les philosophes sont sollicités pour établir une législation ou proposer de nouvelles lois.

LES PRÉCURSEURS DE LA PENSÉE SCIENTIFIQUE MODERNE

C'est dans l'exploration de la réalité sensible (perceptible à nos sens) que les présocratiques de la première tendance ont cherché ce qui demeure en permanence à travers le changement. Ils ont fait l'hypothèse de l'existence de principes matériels qui assurent l'ordre de l'univers et nous permettent d'en saisir le sens. Selon eux, il existe une matière première qui est constitutive de tous les êtres et qui, malgré les diverses transformations que subissent ceux-ci, reste éternellement identique à elle-même. C'est une matière élémentaire, croit-on, parce qu'elle ne peut se décomposer en d'autres éléments plus petits. Voici un exemple qui illustre leur raisonnement.

Si l'on prend un lit et qu'on le décompose, il en résulte du bois ;
si l'on prend du bois et qu'on le décompose, il en résulte de la terre ;
si l'on prend cette terre et qu'on la décompose, il en résulte de la terre.

Lit → bois
Bois → terre
Terre → terre

La terre apparaît donc comme l'élément indécomposable, l'**unité** indivisible, la cause première (la véritable raison explicative de l'être), le principe de l'ordre et de la permanence.

Au nombre de ces éléments matériels conçus comme principes fondamentaux de l'être, on compte : l'eau, selon Thalès ; la matière infinie, selon Anaximandre ; l'air, selon Anaximène ; le feu, selon Héraclite ; l'air, la terre, le feu et l'eau, selon Empédocle ; l'atome, selon Démocrite. Ces théories sont évidemment aujourd'hui périmées, mais les intuitions qui les ont fait naître sont d'un grand intérêt historique. Par exemple, sur le plan de la méthode, la science d'aujourd'hui procède de façon semblable puisqu'on « divise » l'univers, la matière, en ses particules élémentaires — les électrons, les photons, les quarks, les neutrinos —, pour ensuite reconstituer l'ensemble et en avoir une meilleure compréhension.

Les philosophes de Milet : Thalès, Anaximandre et Anaximène

C'est à Milet, à l'époque où cette cité était la plus riche et la plus cultivée de l'Ionie, qu'apparaît la première école philosophique, fondée, semble-t-il, par Thalès, le plus ancien philosophe connu. Thalès est né au cours du dernier tiers du VIIe siècle avant Jésus-Christ et il est mort au milieu du VIe siècle. Il figure parmi ceux qu'on a appelés les Sept Sages, auxquels on attribue les maximes morales inscrites à l'entrée du temple d'Apollon, à Delphes. Bien qu'il soit surtout reconnu comme philosophe et physicien, Thalès s'est également intéressé à la politique, à l'astronomie et aux mathématiques. Au nombre des mérites qu'on lui attribue, il aurait prédit une éclipse du Soleil qui s'est produite au cours d'une bataille opposant les Mèdes aux Lydiens. On dit aussi qu'il pouvait calculer la hauteur d'une pyramide en comparant deux triangles d'ombre, peu importe la position du Soleil. On raille souvent le tempérament méditatif de Thalès en racontant qu'une nuit, alors qu'il était occupé à scruter les astres, il serait tombé par mégarde dans un puits. Une vieille femme qui passait par là lui aurait dit : « Comment, toi qui n'es pas capable de voir ce qui est à tes pieds, t'imagines-tu pouvoir connaître ce qui est dans le ciel ? » Aristote, par ailleurs, rapporte une autre anecdote, qui montre que Thalès était rusé et avait un grand sens pratique : un hiver, comme il avait prévu une abondante récolte d'olives, Thalès s'empressa de louer à bas prix tous les pressoirs à huile de la région, puis les sous-loua, le moment venu, à des conditions avantageuses.

C'est à partir de l'observation des alluvions des fleuves de son pays que Thalès fit l'hypothèse que tout vient de l'eau et que tout retourne à l'eau. L'eau est l'élément premier qui explique l'origine et la permanence de l'être à travers le changement. L'eau, principe de vie, est en toutes choses ; cela explique que, selon Thalès, toute chose matérielle est vivante et animée bien que cela ne soit pas toujours perceptible. C'est en ce sens que Thalès dit que « tout est plein de dieux ». Les autres éléments – l'air, le feu et la terre – proviennent aussi de l'eau : l'air et le feu ne sont que des exhalaisons de l'eau qui se transforme, alors que la terre est un dépôt résiduel (déchets qui proviennent de la transformation d'un corps en un autre).

La représentation que Thalès se fait de l'univers est, en partie, empruntée à des mythes anciens ; toutefois, elle sert à expliquer les phénomènes naturels sans faire référence à des forces surnaturelles. Selon Thalès, la terre est entourée d'eau et elle s'en nourrit. Les astres, eux, flottent sur « les eaux d'en haut », situés au-dessus de notre monde terrestre. Bien que la théorie de Thalès puisse nous sembler aujourd'hui curieuse, elle ne manque pas de vraisemblance, étant donné l'importance de l'eau pour tout ce qui est vivant.

Anaximandre est né vers l'an 610 avant Jésus-Christ et il est mort vers l'an 547. Nous ne connaissons pratiquement rien de sa vie, si ce n'est qu'il prend la relève de Thalès comme chef de l'école milésienne vers le milieu du VIe siècle. On croit aussi qu'il a été le premier à avoir l'idée de dresser une carte de la Terre.

Selon Anaximandre, c'est l'*ápeiron*, la matière infinie, qui est le principe premier, inengendré et impérissable, qui gouverne tous les êtres. Elle est le commencement et la fin de tout ce qui existe ; c'est à partir d'elle que naissent tous les êtres et c'est à elle qu'ils retournent afin que se rétablisse un juste équilibre entre les divers éléments matériels. Anaximandre croit qu'il existe une succession infinie de mondes dans le temps. Au terme de son évolution, un monde se dissout, tout retourne à la matière infinie, puis le cycle reprend. La matière infinie est donc inépuisable : elle procède par division et produit continuellement des êtres contraires. C'est ainsi que, par une première séparation, sont apparus le chaud et le froid. Une sphère de flamme s'est formée autour de l'air, de la terre et de l'eau, qui sont les produits du froid ; cette sphère s'est ensuite rompue et a formé les astres. En ce qui concerne les êtres vivants, Anaximandre croit que les premiers d'entre eux étaient semblables à des poissons, et c'est lentement que de nouvelles formes, telle l'espèce humaine, sont apparues. Cela n'est pas sans rappeler la théorie actuelle de l'évolution, selon laquelle la vie est apparue dans la mer. Cette théorie résulte d'un bagage immense de données scientifiques dont ne jouissait pourtant pas Anaximandre.

Anaximène est décédé vers l'an 520 avant Jésus-Christ. Sa naissance et les événements de sa vie nous sont totalement inconnus. Selon lui, l'air est le principe organisateur de l'univers dans son ensemble et des êtres qui le composent. L'air produit toutes choses en prenant des apparences différentes selon qu'il est plus ou moins condensé ou dilaté. De même que l'unité du monde lui vient de l'air qu'il absorbe, l'âme, parce qu'elle est faite d'air, réalise l'unité de l'individu. La vie elle-même n'est donc possible que grâce à l'air que respirent les vivants et qui est partout dans leur environnement. Selon Anaximène, la Terre est une vaste surface plate placée un peu comme un couvercle sur un « bol » d'air. On doit à Anaximène d'avoir fait une distinction entre les étoiles fixes et les planètes. Les astres, selon lui, ont été formés par la raréfaction des vapeurs qui s'éloignent de la Terre ; cinq planètes tournent autour de la Terre, alors que d'autres astres plus lointains restent fixes.

Héraclite

Héraclite est né vers l'an 540 avant notre ère et il est décédé vers l'an 480. Il était le descendant du fondateur d'Éphèse (en Ionie), Androclos, dont le père, Crodos, était roi d'Athènes. Héraclite appartenait donc à une très illustre famille aristocratique d'Éphèse, où il aurait dû être roi. Toutefois, à cause de son dédain pour les mœurs politiques de ses concitoyens, il abandonna ce titre à son frère. Très tôt, Héraclite a été surnommé l'Obscur, en raison du style hermétique de son écriture. On dit de lui qu'il était sublime, orgueilleux et, selon certains, mélancolique. Il a eu beaucoup d'influence sur le développement ultérieur de la philosophie.

Héraclite d'Éphèse : « Tout s'écoule, rien ne demeure. »

Selon Héraclite, le principe premier est le feu, d'où proviennent toutes les choses et auquel elles retournent, parce qu'il possède les attributs de la matière la plus subtile et la moins corporelle. « Toutes les choses sont convertibles en feu et le feu en toutes choses. » En comparaison des autres théories matérialistes, celle d'Héraclite a cependant ceci de particulier que, selon lui, le feu n'appartient pas exclusivement au monde sensible ; Héraclite le considère aussi comme une notion abstraite. Il l'associe à la Raison divine ; il le nomme Vérité, Sagesse, Principe organisateur, Loi universelle.

La doctrine d'Héraclite est appelée « mobilisme » ou « dynamisme », car le feu, qui est immanent à toutes les choses, est toujours en mouvement. Dans la nature, tout est dans un état d'incessante mobilité ; tout s'écoule, rien ne demeure. Selon Héraclite, une loi universelle préside au mouvement de l'univers : c'est la loi de l'opposition et de l'harmonie entre les contraires.

L'opposition des contraires

Il y a un principe de transformation réciproque et continuelle (une lutte) entre les opposés : entre la vie et la mort, le jour et la nuit, le chaud et le froid. L'univers entier se maintient sans cesse entre deux opposés. « Ce monde-ci, dit Héraclite, a toujours été, et il est et il sera un feu toujours vivant, s'allumant avec mesure et s'éteignant avec mesure. » Dans cette lutte, rien ne reste jamais identique à soi. Selon Héraclite, « on ne saurait entrer deux fois dans le même fleuve » et « ce n'est pas le même soleil qui se lève chaque jour ». Au principe de la permanence que recherchent les philosophes, Héraclite substitue donc le changement. Selon lui, le changement est l'être des choses, et les choses ne sont que des moments de ce changement. Même lorsqu'elles nous apparaissent immobiles et que leur changement s'opère à un rythme imperceptible à nos sens, les choses sont en continuel changement. Il en est également ainsi de l'équilibre que nous croyons percevoir dans la nature ou de la paix entre les humains ; tout cela n'est qu'apparence et illusion. Rien ne reste donc en permanence. Mais plutôt que de considérer l'être dans sa totalité et de voir que les contraires s'y réunissent de façon harmonieuse, la plupart des humains préfèrent s'arrêter à un aspect particulier de l'être et prendre l'apparence pour la réalité ; ils « aiment mieux la paille que l'or ».

L'harmonie entre les contraires

Héraclite affirme que rien ne reste jamais pareil, mais, pour lui, c'est le même d'être un opposé ou l'autre. « Ce qui est en nous est toujours un et le même : vie et mort, veille et sommeil, jeunesse et vieillesse ; car le changement de l'un donne l'autre, et réciproquement. » Tout ce qui existe n'existe donc que grâce à la présence simultanée des contraires dans l'être. Le feu veille à ce que jamais l'un des contraires ne disparaisse, car ce serait la fin du mouvement, de la vie et de l'être.

Empédocle

Empédocle est né vers l'an 490 avant Jésus-Christ et il est décédé vers l'an 430. Il était originaire d'Agrigente, en Grande Grèce (Italie), et appartenait à une famille aristocratique qui détenait un pouvoir religieux et sacré. En plus d'être philosophe, Empédocle était connu comme défenseur de la démocratie et comme poète. On raconte que, lors d'une victoire à Olympie, il offrit aux dieux un taureau fait de farine et de miel, car c'était, selon lui, immoral de sacrifier et même de manger les animaux. On dit qu'il était thaumaturge : entre autres prodiges, il aurait fait cesser la peste à Sélinonte et guéri des maladies incurables. Il aurait été le premier à affirmer que la Lune reçoit sa lumière du Soleil et à avoir donné une explication exacte des éclipses du Soleil. Banni d'Agrigente, à cause de ses convictions politiques, Empédocle se réfugia à la fin de sa vie dans le Péloponnèse (au sud de la Grèce). On raconte que, désespéré des maux de notre monde, il mit fin à ses jours en se précipitant dans le cratère d'un volcan (l'Etna).

La mythologie grecque est remplie d'êtres monstrueux, tels les minotaures d'Empédocle.

Selon Empédocle, l'univers est constitué de quatre éléments fondamentaux : l'eau, la terre, le feu et l'air. Ces éléments sont tous également inengendrés et incorruptibles. À la matière unique des Milésiens et d'Héraclite, Empédocle substitue donc plusieurs substances éternelles, sources de toutes les choses mortelles et immortelles. Il ne croit pas possible que l'un ou l'autre des éléments puisse, à lui seul, se transformer pour donner naissance à toutes les choses. Il explique plutôt l'existence des choses par un procédé mécanique de mélange et d'échange entre les quatre éléments. La variété des êtres s'explique par le fait qu'ils sont composés de quantités différentes des quatre éléments.

En plus de la cause matérielle, Empédocle soutient l'existence de deux causes motrices, l'Amitié et la Discorde, grâce auxquelles les éléments entrent en contact et se séparent. L'Amitié force les éléments à se rapprocher et à se mélanger afin que règne le Sphéros, être unique, parfaitement proportionné et sans dissensions. Mais la Discorde livre un combat à l'Amitié et force les éléments à se séparer jusqu'à ce qu'ils forment des masses homogènes sans lien entre elles. Le monde évolue selon un cycle éternel entre ces deux extrêmes sans que jamais l'une ou l'autre des deux forces exclut totalement l'autre. C'est pourquoi il existe de multiples combinaisons qui donnent forme aux différentes espèces d'êtres. Au début, on assiste à la création d'êtres imparfaits (des têtes sans cou, des bras dépourvus d'épaules, etc.) et monstrueux (des humains à tête de taureau, des taureaux à tête d'humain, des êtres munis d'innombrables mains, etc.) qui laissent progressivement la place à des formes plus parfaites destinées à vivre et à durer. Ces figures de l'Amitié et de la Discorde ont touché profondément certains poètes, tel Hölderlin au XIXᵉ siècle. Voici un court extrait de son roman *Hyperion*.

> Je serai. Comment pourrais-je me perdre hors de la sphère de la vie où l'amour éternel, qui est commun à tous, maintient tous les êtres naturels ? Comment pourrais-je être exclue de l'alliance qui réunit tous les êtres ? Elle ne se brise pas aussi facilement, elle, que les lâches liens de ce temps. Elle n'est pas comme une foire où le peuple accourt dans le vacarme et se disloque. Non ! par l'esprit qui nous unit, par l'esprit divin qui est propre à chacun et à tous commun, non ! Dans l'alliance de la nature, la fidélité n'est pas un rêve. Nous ne nous séparons que pour être plus intimement unis, unis dans une paix divine avec tous, avec nous-mêmes. Nous mourons pour vivre[2].

Bien que la théorie d'Empédocle comporte un caractère mythique, elle a pour avantage de juxtaposer à la cause matérielle une cause du mouvement. Aujourd'hui, les forces qui agissent dans la nature sont conçues comme exclusivement physiques : la force nucléaire ou la force électromagnétique, par exemple. Cependant, nous n'avons pas encore expliqué l'origine de ces forces ni leur caractère permanent dans un univers en constant changement. La théorie des quatre éléments d'Empédocle a été marquante ; elle a, par exemple, joué un rôle en médecine et elle a subsisté pendant tout le Moyen Âge, jusqu'à la constitution de la chimie moderne.

Démocrite

Démocrite est né vers 465 avant Jésus-Christ et il est décédé vers 370. Il était originaire d'Abdère, en Thrace, et fit de nombreux voyages grâce à un héritage. On dit qu'il ne conserva de cet héritage que l'argent liquide, car il dédaignait l'accumulation de biens matériels. Il visita l'Égypte, la Perse, l'Inde et l'Éthiopie, où

---

2. Hölderlin, *Hyperion,* étude et présentation de Rudolph Leonhard et Robert Rovini, Poitiers, éd. Pierre Seghers, 1963, p. 117, coll. «Poètes d'aujourd'hui».

il s'instruisit auprès des sages. Il devint lui-même très savant en toutes choses et laissa de nombreux écrits, dont de très belles maximes. En voici trois exemples.

« Une vie sans fêtes est une longue route sans auberges. »
« Les plaisirs les plus rares sont les plus délicieux. »
« L'usage intelligent des richesses est utile pour la liberté
et le bien public ; mais son usage insensé constitue un impôt
considérable dont tout le monde pâtit. »

Selon Démocrite, le principe de l'origine et de la permanence de l'être n'est pas l'un des quatre éléments matériels (l'eau, la terre, le feu et l'air) ou les quatre, mais l'atome. Démocrite aurait été le premier à concevoir l'existence de l'atome qui, selon lui, représentait l'être inengendré et indestructible, l'unité indivisible. L'ensemble de la réalité est composée de l'être (les atomes) et du non-être (le vide). D'une part, les atomes, qui existent en nombre infini, sont des petites particules imperceptibles qui se meuvent au hasard dans le vide. En entrant en contact et en se combinant, ils forment la substance des êtres. D'autre part, le vide est conçu comme la cause du mouvement et de la vie ; en n'opposant aucune résistance au mouvement perpétuel des atomes, c'est lui qui rend possible leur combinaison. Quant à la diversité des êtres et des mondes qui se succèdent, elle s'explique par les propriétés géométriques des atomes qui diffèrent par leur forme et leur grandeur, ainsi que par l'ordre et la position qu'ils occupent les uns par rapport aux autres.

L'atomisme de Démocrite constitue un moment important dans l'histoire de la pensée. La pauvreté des instruments scientifiques de l'époque explique l'écart qui subsiste entre cette physique antique et la physique moderne. Toutefois, dans son explication de la nature, Démocrite a réussi à éliminer toute référence aux mythes et à offrir une conception mécanique du mouvement. De plus, il rend compte des phénomènes psychologiques d'un point de vue purement matérialiste, puisqu'il soutient que l'âme est matérielle : elle est composée d'atomes très subtils et très mobiles qui permettent aux êtres vivants de se mouvoir et de penser. C'est cette théorie qui sera utilisée au siècle suivant par Épicure (philosophe grec qui a vécu de −341 à −270) pour expliquer la liberté humaine et traiter les problèmes moraux et politiques.

Démocrite d'Abdère : le premier philosophe à donner une explication entièrement matérialiste de l'univers.

LA RECHERCHE D'UN PRINCIPE ABSTRAIT ET INTELLIGIBLE

Nous aborderons maintenant les théories des présocratiques de la seconde tendance, selon laquelle il est impossible que le principe de la réalité – ce qui demeure en permanence – soit de nature sensible. Ces philosophes ont pris du recul vis-à-vis des spéculations portant sur la matière et ils se sont davantage intéressés aux mathématiques et à la logique. Ils ont privilégié des causes abstraites et **intelligibles.**

Pythagore

Pythagore est né à Samos, en Ionie. La date de sa naissance est inconnue, mais on croit qu'il est mort vers la fin du premier tiers du Ve siècle avant Jésus-Christ. Le théorème qui porte son nom est bien connu : dans un triangle rectangle, le carré de la mesure de l'hypoténuse est égal à la somme des carrés des mesures des deux autres côtés ($a^2 + b^2 = c^2$). Pourtant, nous ne savons pas grand-chose de l'homme ni de sa vie. Il n'a laissé aucune œuvre écrite et, aussitôt après sa mort, il est devenu un héros légendaire. On raconte qu'il était le descendant du dieu Hermès, qu'il était prophète et faisait des miracles, qu'il descendit aux enfers et en revint, qu'il pouvait changer de lieu instantanément. Néanmoins, les historiens laissent entendre qu'il se serait établi à Crotone, en Italie, après ses voyages en Égypte, à Babylone et en Inde. Il fonda à Crotone une école qui eut une très grande renommée et où la communauté des biens et la concorde étaient la règle de vie. Contrairement à la coutume, les femmes et les étrangers y étaient admis. Malheureusement, le succès de l'école et de son mode de vie valut aux pythagoriciens la haine de partis politiques ; beaucoup d'entre eux périrent dans un incendie allumé au cours d'une révolte populaire.

En plus d'une école philosophique, le pythagorisme était une secte religieuse. L'enseignement qu'on y recevait devait obligatoirement être tenu secret. On raconte que le pythagoricien Hippase fut mis à mort pour avoir dévoilé le mystère de l'incommensurabilité de la diagonale, ce qui montre que même les connaissances intellectuelles étaient considérées de nature mystique par la secte. Les pythagoriciens croyaient notamment en la réincarnation cyclique de

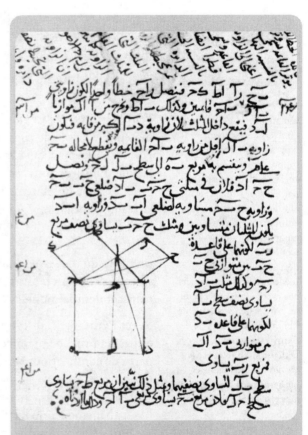

Démonstration, en langue arabe, du théorème de Pythagore. Au Moyen Âge, les penseurs islamiques ont porté un grand intérêt aux œuvres des philosophes grecs.

l'âme, qui migre d'un corps à l'autre (plante, animal ou humain), jusqu'à expiation complète de ses fautes. C'est pourquoi, avant d'accéder aux spéculations intellectuelles, les novices se soumettaient à une initiation de deux à cinq ans, qui consistait en des rites de purification de l'âme, afin que celle-ci puisse se libérer de leur corps et se ressouvenir de ses vies antérieures. De cette façon, l'âme peut faire l'unité de ses vies passées et de sa vie présente, et renouer avec ce qui est permanent, malgré les changements matériels. Elle assure ainsi son salut. En contrepartie, le corps, qui ne connaît qu'au moyen des sens, est conçu comme une prison pour l'âme, d'où l'expression *sôma sèma* (le corps est un tombeau).

Ce **dualisme** de l'âme, qui est immatérielle, et du corps, qui est matériel, repose sur une autre distinction déjà opérée au sein du cosmos entre un monde qui serait immatériel et intelligible et un autre monde qui serait matériel et sensible.

MACROCOSME (L'UNIVERS)	MICROCOSME (L'HUMAIN)
Monde immatériel (intelligible) ◄ ┄ ┄ ┄	Âme (raison)
Monde matériel (sensible) ◄ ┄ ┄ ┄	Corps (sens)

On appelle MACROCOSME l'univers considéré par rapport à l'humain, en supposant qu'il y a correspondance entre leurs parties. Dans ce rapport, l'humain, qui est une copie en miniature de l'univers, est appelé MICROCOSME. Ces mots étaient sans doute déjà employés par les médecins grecs, qui faisaient correspondre terme à terme les parties de l'anatomie de l'homme aux parties de l'univers. Toutefois, la division du macrocosme en monde intelligible et en monde sensible est due aux philosophes.

Dans le MICROCOSME, le corps qui correspond, dans le MACROCOSME, au monde matériel, est doté de cinq sens qui lui permettent de percevoir les êtres sensibles. Pour sa part, l'âme, qui correspond au monde immatériel, possède la raison comme faculté. Elle peut ainsi accéder à la connaissance des êtres intelligibles. En philosophie, il existe une longue tradition de penseurs qui croient que les principes de la réalité sont d'ordre intelligible. Certains d'entre eux rejettent complètement l'utilité de l'observation et de l'expérience sensible, car ils pensent que les principes existent en eux-mêmes en dehors de la réalité sensible, et que c'est seulement une fois qu'on les connaît et qu'on les applique à notre monde qu'on a la science de celui-ci. C'est ce qu'ils affirment quand ils disent que ces principes **transcendent** le monde matériel.

Selon Pythagore, qui est philosophe mais aussi mathématicien, c'est le nombre qui est le principe premier de l'être et de la connaissance véritable des choses. À partir de constatations faites sur les accords musicaux, Pythagore a déduit que tout (les sons, les figures, les mouvements, etc.) se prête à la mesure et que le nombre est l'élément fondamental de toutes les choses; tout est nombre. C'est donc dans les mathématiques qu'il faut, selon lui, chercher le principe de la réalité. Celui qui s'y adonne peut saisir la correspondance qui existe entre les sons harmonieux de la lyre et la musique céleste du cosmos. À l'exception de l'Un (principe purement abstrait, qui diffère du «un» que Pythagore identifie au point), les nombres ont tous

DÉFINITIONS

DUALISME
Doctrine métaphysique selon laquelle la réalité est composée de deux types d'êtres distincts et irréductibles.

TRANSCENDANT
Se dit de ce qui, tout en étant extérieur et supérieur à un genre ou à une espèce d'êtres, les détermine. Ce qui est transcendant s'oppose à ce qui est immanent.

L'avènement de la rationalité

une correspondance dans la nature ; ils déterminent les limites respectives des corps et des êtres matériels. En outre, il existe des nombres sacrés (10, par exemple, le nombre parfait) et des nombres ayant une valeur morale ou intellectuelle (1 correspond à l'intelligence, 2 à l'opinion, 4 à la justice, 7 au temps critique, etc.).

Après l'étude des philosophes qui ramenaient toutes choses à des principes matériels, la théorie pythagoricienne a peut-être de quoi nous surprendre. Toutefois, aujourd'hui encore, beaucoup de mathématiciens qui établissent des formules mathématiques sans se référer aucunement à l'expérience sensible croient que ces formules pourraient être en parfaite adéquation avec la réalité. C'est comme si la structure du cosmos reposait sur des combinaisons mathématiques ; tout en ayant une existence indépendante de l'univers matériel, les objets mathématiques seraient donc en parfaite adéquation avec celui-ci. Selon cette perspective, on n'invente pas les formules mathématiques, on les découvre.

Parménide

Parménide est né vers la fin du VIe siècle avant notre ère et il est décédé vers l'an 450. Il vient d'une famille aristocratique d'Élée, en Italie du Sud (Grande Grèce). On sait peu de choses sur sa vie, si ce n'est qu'il a peut-être été législateur. C'est à lui qu'on attribue la doctrine de l'Être, à cause des idées qu'il soutient dans un poème qui a été conservé et qui s'intitule *De la nature*. L'œuvre comprend deux parties : la première porte sur la vérité et la seconde, sur l'opinion.

Tout comme Pythagore, Parménide oppose l'âme et le corps. L'âme est supérieure au corps, puisque, immortelle, elle peut connaître ce qui reste éternellement identique, ce qui ne se contredit jamais, ce qui est toujours vrai, alors que le corps, mortel, est tourné vers le monde matériel et changeant. Ce qui intéresse Parménide à l'égard de l'âme n'a cependant rien de mystique contrairement à ce qu'on trouve dans la théorie de Pythagore. Ce qui intéresse Parménide, c'est le pouvoir rationnel de l'âme : l'âme possède la faculté de connaître la vérité grâce à ses raisonnements logiques. Toutefois, pour atteindre la vérité, l'âme ne doit pas se laisser distraire par le monde sensible, le monde de l'expérience. Elle doit se replier sur elle-même et procéder comme dans les mathématiques pures, où le recours à la réalité extérieure n'est jamais nécessaire.

Parménide est le premier philosophe à apporter une solution au problème de la connaissance[3] ; il est le premier à prendre comme point de départ de sa réflexion un principe logique : le principe de non-contradiction. Dans la pratique, on reconnaît facilement la pertinence de ce principe : quand on débat d'une question, par exemple, on exige des autres qu'ils ne se contredisent pas. Toutefois, sans doute parce que Parménide a été le premier à définir ce principe, il l'a fait d'une façon trop rigide. Il a confondu la non-contradiction et l'identité absolue de l'être. Son principe n'admettait aucun changement dans l'être. Le principe de non-contradiction, tel qu'il a été défini par Parménide, s'énonce comme suit :

Il est impossible pour un même être de recevoir deux attributs opposés[4].

---

3. À ce propos, voir « Le problème de la connaissance », p. 9.
4. Comparez cette définition avec la définition véritable de « principe », p. 5.

Appliqué à la nature, ce principe devait mener à une impasse, car, force est de constater que, selon celui-ci, les êtres sensibles sont contradictoires et apparaissent toujours sous des aspects différents : ils sont vivants et ils sont morts ; ils sont en santé et ils sont malades ; ils sont chauds et ils sont froids ; ils sont jeunes et ils sont vieux. Devenir (changer), pense Parménide, c'est être ce qu'on n'est pas ou ce qu'on n'était pas. Devenir, c'est passer de ce qu'on est à ce qu'on n'est pas, c'est passer de ce qu'on est à autre chose. Devenir autre, ce n'est plus être identique à soi ; ce n'est plus être véritablement. Devenir, c'est tout simplement ne pas être.

Comme on le voit, le raisonnement de Parménide aboutit à une conclusion radicale : les êtres de la nature ne sont pas véritablement des êtres, car ils sont contradictoires. Ils n'ont donc pas d'existence réelle ; ils ne sont qu'apparences et illusions. Contrairement à Héraclite, qui voit le principe même de l'être dans le changement, Parménide le voit dans ce qui reste toujours identique, dans ce qui ne change pas. Selon lui, l'être ne peut que demeurer toujours ce qu'il a toujours été.

Une autre conséquence de la réflexion de Parménide, c'est l'impossibilité de faire une science de la nature. Si les êtres de la nature n'ont pas d'existence réelle, il est en effet impossible d'en acquérir une connaissance vraie. Quand on tente de la connaître, la nature (c'est-à-dire tout ce qui est matériel et changeant) heurte sans cesse la raison et son principe de non-contradiction. Les êtres de la nature se présentent, d'un moment à l'autre, sous de multiples aspects. C'est pourquoi il existe de multiples opinions par rapport à une même chose. La nature n'est qu'affaire d'opinion, qui varie sans cesse selon la perception que tous et chacun ont des choses qui changent. La nature n'offre pas la stabilité nécessaire pour qu'on

TABLEAU 2.1	L'être et le non-être selon Parménide
L'être ou le réel	• Le monde intelligible • L'être toujours identique • L'Un • L'être logique (qui ne se contredit jamais) • L'être toujours vrai, objet de la science
Le non-être ou l'apparence	• Le monde sensible ; la nature • Le changement, le mouvement ou le devenir • Le multiple • L'expérience contradictoire • Le faux et le **vraisemblable,** objet de l'opinion

VRAISEMBLABLE　　　　　　　　　　　　　　　　　　　DÉFINITIONS
Qui a une apparence de vérité, sans être nécessairement vrai.

puisse en dégager les lois de la science. Par conséquent, Parménide condamne la possibilité d'une étude sérieuse de la nature; selon lui, de toutes les opinions, aucune n'est plus vraie que les autres.

La thèse radicale de Parménide a freiné l'entrain de ceux dont la recherche portait sur la nature. C'est l'une des règles de l'argumentation que d'admettre (au moins provisoirement) les conclusions auxquelles aboutit un raisonnement correctement formé qu'on ne peut contredire de façon rationnelle. Il faudra attendre longtemps avant qu'on se rende compte qu'il fallait remonter jusqu'au principe de départ pour découvrir l'erreur de Parménide; c'est Platon et son élève Aristote qui en donneront la solution. Toutefois, on peut accorder à Parménide d'avoir éveillé le souci de la rigueur dans la démonstration et l'intérêt pour les questions relatives à la connaissance et à la logique.

L'avènement de la rationalité

Les premiers philosophes

La philosophie est née autour du VIᵉ siècle avant Jésus-Christ, en Grèce. Les présocratiques sont les premiers à avoir tenté une explication rationnelle de l'univers. Leurs théories peuvent se partager en deux tendances. Selon la première, les principes de la réalité (ce qui assure l'ordre de l'univers et nous permet de le comprendre) sont d'ordre matériel. Selon la seconde, ces principes sont abstraits; ils ne peuvent être perçus par les sens.

La philosophie et la pensée mythique

Avant la philosophie, les humains créent des mythes pour expliquer l'univers. Ils identifient les forces de la nature à des forces surnaturelles ou divines. Ils inventent la religion pour entrer en contact avec les dieux et assurer leur subsistance. L'œuvre des poètes fournit une explication plus systématique et cohérente de l'univers, mais il y a encore confusion entre matière et divinité. Les philosophes éliminent les dieux comme éléments d'explication du monde. Religion et étude de la nature se séparent en même temps que s'accomplissent d'importantes transformations politiques en Grèce.

Les précurseurs de la pensée scientifique moderne

Les présocratiques de la première tendance posent comme hypothèse qu'une matière élémentaire est le principe de la réalité. L'intuition qui est à la base de cette explication est d'un grand intérêt historique.

1. Thalès de Milet est le fondateur de la première école de philosophie, à laquelle se rattachent Anaximandre et Anaximène. Selon Thalès, c'est l'eau qui est le principe premier, qui explique l'origine et la permanence de l'être à travers le changement. Selon Anaximandre, c'est l'*ápeiron* (ou matière infinie). Selon Anaximène, c'est l'air.

2. Selon Héraclite, le feu est le principe de la réalité. Le feu est à la fois une matière et une notion abstraite. La nature est déterminée par la loi de l'opposition et de l'harmonie entre les contraires.

Le changement est l'être des choses. La permanence n'est qu'apparente. L'être réunit en lui les contraires.

3. À la matière unique des Milésiens et d'Héraclite, Empédocle substitue un procédé mécanique de mélange et d'échange entre les quatre éléments fondamentaux. L'Amitié et la Discorde sont les deux forces motrices entre lesquelles évolue le monde.

4. Démocrite substitue l'atome aux éléments comme principe matériel de l'être des choses. Le vide est la cause du mouvement des atomes, qui se combinent pour produire la nature. L'âme est matérielle. Cette doctrine mécaniste laisse pressentir l'esprit de la science moderne.

La recherche d'un principe abstrait et intelligible

Les présocratiques de la seconde tendance émettent l'hypothèse que le principe de la réalité est abstrait et intelligible.

1. En plus d'être une école philosophique, le pythagorisme est une secte religieuse. Les pythagoriciens croient en la réincarnation de l'âme. Pour assurer son salut, l'âme doit rompre avec le monde matériel et contempler l'ordre éternel. Seule la raison, faculté de l'âme, peut accéder à cette connaissance. Le nombre est le principe qui transcende toutes les choses. Les mathématiques rendent compte de la réalité sensible.

2. Selon Parménide, le pouvoir rationnel de l'âme lui confère un statut supérieur à celui du corps. Parménide définit le premier le principe logique de non-contradiction, qui correspond, chez lui, à l'identité absolue de l'être. La nature ne peut avoir d'existence réelle, car elle présente toujours des aspects contradictoires; or, l'être est toujours identique à lui-même. La nature ne peut donc être connue de façon scientifique; on ne peut en avoir que des opinions. On admet chez Parménide une grande rigueur démonstrative.

Activités d'apprentissage

1. a) En vous inspirant de la section « La philosophie et la pensée mythique », expliquez, en quelques phrases :

- ce qu'est le réel (l'être au sens le plus fondamental ; ce qui a le plus d'existence) selon la pensée mythique ;

- ce qu'est le réel pour vous.

b) En quelques phrases, dites si ces deux positions sont conciliables et sur quels points elles le sont ou ne le sont pas. Expliquez pourquoi.

c) Discutez-en avec vos camarades de classe.

2. Rédigez un texte d'environ une page dans lequel vous comparerez l'explication mythique et l'explication philosophique de l'univers matériel qui nous entoure. Illustrez votre exposé sur la pensée mythique à l'aide d'un ou de deux exemples tirés de *La Théogonie* (voir p. 40-41) et votre exposé sur la pensée philosophique à l'aide d'un ou de deux exemples tirés des Fragments et témoignages (voir p. 42-44).

ATTENTION : Les exemples ne font qu'accompagner votre exposé théorique. Il ne faut pas qu'ils occupent toute la place.

3. D'après vous, qu'est-ce qui, dans la doctrine de Pythagore, relève proprement de la philosophie, par opposition à ce qui appartient au domaine des croyances ?

4. Répondez à la question « qu'est-ce que le réel ? » :

a) en présentant les caractéristiques principales de l'être selon Héraclite. Illustrez votre exposé à l'aide d'un ou de deux exemples tirés des Fragments et témoignages (voir p. 42) ;

b) en indiquant en quoi cette conception peut faire l'objet d'une critique ;

c) en indiquant en quoi cette conception vous paraît acceptable.

5. Répondez à la question « qu'est-ce que le réel ? » :

a) en présentant les caractéristiques principales de l'être selon Parménide ;

b) en indiquant en quoi cette conception peut faire l'objet d'une critique ;

c) en indiquant en quoi cette conception vous paraît acceptable.

La Théogonie

Hésiode, *La Théogonie,* texte établi et traduit par Paul Mazon, 5e édition, Paris,
Les Belles Lettres, 1960, p. 36-37, 48-50, 63.

D'Abîme[1] naquirent Érèbe[2] et la noire Nuit. Et de Nuit, à son tour, sortirent Éther
et Lumière du Jour. Terre, elle, d'abord enfanta un être égal à elle-même, capable de la
couvrir tout entière, Ciel Étoilé, qui devait offrir aux dieux bienheureux une assise sûre
à jamais. Elle mit aussi au monde les hautes Montagnes, plaisant séjour des déesses, les
Nymphes, habitantes des monts vallonnés. Elle enfanta aussi la mer inféconde aux
furieux gonflements, Flot – sans l'aide du tendre amour. Mais ensuite, des embrasse-
ments de Ciel, elle enfanta Océan aux tourbillons profonds, – Croios, Crios,
Hypérion, Japet – Théia, Rhéia, Thémis et Mnémosyne, – Phoibé, couronnée d'or,
et l'aimable Téthys. Le plus jeune après eux, vint au monde Cronos, le dieu aux
pensers fourbes, le plus redoutable de tous ses enfants ; et Cronos prit en haine son
père florissant.

Rhéia subit la loi de Cronos et lui donna de glorieux enfants, Histié, Déméter, Héra
aux brodequins d'or ; et le puissant Hadès, qui a établi sa demeure sous la terre, dieu
au cœur impitoyable ; et le retentissant Ébranleur du sol ; et le prudent Zeus, le père
des dieux et des hommes, dont le tonnerre fait vaciller la vaste terre. Mais, ses premiers
enfants, le grand Cronos les dévorait, dès l'instant où chacun d'eux du ventre sacré de
sa mère descendait à ses genoux. Son cœur craignait qu'un autre des altiers petits-fils
de Ciel n'obtînt l'honneur royal parmi les Immortels. Il savait, grâce à Terre et à Ciel
Étoilé, que son destin était de succomber un jour sous son propre fils, si puissant qu'il
fût lui-même – par le vouloir du grand Zeus. Aussi, l'œil en éveil, montait-il la garde ;
sans cesse aux aguets, il dévorait tous ses enfants ; et une douleur sans répit possédait
Rhéia. Mais vint le jour où elle allait mettre au monde Zeus, père des dieux et des
hommes ; elle suppliait alors ses parents, Terre et Ciel Étoilé, de former avec elle un
plan qui lui permît d'enfanter son fils en cachette et de faire payer la dette due aux
Érinyes[3] de son père et de tous ses enfants dévorés par le grand Cronos aux pensers
fourbes. Eux, écoutant et exauçant leur fille, l'avisèrent de tout ce qu'avait arrêté le
destin au sujet du roi Cronos et de son fils au cœur violent ; puis, ils la menèrent à
Lyctos, au gras pays de Crète, le jour où elle devait enfanter le dernier de ses fils, le
grand Zeus ; et ce fut l'énorme Terre qui lui reçut son enfant, pour le nourrir et le
soigner dans la vaste Crète. L'emportant donc à la faveur des ombres de la nuit rapide,
elle atteignit les premières hauteurs du Dictos, et, de ses mains, le cacha au creux d'un
antre inaccessible, dans les profondeurs secrètes de la terre divine, aux flancs du mont
Égéon, que recouvrent des bois épais. Puis, entourant de langes une grosse pierre, elle

---

1. Abîme ou Chaos.
2. Érèbe est le nom des ténèbres infernales.
3. Les Érinyes sont des esprits qui vengent les torts causés à des parents.

la remit au puissant seigneur, fils de Ciel, premier roi des dieux, qui la saisit de ses mains et l'engloutit dans son ventre, le malheureux! sans que son cœur se doutât que, pour plus tard, à la place de cette pierre, c'était son fils, invincible et impassible, qui conservait la vie et qui devait bientôt, par sa force et ses bras, triompher de lui, le chasser de son trône et régner à son tour parmi les Immortels.

Puis rapidement croissaient ensemble la fougue et les membres glorieux du jeune prince, et, avec le cours des années, le grand Cronos aux pensers fourbes recracha tous ses enfants, vaincu par l'adresse et la force de son fils, et il vomit d'abord la pierre par lui dévorée la dernière. Et Zeus la fixa sur la terre aux larges routes dans Pythô la divine, au bas des flancs du Parnasse, monument durable à jamais, émerveillement des hommes mortels. Ensuite de leurs liens maudits il délivra les frères de son père, les fils du Ciel, qu'avait liés leur père en son égarement. Ceux-là n'oublièrent pas de reconnaître ses bienfaits : ils lui donnèrent le tonnerre, la foudre fumante et l'éclair, qu'auparavant tenait cachés l'énorme Terre et sur lesquels Zeus désormais s'assure pour commander à la fois aux mortels et aux Immortels.

[…]

Et, lorsque les dieux bienheureux[4] eurent achevé leur tâche et réglé par la force leur conflit d'honneurs avec les Titans[5], sur les conseils de Terre, ils pressèrent Zeus l'Olympien au large regard de prendre le pouvoir et le trône des Immortels, et ce fut Zeus qui leur répartit leurs honneurs.

4. Les Olympiens, c'est-à-dire Zeus et ses frères.
5. Cronos et ses frères.

Fragments et témoignages

Les fragments et témoignages sont tirés de l'ouvrage *Les écoles présocratiques*, édition établie par Jean-Paul Dumont, Paris, Gallimard, 1991, coll. «Folio/Essais».

Héraclite

Le Tout est divisé indivisé
engendré inengendré
mortel immortel. (Hippolyte)

Toutes choses sont convertibles en feu
et le feu en toutes choses
Tout comme les marchandises en or
et l'or en marchandises. (Plutarque)

La route, montante descendante
Une et même. (Hippolyte)

Le feu est doué de conscience et cause
de l'ordonnance de toutes choses.
(Hippolyte)

Aussi il faut suivre ce qui est à tous
car à tous est le commun (l'universel)
Mais bien que le Logos soit commun
La plupart vivent comme avec une
pensée en propre. (Sextus Empiricus)

Ceux qui parlent avec intelligence
il faut qu'ils s'appuient sur ce qui est
commun à tous

de même que sur la loi une cité
et beaucoup plus fortement encore
Car toutes les lois humaines se
nourrissent
d'une seule loi, la loi divine,
car elle commande autant qu'elle veut
elle suffit pour tous
et les dépasse. (Stobée)

Dieu est
jour-nuit, hiver-été
guerre-paix, richesse-famine
(tous contraires: l'intellect [le Logos]
est cela). (Hippolyte)

L'opposé est utile, et des choses
différentes naît la plus belle harmonie
et toutes choses sont engendrées par
la discorde. (Aristote)

Car on ne peut entrer deux fois dans
le même fleuve. (Plutarque)

Empédocle

[Empédocle] porte au nombre de quatre les éléments corporels : le feu, l'eau, l'air et la terre, qui sont éternels, mais changent en quantité, c'est-à-dire en plus et en moins, conformément à l'association et à la dissociation; à ceux-ci s'ajoutent les principes proprement dits, par lesquels les quatre éléments sont mus : Amitié et Haine. Il faut en effet que les éléments ne cessent de se mouvoir alternativement, tantôt s'associant par l'action de l'Amitié, tantôt dissociés par la Haine. Par conséquent, il admet six principes. Et, en effet, il confère une puissance efficiente à la Haine et à l'Amitié, quand il dit :

Tantôt de par l'Amour ensemble ils constituent
Une unique ordonnance. Tantôt chacun d'entre eux
Se trouve séparé par la Haine ennemie. (Simplicius)

Sous la domination de la Haine, les choses
Sont toutes séparées et distinctes de formes,
Mais sous l'effet d'Amour ensemble elles concourent,
Animées du désir partagé d'être ensemble.
Car c'est des éléments que sortent toutes choses,
Tout ce qui a été, qui est et qui sera :
C'est d'eux que les arbres ont surgi, et les hommes
Et les femmes, et les bêtes, et les oiseaux,
Et dans l'eau les poissons, et les dieux qui jouissent
De la longévité et des plus hauts honneurs.
Ils sont donc les seuls à avoir l'être, et dans leur course,
Par échanges mutuels, ils deviennent ceci
Ou cela; tant est grand le changement produit
Par l'effet du mélange. (Simplicius)

Démocrite

Démocrite déclare qu'aucun des éléments n'est engendré par un autre élément; c'est au contraire le corps commun (le plein) qui est le principe de toutes choses, et celui-ci diffère dans ses parties (les atomes) en grandeur et en figure. (Aristote)

Démocrite d'Abdère posait comme principe le plein et le vide, appelant *être* le premier et *non-être* le second; étant donné qu'il formait l'hypothèse que les atomes sont la matière dont sont formés les objets, il considérait que le reste des choses est engendré par leurs différences. (Simplicius)

Certains ont supposé que nous étions arrivés à la notion de dieux à partir des événements merveilleux qu'on rencontre dans le monde, et telle paraît être la thèse de Démocrite: «Lorsque, dit-il, les Anciens virent les événements dont le ciel est le théâtre, comme le tonnerre, les éclairs, la foudre, les conjonctions d'astres ou les éclipses de Soleil et de Lune, leur terreur leur fit penser que des dieux en étaient les auteurs.» (Sextus Empiricus)

La philosophie et la pensée mythique

VERNANT, Jean-Pierre. «Les origines de la philosophie», dans *La Grèce ancienne*, t.1, Paris, éd. du Seuil, 1990, coll. «Points».

Les présocratiques

BRUN, Jean. *Les présocratiques*, Paris, P.U.F., 1989, coll. «Que sais-je ?», n° 1319.

DUMONT, Jean-Paul. *Les écoles présocratiques*, Paris, Gallimard, 1991, coll. «Folio/Essais», n° 152.

HERSCH, Jeanne. *L'étonnement philosophique ; une histoire de la philosophie*, Paris, Gallimard, 1993, coll. «Folio/Essais», n° 216. Voir les pages 11 à 26.

ROBIN, Léon. *La pensée grecque et les origines de l'esprit scientifique*, Paris, éd. Albin Michel, 1973, coll. «L'Évolution de l'humanité».

VOILQUIN, Jean. *Les penseurs grecs avant Socrate. De Thalès de Milet à Prodicos*, Paris, Garnier-Flammarion, 1964. Voir les pages 23 à 57, 71 à 141 et 163 à 195.

WERNER, Charles. *La philosophie grecque*, Paris, Petite bibliothèque Payot, 1966. Voir le chapitre 1.

PARTIE II

L'argumentation rationnelle

Les notions de base de l'argumentation

L'UTILITÉ DE L'ARGUMENTATION

Les philosophes considèrent que, parce que l'être humain est un animal rationnel, sa vocation première est de penser par lui-même : il devient pleinement humain dans l'exacte mesure où il éduque sa raison. En effet, si la faculté de raisonner est ce qui fait de nous des êtres humains et nous distingue des autres animaux, cela implique, premièrement, que tout être humain possède une aptitude innée au raisonnement et, deuxièmement, que l'être humain se réalise pleinement en perfectionnant au mieux cette faculté naturelle. Au fond, les philosophes ne pensent pas très différemment de nous tous : nous savons que d'autres animaux peuvent percevoir par les sens, faire des rêves durant le sommeil, avoir de la mémoire ou de l'imagination, mais la plupart d'entre nous pensons que seul l'être humain raisonne. Même lorsque nous n'excluons pas entièrement la possibilité que d'autres animaux puissent penser, nous reconnaissons néanmoins que, sur ce plan, la supériorité de l'être humain sur les autres animaux est si grande qu'il convient de voir en la raison la faculté qui caractérise l'espèce humaine. Nous croyons donc tous déjà, même si c'est de manière plus ou moins réfléchie, que l'être humain est un animal rationnel, et que la vocation de tout humain est de penser par lui-même[1].

Les philosophes se distinguent cependant de la plupart des gens par le fait qu'ils prennent cette vocation au sérieux et s'interrogent sur les moyens de la réaliser. Ils sont pleinement conscients du fait que notre faculté de raisonner n'est pas un instinct : nous ne raisonnons pas correctement dès la naissance et sans y mettre l'effort. Nous devons apprendre à le faire, tout comme nous devons apprendre à compter, à lire et à écrire. Et, tout comme nous apprenons à calculer et à compter correctement en étudiant les mathématiques, nous pouvons apprendre ce qu'est le raisonnement et quelles sont les NORMES ou les règles qui déterminent si nous raisonnons correctement ou non grâce à une discipline philosophique qui s'appelle « logique ». On distingue la logique formelle, qui fait appel à un symbolisme abstrait très éloigné des langues courantes, comme le français, et la logique informelle (ou argumentation), qui étudie les raisonnements tels que nous les

Une NORME est une règle générale qui nous indique les critères qu'il faut respecter pour faire quelque chose correctement. La logique est, comme les mathématiques et la grammaire, une discipline normative : tout comme il faut suivre les règles de l'arithmétique et de la grammaire pour compter et écrire correctement, les règles de la logique déterminent ce qu'il faut faire pour raisonner correctement.

---

1. Cela ne s'oppose pas, par ailleurs, au fait que l'émancipation de l'humain requiert également le développement de l'aspect affectif en lui et celui de ses autres facultés.

Le Penseur d'Auguste Rodin, sculpteur français (1840-1917).

formulons dans la langue que nous utilisons quotidiennement. Dans les pages qui suivent, nous n'aborderons que l'argumentation, et nous verrons les règles que les philosophes nous invitent à suivre.

L'argumentation est une science indispensable, car elle nous fournit une méthode pour mieux exercer notre sens critique. Sans cette méthode, et ce, malgré toute notre bonne volonté, nous commettons à notre insu de nombreuses erreurs de raisonnement et nous ne pouvons juger si les raisonnements des autres sont corrects ou non. En fait, ceux qui ne maîtrisent pas les règles de base de l'argumentation sont tout aussi désarmés et impuissants que ceux qui ne savent ni lire ni écrire : ce sont des analphabètes de la raison. De plus, l'ignorance des règles de l'argumentation a des conséquences fâcheuses tant dans notre vie privée que sur le plan de notre engagement social. Pour plusieurs, ne pas savoir qu'il existe des règles qui servent à raisonner correctement et à communiquer rationnellement avec les autres équivaut à croire à l'inexistence de ces règles. Cela conduit à un laisser-aller que nous confondons avec le respect d'autrui, mais qui n'est en fait que de la fausse tolérance : nous croyons que la vérité n'existe pas, qu'on peut dire n'importe quoi, n'importe comment et qu'au fond toutes les opinions se valent. Tout le monde a raison puisque tout dépend du point de vue que chacun adopte.

Les notions de base de l'argumentation

Il est vrai que la démocratie exige, avec raison, que tous puissent exprimer leurs idées sans que leur soit causé de préjudice. Toutefois, sur le plan de la vérité, dire que toutes les opinions ont une valeur égale est tout aussi absurde que de supposer que, tout en méconnaissant la méthode scientifique, chacun pourrait prétendre pouvoir juger du contenu et des résultats des sciences.

Ignorer les règles de l'argumentation conduit à des erreurs, comme si l'on tentait de résoudre des problèmes d'arithmétique sans connaître les règles du calcul. Et comme on échoue à raisonner par soi-même, on se laisse fréquemment séduire par d'autres éléments du discours qui, sous des apparences de rationalité, n'ont pas pour but d'établir la vérité ni ce qui est rationnel de croire. L'éloquence, le style, l'originalité, l'appel aux sentiments, par exemple, sont très souvent des moyens de persuasion, mais ils sont pourtant de peu de valeur lorsqu'il s'agit de convaincre rationnellement. Dans ce dernier cas, il n'y a que la rigueur du raisonnement qui compte.

Le fait de se tromper soi-même ou de se laisser tromper par des discours qui ne sont rationnels qu'en apparence nous fait courir un risque encore plus grave : celui de la misologie ou haine de la raison ; on en vient à être méfiant à l'égard de l'argumentation, et cela peut aller jusqu'au dénigrement de la raison. Sous prétexte que ça ne vaut pas la peine de discuter avec autrui, on refuse toute discussion rationnelle, on sabote le dialogue, on adopte de mauvaises attitudes dans le but parfois inconscient d'imposer le silence aux autres. Les sceptiques, par exemple, croient que tout le monde a tort. Pour eux, il vaut mieux ne rien dire puisqu'on ne peut rien savoir. Les dogmatiques, quant à eux, ne sont certains que de leurs propres opinions ; ils n'acceptent donc d'entendre que ce qui va dans le sens de celles-ci. Dans les deux cas, on manifeste de l'intolérance et du mépris à l'égard de ceux qui recherchent l'échange rationnel.

Néanmoins, il existe une éthique de l'argumentation qui vise la mise en commun des idées et la progression vers une meilleure entente entre citoyens et entre humains. Cette éthique comprend trois principes. Premièrement, il faut respecter les règles de la méthode de l'argumentation, que nous nous appliquerons à apprendre, après avoir assimilé les notions de base. Ensuite, il faut respecter autrui et être charitable à son égard. Nous devons nous montrer le plus équitables possible envers ce qu'il dit (ou ce qu'il écrit). Entre plusieurs interprétations possibles, il faut opter pour celle qui lui est le plus favorable, c'est-à-dire celle qui est la plus susceptible d'être vraie. Si l'on veut que le dialogue soit bénéfique, il faut être généreux, il faut donner aux autres le bénéfice du doute ou, comme on dit : « donner la chance au coureur ». Enfin, il faut admettre que nous ne sommes pas infaillibles et que nous commettons des erreurs. Il faut faire preuve d'humilité et accepter de remettre en question nos positions et parfois même nos convictions les plus profondes. Il faut accepter de changer d'avis lorsqu'on nous présente des positions qui résistent mieux à l'évaluation rationnelle que les nôtres.

LA PROPOSITION

Le matériau de base de l'argumentation est la proposition : c'est en reliant des propositions de diverses manières que l'on construit des raisonnements. Bien qu'elle soit toujours incluse dans une phrase, la proposition n'est pas la phrase. La proposition (qu'on appelle parfois aussi « jugement ») correspond au contenu conceptuel[2] ou au sens d'une phrase déclarative ; c'est ce que la personne qui énonce une phrase déclarative établit comme vrai. C'est donc une assertion, mais qui peut être acceptée ou refusée par la personne qui la reçoit.

La phrase déclarative est une phrase dans laquelle l'intention du locuteur (la personne qui parle) est de faire une assertion. Par exemple, un locuteur déclare que « la terre est ronde », et vous pouvez lui répondre « cela est vrai » ou « cela est faux » ; un locuteur déclare que « la population du Québec en l'an 2002 était de sept millions d'habitants », et vous pouvez lui répondre « cela est vrai » ou « cela est faux ». Il existe des types de phrases qui ne sont pas dites par un locuteur dans le but d'énoncer une vérité et auxquelles il serait pour le moins étrange de répondre par « cela est vrai » ou « cela est faux », par exemple la phrase impérative dont le but est d'exprimer un ordre ou un commandement et la phrase interrogative dont le but est d'obtenir une information.

Périclès s'adressant aux citoyens d'Athènes lors d'une assemblée populaire.

2. Pour une définition du mot « concept », voir le chapitre 1, p. 5.

Tout comme il peut exister plusieurs mots pour exprimer un même concept (par exemple, le mot français «chat» et le mot anglais «cat» renvoient au même concept), plusieurs phrases déclaratives peuvent exprimer une même proposition. Il est en effet possible de choisir des mots différents ou de combiner les mêmes mots de différentes façons pour obtenir le même sens. Par exemple, «Marie aime Pierre» et «Pierre est aimé de Marie» sont des phrases déclaratives distinctes, mais qui renvoient à une même proposition. Il en est de même pour les deux phrases suivantes : «Je m'étais égaré dans la montagne quand un grand oiseau de proie diurne au bec crochu et aux serres puissantes vint tournoyer non loin de moi» et «Je m'étais perdu dans la montagne quand un aigle vint tournoyer à quelques pas de moi.» Une même proposition peut également être exprimée en différentes langues. «Il neige», «*it is snowing*», «*está nevando*», «*sta nevicando*», «*es schneit*» sont cinq phrases déclaratives qui ont le même sens. Il arrive parfois également qu'un paragraphe formé de plusieurs phrases ne contienne qu'une seule proposition : «Émilie dit à son thérapeute qu'elle souffre de violentes migraines. Son thérapeute lui répond que les migraines sont des maux de tête terribles. "J'ai des maux de tête terribles, dit Émilie. – Ah! reprend son thérapeute, vous avez donc des migraines.»

En argumentation, c'est toujours le sens de ce qui est déclaré qui compte, et non la langue, le style, le choix des mots ou la façon de les combiner. Toutefois, si l'on veut être compris des autres et faire progresser la discussion, il est important de s'assurer de formuler nos phrases de façon claire et précise. Il faut éviter les phrases vagues et ambiguës, qui laissent supposer que notre discours ne contient aucune proposition ou qu'il en existe plusieurs interprétations possibles.

LES CRITÈRES DE LA VÉRITÉ

Nous avons établi qu'une proposition est une assertion qui peut être acceptée ou refusée par ceux qui la reçoivent. Mais comment faire exactement pour savoir si nous devons accepter ou refuser une proposition ? Certains critères nous permettent de juger correctement si une proposition est vraie; les plus répandus sont le critère de la correspondance et celui de la cohérence.

Le critère de la correspondance concerne l'adéquation d'une proposition (ce qui est dit) avec le réel (ce qui est) : une proposition est vraie quand elle correspond à ce qui se passe dans la réalité, quand elle est une description fidèle et objective des faits. Elle est fausse lorsqu'elle contrevient à cette règle. Prenons un exemple : Gabriel rentre chez lui à 23 h, sans avoir donné aucune nouvelle de la journée. Devant le regard réprobateur de son père, il dit : «De 20 h à 22 h 30, j'étudiais à la bibliothèque.» En fait, il était au restaurant avec des amis. Gabriel a menti, il a énoncé une proposition fausse. Pourquoi est-elle fausse ? Parce qu'elle ne correspond pas au réel. Au contraire, si Gabriel avait avoué que, de 20 h à 22 h 30, il était au restaurant avec des amis, il aurait dit la vérité, il aurait énoncé une proposition vraie. Pourquoi vraie ? Parce que le contenu conceptuel de ce qu'il aurait déclaré aurait été en parfaite adéquation avec le réel.

Le critère de la correspondance est indispensable pour évaluer des propositions qui concernent le monde sensible. Par exemple, la proposition suivante : « L'énergie équivaut à la masse multipliée par la vitesse de la lumière au carré » (mieux connue par l'équation $E = mc^2$) est jugée vraie dans la mesure où il a été vérifié empiriquement qu'elle correspond au réel, c'est-à-dire qu'elle représente ce qui se passe véritablement dans le monde sensible. Donc, même si la proposition $E = mc^2$ est très complexe, nous sommes justifiés de la considérer comme vraie pour les mêmes raisons que la proposition « De 20 h à 22 h 30, j'étais au restaurant avec des amis » dans l'exemple précédent. La vérité de l'une et de l'autre de ces propositions est fondée sur l'observation et la vérification des faits, à savoir qu'il y a correspondance entre ce qui est énoncé et ce qui est.

On recourt au critère de la cohérence lorsque la correspondance entre une proposition et les faits ne peut être vérifiée directement. Reprenons l'exemple de Gabriel. Son père est resté chez lui toute la soirée et il n'a donc aucune preuve directe qui lui confirmerait que son fils lui dit la vérité. Toutefois, en rentrant du travail, il a rencontré son voisin qui est concierge au collège que fréquente son fils ; ils ont parlé de choses et d'autres, et le voisin lui a dit que la bibliothèque était exceptionnellement fermée toute la soirée à cause d'un problème de plomberie. Quand Gabriel affirme à son père qu'il a passé la soirée à la bibliothèque du collège, celui-ci se trouve donc devant des propositions inconciliables : si (1) « Gabriel a étudié à la bibliothèque de 20 h à 22 h 30 », cela implique que (2) « la bibliothèque a été ouverte dans la soirée ». Toutefois, la proposition (2) ne peut être vraie si la proposition (3) « la bibliothèque a été fermée toute la soirée » est vraie. Et si (2) est fausse, (1) est fausse aussi. Le père de Gabriel est donc devant un ensemble de propositions qui ne peuvent logiquement être vraies en même temps. Les propositions (1) et (3) se contredisent ; elles ne sont pas logiquement cohérentes.

Platon instruit ses disciples.

Ne pouvant vérifier directement les faits, le père de Gabriel a examiné les propositions à sa disposition et il a conclu que si son voisin lui dit la vérité, son fils lui ment.

Cet exemple nous aide à comprendre la fonction du critère de la cohérence. Ce critère nous permet de juger correctement de la vérité d'une proposition en établissant la relation de celle-ci avec un ensemble d'autres propositions. Une proposition est jugée vraie si elle fait partie d'un système de propositions logiquement cohérent. Le critère de la cohérence nous est également utile lorsque nous sommes en présence de propositions qui ne renvoient à aucune réalité sensible et à l'égard desquelles il n'y a aucun fait à vérifier. Par exemple, la proposition 1 + 1 = 2 est vraie, même si aucun fait sensible ne correspond à cette proposition. Par conséquent, dans le cas des sciences abstraites et non empiriques, comme les mathématiques et la géométrie, une proposition est vraie si elle fait partie intégrante d'un système de propositions cohérent.

LES TYPES DE PROPOSITIONS

Afin d'être plus apte à juger de la vérité des propositions, il convient d'apprendre à les classifier en types distincts. En premier lieu, on distingue les propositions empiriques et les propositions non empiriques.

Les propositions empiriques, qu'on appelle également «jugements de faits», sont des propositions qui portent sur l'existence ou l'inexistence d'une chose ou d'un fait. Leur vérité repose d'abord sur la correspondance ; pour savoir si une proposition empirique est vraie ou fausse, on doit donc recourir à la réalité extérieure et observer si la chose dont on parle correspond à ce qu'on en dit. Lorsqu'il est impossible de vérifier directement les faits, on peut aussi se fonder sur la cohérence logique[3].

Les propositions empiriques se divisent elles-mêmes en différents types selon la quantification du sujet de la proposition considérée. Prenons, par exemple, une proposition dont le sujet est «saumon» et le prédicat «remonter la rivière», et voyons quels types de propositions sont possibles.

1) La proposition singulière : «Un (seul) saumon remonte la rivière. »
2) La proposition particulière : «Certains saumons remontent la rivière. »
3) La proposition universelle : «Tous les saumons remontent la rivière. »
4) La proposition indéfinie : «Le saumon remonte la rivière. »

Dans le dernier cas, la proposition est dite indéfinie, car le quantificateur est ambigu. Que veut-on signifier par «le» ? Parle-t-on de un ? de deux ? de trois ? de cinquante ? de tous les saumons ? Puisque, comme nous l'avons vu, c'est toujours le sens qui importe en argumentation, il est essentiel d'être précis quant à la quantification du sujet dont il est question.

Les propositions non empiriques ne portent pas sur l'existence ou l'inexistence d'un fait. Nous ne pouvons donc recourir à la réalité sensible pour savoir si elles sont vraies. Leur vérité repose soit sur l'analyse conceptuelle lorsqu'il s'agit de propositions analytiques, soit sur la cohérence logique lorsqu'il s'agit de propositions de valeur.

Les propositions analytiques sont des propositions vraies en vertu, uniquement, du sens des termes qu'elles renferment. Autrement dit, même s'il ne devait exister aucun spécimen du sujet dont on traite, ce qu'on en dit demeurerait vrai.

Les propositions analytiques peuvent être de différents types.

1) La proposition d'identité : «Une rose est une rose. »
2) La proposition dont le prédicat est déjà contenu dans le sujet : «Ma grand-mère est une femme. »

Dans cette proposition, le prédicat «femme» n'ajoute rien de nouveau : par définition, une grand-mère est une femme, puisqu'elle est la mère d'une mère et qu'une mère est forcément une femme.

3) La définition essentielle : «Un triangle est une figure géométrique plane à trois côtés. »

---

3. Voir l'exemple donné, p. 53 et 54.

Dans la définition essentielle, le sujet et le prédicat sont des termes réciproques et convertibles : « Une figure géométrique plane à trois côtés est un triangle. »

Il est possible de vérifier la vérité de ces différents types de propositions en leur appliquant le test de la négation du prédicat ; s'il y a contradiction, on a la preuve de la vérité de la proposition initiale. Par exemple, dire : « Ma grand-mère n'est pas une femme » renferme en soi une contradiction évidente, puisque cela équivaut à : « Cette femme n'est pas une femme. »

On ne peut utiliser le test de la négation du prédicat avec des propositions autres que les propositions analytiques. Par exemple, même si on niait la proposition empirique « La cigarette est une cause du cancer » en affirmant : « La cigarette n'est pas une cause du cancer », cela ne pourrait servir de preuve de la vérité de la première de ces deux propositions, car la seconde ne présente pas de contradiction dans les termes.

Il existe deux types de propositions de valeur, qu'on appelle également « jugements de valeur ».

1) Les propositions d'appréciation, dans lesquelles on déclare qu'une chose est ou n'est pas digne d'estime sur le plan moral : « Le mensonge est un acte immoral » ; « L'éducation est le fondement d'une société égalitaire. »
2) Les propositions d'obligation, dans lesquelles on prescrit une action que l'on considère comme un devoir moral : « Il faut obéir aux lois » ; « Il ne faut jamais dire de mensonge. »

Les propositions de valeur constituent la majorité des propositions que l'on utilise en philosophie pratique. Toutefois, il faut faire attention à ne pas confondre les propositions de valeur avec toutes les propositions qui renferment un concept dont on traite généralement en éthique ou en philosophie politique. Par exemple, si je dis : « La peine de mort est une bonne chose », je porte un jugement qualitatif sur la réalité ; j'énonce une proposition de valeur. Par contre, si je dis : « La peine de mort est dissuasive », mon jugement découle d'une analyse quantitative ou statistique d'un fait ; j'énonce une proposition empirique.

La vérité des propositions de valeur se fonde principalement sur les liens logiques qu'elles ont avec une ou d'autres propositions. Par exemple, si on affirme : « La peine de mort est une bonne chose », on peut se demander « En quoi la peine de mort est-elle une bonne chose ? » et déterminer si les réponses à cette question sont contradictoires avec la définition du bien.

LA DÉFINITION

Le but de la définition est de clarifier le sens des termes ou des concepts qu'on emploie dans les propositions. Il arrive assez souvent que des personnes soient en désaccord parce que, tout en croyant parler de la même chose, elles utilisent un même terme dans des sens différents. Prenons un exemple fictif.

Un jury composé de trois enseignants, Benoît, Robert et Irène, doit choisir le lauréat d'un prix d'excellence parmi les élèves de cinquième secondaire qui ont démontré la plus grande intelligence. C'est la veille de la soirée des finissants, le jury délibère toujours, mais sans résultat. Le problème, c'est que chacun des membres du jury a établi sa liste de candidats avant même qu'il y ait eu un consensus sur le sens du terme «intelligence». De son côté, Benoît favorise les élèves qui ont démontré le plus d'habileté à résoudre des problèmes scientifiques. Robert voit plutôt l'esprit d'initiative et le sens du leadership et de la responsabilité comme premiers signes d'intelligence. Enfin, Irène croit que l'intelligence se concrétise dans la production de créations littéraires et artistiques. Comment les trois enseignants feront-ils pour déterminer un gagnant s'ils ne se rendent pas compte de l'importance de bien définir le concept sur lequel est basée leur discussion ?

Il existe plusieurs types de définitions; la connaissance des quatre types suivants est indispensable en argumentation : la définition lexicale, la définition stipulative, la définition essentielle et la définition persuasive.

La définition lexicale correspond au type de définition que l'on trouve dans un dictionnaire. Le but de ce type de définition est de décrire le plus fidèlement possible les multiples emplois d'un même terme, tels qu'on les retrouve dans la langue courante. Par exemple, dans *Le nouveau petit Robert*, on peut compter jusqu'à 10 définitions lexicales du mot «intelligence». Ces définitions ont toutes été établies par convention; elles sont le résultat d'une décision volontaire prise à la suite de l'usage qui a été fait du mot. Il y a donc en elles quelque chose d'arbitraire, par opposition à ce qui est par nature ou ce qui représente objectivement le réel.

Le but de la définition stipulative est d'indiquer de manière explicite la signification que l'on veut donner à un terme. On recherche une définition stipulative quand, par exemple, on vous demande de préciser le sens d'un terme dans votre dissertation ou dans une discussion avec un ami. L'importance de ce type de définition apparaît clairement dans les textes de lois, où il serait risqué de laisser place à des interprétations multiples. Par exemple, dans le *Règlement des prêts et bourses*, le ministère de l'Éducation a intérêt à donner une définition stipulative de «l'étudiant à temps plein». Bien que, contrairement à la définition lexicale, la définition stipulative ne puisse prêter à confusion, elle est, tout comme la définition lexicale, le résultat d'une convention ou d'un choix; elle peut donc contenir de l'arbitraire.

Au contraire des définitions établies par convention, la définition essentielle[4] vise à décrire de façon objective la nature des choses. Le terme défini renvoie directement à la chose dont on parle sans faire intervenir les perceptions ou la volonté de la personne qui parle. C'est pourquoi la définition essentielle est aussi parfois appelée «définition réelle». Ce type de définition est celui qu'on utilise en sciences et qu'on trouve dans les dictionnaires spécialisés dont la fonction est de rendre compte objectivement de la réalité. Les scientifiques ne s'intéressent pas au sens ordinaire des termes; ils n'ont pas besoin de définitions lexicales ou stipulatives; ce qu'ils veulent, c'est définir la nature intrinsèque des choses.

La définition persuasive a pour but de nous influencer dans nos croyances et de nous faire adopter une opinion, sans se soucier de la réalité. À cette fin, elle use astucieusement de qualificatifs et donne une coloration émotive au terme défini : «L'art vrai est figuratif»; «Un ami authentique est quelqu'un qui...» La définition persuasive est en fait une définition stipulative déguisée en vue de tromper.

---

4. Pour plus d'explications sur l'essence, voir «Le problème de l'être», p.10.

LE RAISONNEMENT

Nous avons dit que le matériau de base de l'argumentation est la proposition : c'est en reliant des propositions que l'on construit des raisonnements. Mais à quoi servent les raisonnements ?

Socrate à l'école d'Athènes.

Le but du raisonnement est de montrer qu'une proposition, appelée « conclusion » (ou parfois « thèse »), est vraie sur la base de sa relation avec une ou plusieurs autres propositions appelées « prémisses ». Il s'agit donc d'établir que la vérité des prémisses (P) implique (soit nécessairement, soit probablement) que la conclusion (C) est également vraie (P implique C).

Prenons un exemple. Vous êtes un détective de la police de Mont-Laurier chargé d'enquêter sur la mort d'un certain Adam Christian, que le facteur a trouvé assassiné dans son salon lundi matin. Tout ce que vous savez, c'est que l'arme du crime, sur laquelle il n'y avait aucune empreinte, est un grand couteau de cuisine, et que la mort remonte au samedi soir, entre 18 h 30 et 19 h 30. Vous procédez à un interrogatoire des gens de l'entourage immédiat de la victime, qui semblent tous convaincus de la culpabilité de Gaston Gros-Jean, un voisin avec qui Adam Christian se disputait régulièrement. Vous vous méfiez de leur promptitude à désigner un coupable, mais vous devez suivre la piste et découvrir si Gros-Jean est ou non l'assassin. Comme vous n'avez pour le moment aucun indice, vous ne pouvez déclarer que « Gaston Gros-Jean n'est pas l'assassin d'Adam Christian » ; vous ne savez pas si cette proposition est vraie ou fausse. Toutefois, ce que vous savez, dès le départ, c'est que, logiquement, les deux propositions suivantes ne peuvent être vraies en même temps : « Gaston Gros-Jean est l'assassin d'Adam Christian » et « Gaston Gros-Jean n'est pas l'assassin d'Adam Christian ». Si, donc, vous prouvez que l'une de ces deux propositions est vraie, vous aurez aussi prouvé que l'autre est fausse ; et si vous prouvez que l'une est fausse, vous aurez aussi prouvé que l'autre est vraie.

Mardi matin, vous vous rendez à la résidence de Gaston Gros-Jean pour l'interroger. Il affirme qu'il est revenu samedi soir d'un bref séjour à l'étranger et qu'au moment du crime, il était à bord d'un avion en provenance de Boston. Vous retournez au bureau et vous informez votre supérieur que sous peu vous saurez si Gros-Jean est innocent. Vous lui faites part de votre raisonnement :

(1) Si Gaston Gros-Jean se trouvait ailleurs qu'à Mont-Laurier au moment du crime, il n'est pas l'assassin d'Adam Christian.

(2) Gaston Gros-Jean se trouvait dans un avion en provenance de Boston au moment du crime.

(C) Gaston Gros-Jean n'est pas l'assassin d'Adam Christian.

Vous vous dites que, de toute évidence, votre supérieur jugera que votre raisonnement est bien formé, que vous avez correctement établi les liens logiques entre les propositions. Vous n'osez croire que votre supérieur puisse vous dire que, même si vos prémisses étaient vraies, Gros-Jean serait l'assassin. Cela serait illogique et il vous apparaîtrait étrange qu'il se contredise de la sorte, qu'il ne sache pas raisonner. Mais, au fond de vous, vous êtes plutôt porté à croire que votre supérieur trouvera votre raisonnement rigoureux, car il est hors de tout doute que si vos prémisses sont vraies, nécessairement, votre conclusion l'est aussi. Or, de toute évidence, la prémisse (1) est vraie ; il ne vous reste donc qu'à vérifier la prémisse (2) pour déterminer si la conclusion est vraie.

Sur la base de cet exemple, nous pouvons définir le raisonnement comme un enchaînement de propositions dans lequel la vérité de l'une des propositions, appelée « conclusion » ou « thèse », résulte de sa relation logique avec une ou plusieurs autres propositions, appelées « prémisses ». Par conséquent, dans un raisonnement bien formé, la relation logique entre la ou les prémisses (P) et la conclusion (C) est telle que la vérité des prémisses (quel qu'en soit le nombre) est une preuve (absolue ou partielle) de la vérité de la conclusion (P justifie rationnellement C). À l'inverse, la vérité de la conclusion est déterminée par celle des prémisses (C est une conséquence logique de P).

Le raisonnement bien formé et le raisonnement mal formé

Il faut faire très attention au fait qu'on ne dit jamais d'un raisonnement qu'il est « vrai » ou qu'il est « faux ». Seule la proposition peut être vraie ou fausse. Elle est vraie si elle correspond à ce qui se passe dans la réalité, ou, quand on ne peut vérifier directement les faits, si elle fait partie d'un système de propositions cohérent. Elle est fausse si elle contrevient à la règle de la correspondance, ou encore si elle fait partie d'un ensemble de propositions qui contrevient à la règle de la cohérence[5].

Quant au raisonnement, puisque sa fonction est d'établir des liens entre des propositions, on peut en dire qu'il est bien formé ou mal formé. Un raisonnement est bien formé, ou logiquement rigoureux, lorsque les liens entre (P) et (C) sont correctement établis. Par exemple : (1) Si Gaston Gros-Jean se trouvait ailleurs qu'à Mont-Laurier au moment du crime, il n'est pas l'assassin d'Adam Christian ; (2) Gaston Gros-Jean se trouvait dans un avion en provenance de Boston au moment du crime ; (C) Gaston Gros-Jean n'est pas l'assassin d'Adam Christian.

Un raisonnement est mal formé, ou logiquement non rigoureux, quand les liens entre (P) et (C) sont incorrectement établis. Ce serait le cas, par exemple, si, dans le même exemple, on concluait des deux mêmes prémisses que « Gaston Gros-Jean est l'assassin d'Adam Christian ».

Cette distinction entre la rigueur logique du raisonnement et la vérité des propositions est très importante, car un raisonnement bien formé peut comporter des propositions fausses :

> « Tout ce qui vole est un oiseau ;
> la libellule vole ;
> la libellule est un oiseau. »

et un raisonnement mal formé peut être composé de propositions vraies :

---

5. Voir l'exemple, p. 53 et 54.

« Le cheval hennit ;
    le bœuf beugle ;
donc, le mouton bêle. »

Dans le premier exemple, le raisonnement est bien formé, car si les prémisses étaient vraies, il s'ensuivrait nécessairement que la conclusion est vraie. Dans le second exemple, le raisonnement est mal formé, car même si les prémisses et la conclusion sont vraies, on ne peut pour autant fonder la vérité de la conclusion sur la vérité des prémisses : il n'y a aucun lien logique entre elles.

Les indicateurs de prémisses et de conclusions

Dans certains raisonnements, il arrive qu'il soit difficile de repérer les prémisses et de les distinguer de la proposition qu'on veut prouver (la conclusion). Il se peut aussi que la conclusion (ou la « thèse ») apparaisse au début du raisonnement plutôt qu'à la fin ; ou encore qu'on annonce la conclusion au début du raisonnement, puis qu'on la reprenne à la fin du raisonnement. Pour nous aider à reconnaître les relations logiques entre les propositions, il existe des indicateurs. En voici une liste non exhaustive, mais qui pourra nous être utile.

Indicateurs de prémisses

Parce que	Vu que	Or
Puisque	D'autant que	Car
Étant donné que	Soi-disant que	Soit… soit
Attendu que	À supposer que	D'une part, d'autre part

Indicateurs de conclusions

Donc	Alors	De ce fait
Par conséquent	Ainsi	C'est pour cette raison que
C'est pourquoi	D'où	Il s'ensuit que
On voit que		

LE CARRÉ LOGIQUE

Le carré logique est une représentation schématique des liens qu'il est permis ou non d'établir entre certaines sortes de propositions, appelées « propositions catégoriques » : les propositions universelles affirmatives (A), universelles négatives (E), particulières affirmatives (I) et particulières négatives (O)[6]. Il est important de connaître ces liens pour ne pas contrevenir au principe de non-contradiction dans nos raisonnements.

---

6. Depuis le Moyen Âge, les logiciens, par souci de brièveté et de précision tout à la fois, emploient les lettres (A), (I), (E) et (O) pour désigner respectivement les quatre propositions catégoriques. On les écrit en majuscules et entre parenthèses afin d'éviter toute confusion graphique avec les autres éléments du texte. Ces lettres renvoient aux mots latins **A**ff**I**rmo et n**E**g**O**. Par ailleurs, toute proposition catégorique étant composée d'un sujet (S) et d'un prédicat (P), on emploie également la forme schématique *S est P* (avec le verbe toujours au singulier), afin de rendre uniformément transparente la structure de la proposition catégorique.

Les notions de base de l'argumentation

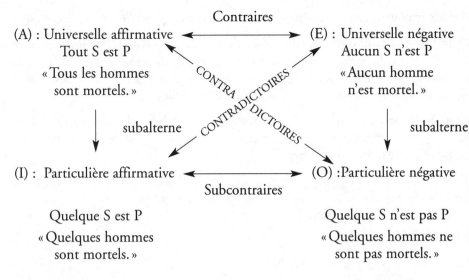

Supposons que nous ayons établi que l'une ou l'autre de ces quatre propositions est vraie, le carré logique nous indique pour chacune des autres propositions si elle est vraie (V), fausse (F) ou indéfinie (?).

(A) est V : (E) est F   (E) est V : (A) est F   (I) est V : (A) est ?   (O) est V : (A) est F
        (I) est V   (I) est F   (E) est F   (E) est ?
        (O) est F   (O) est V   (O) est ?   (I) est ?

On peut noter qu'une proposition universelle vraie (affirmative ou négative) conduit toujours à la vérité de sa subalterne. Par contre, une proposition particulière vraie (affirmative ou négative) ne conduit toujours que de façon probable à la vérité de l'universelle.

Supposons maintenant que nous ayons établi que l'une ou l'autre de ces quatre propositions est fausse, le carré logique nous indique également pour chacune des autres propositions si elle est vraie, fausse ou indéfinie.

(A) est F : (E) est ?   (E) est F : (A) est ?   (I) est F : (A) est F   (O) est F : (A) est V
        (I) est ?   (I) est V   (E) est V   (E) est F
        (O) est V   (O) est ?   (O) est V   (I) est V

Remarquons que les contraires ne peuvent jamais être vrais en même temps. Toutefois, il peut arriver qu'ils soient tous les deux faux. Quant aux contradictoires, elles sont toujours l'une vraie et l'autre fausse.

LES RAISONNEMENTS DÉDUCTIF ET INDUCTIF

Il existe deux types de raisonnement : le raisonnement déductif et le raisonnement inductif.

Le raisonnement déductif

Le raisonnement déductif, plus simplement appelé «déduction», est un raisonnement dans lequel la vérité des prémisses constitue une garantie absolue de la vérité de la conclusion. Une déduction bien formée est appelée une déduction valide.

Il existe trois manières équivalentes de comprendre ce qu'est une déduction valide.

Premièrement, nous disons qu'une déduction est valide quand le lien logique entre les prémisses et la conclusion est nécessaire. Si les prémisses sont vraies ou si nous les acceptons comme vraies, il s'ensuit nécessairement que la conclusion est vraie : nous sommes dans l'obligation d'accepter la conclusion.

Deuxièmement, nous disons qu'une déduction est valide s'il est impossible d'affirmer que les prémisses sont vraies et que la conclusion est fausse sans contrevenir au principe de non-contradiction.

Troisièmement, nous disons qu'une déduction est valide quand l'enchaînement des propositions est formellement correct; nous n'avons pas alors à tenir compte du contenu des propositions.

Par exemple : Tout a est b.

Tout b est c.

Donc,   tout a est c.

Tout raisonnement qui a cette forme est une déduction valide, et ce, même si certaines de ses propositions sont fausses. Ainsi, la déduction suivante est valide même si les prémisses et la conclusion sont toutes les trois fausses :

« Tous les gorilles sont gauchers.

Tous les gauchers sont des ivrognes.

Tous les gorilles sont des ivrognes. »

Il est à noter que la validité de cette déduction se vérifie aussi par les critères 1 et 2 : si nous acceptons les prémisses comme vraies, il s'ensuit nécessairement que la conclusion est vraie; nier que les prémisses impliquent nécessairement la conclusion serait se contredire.

Il existe beaucoup de formes de déductions valides. Si nous ne comptons que les SYLLOGISMES, il y a 14 formes valides.

Le SYLLOGISME est un type de déduction composé de propositions catégoriques. Les propositions catégoriques sont celles que l'on trouve dans le carré logique.

Il existe aussi un grand nombre de déductions qui reposent sur d'autres formes logiques que l'enchaînement de propositions catégoriques. Par exemple, la déduction suivante peut être considérée comme valide simplement en vertu de sa forme :

(1) Si Gaston Gros-Jean se trouvait ailleurs qu'à Mont-Laurier au moment du crime, il n'est pas l'assassin d'Adam Christian.

(2) Gaston Gros-Jean se trouvait dans un avion en provenance de Boston au moment du crime.

Donc, (3) Gaston Gros-Jean n'est pas l'assassin d'Adam Christian.

La forme de cette déduction, appelée « *modus ponens* » est la suivante :

(1) $p \longrightarrow q$ (p implique q)

(2) p (p est vrai)

Donc, (3) q (q est vrai).

L'utilisation du critère de la forme peut être très intéressant, mais il faut connaître toutes les formes valides de la déduction pour s'en servir. Comme notre étude ne se veut pas si exhaustive et qu'elle se limite à l'argumentation (la logique informelle plutôt que la logique formelle), il est préférable ici de nous en tenir aux deux premiers critères.

En plus des deux critères que nous retiendrons, signalons quatre idées importantes à propos de la déduction. Premièrement, la déduction n'admet pas de degrés concernant la force des prémisses ; les prémisses offrent déjà une garantie absolue de la conclusion. Affirmer que les prémisses impliquent *nécessairement* la conclusion, c'est dire qu'il n'est pas possible qu'il en soit autrement. Affirmer qu'il ne faut pas contrevenir au principe de non-contradiction, c'est dire que la contradiction n'est acceptable sous aucune condition. Dans notre exemple du meurtre de Mont-Laurier, si nous acceptons les prémisses, nous ne pouvons conclure qu'« il est possible que Gaston Gros-Jean soit innocent » ; nous devons conclure qu'« il est nécessaire que Gaston Gros-Jean soit innocent ».

Deuxièmement, il est impossible de renforcer une déduction en ajoutant d'autres prémisses. Aucune information supplémentaire ne peut rendre le raisonnement plus convaincant.

Troisièmement, lorsqu'une déduction est valide, mais que nous savons tout de même que la conclusion est fausse, il y a toujours au moins une prémisse qui est fausse. Cela est important à retenir, car si nous ne voulons pas être obligés d'admettre une conclusion fausse, la connaissance de cette règle nous encourage à rechercher la ou les propositions fausses.

Quatrièmement, la déduction est un raisonnement non amplifiant. Une déduction n'augmente pas l'étendue de nos connaissances empiriques ; elle ne nous permet pas de connaître un nouveau fait. Autrement dit, dans une déduction, l'information contenue dans la conclusion est déjà contenue dans les prémisses. La conclusion ne fait qu'affirmer explicitement ce qui est déjà dans les prémisses ; c'est d'ailleurs pourquoi elle découle nécessairement des prémisses et que ce serait se contredire que d'affirmer que les prémisses sont vraies et la conclusion, fausse.

Le raisonnement inductif

La grande majorité des raisonnements que nous faisons quotidiennement, ainsi que ceux qui sont employés en sciences humaines et en sciences naturelles, sont inductifs. Il est donc très important d'en connaître le procédé et ses implications. Le raisonnement inductif, plus simplement appelé « induction », est un raisonnement dans lequel la vérité des prémisses rend probable la vérité de la conclusion. Une induction bien formée est appelée une induction probante.

Nous disons qu'une induction est probante quand les prémisses nous donnent de bonnes raisons de croire que la conclusion est vraie, sans pour autant en constituer une garantie absolue. Contrairement à une déduction valide, une induction probante ne nous met jamais dans l'obligation d'accepter la conclusion. Quand les prémisses sont vraies, la conclusion est probablement vraie. Il se peut même qu'il y ait de très fortes chances qu'elle soit vraie, mais il y a toujours un risque d'erreur, si petit soit-il. Autrement dit, lorsque les prémisses sont vraies, même s'il y a de bonnes raisons de croire que la conclusion est également vraie, il se peut néanmoins que la conclusion soit fausse. La conclusion n'est donc pas nécessairement vraie, mais elle est probablement vraie.

Contrairement à ce que nous pouvons affirmer d'une déduction valide, dans une induction bien formée, il est possible d'affirmer que les prémisses sont vraies et que la conclusion est fausse, tout en demeurant logiquement cohérent et en n'enfreignant pas le principe de non-contradiction.

Prenons un exemple très familier de raisonnement inductif : un sondage.

La maison Inspect fait un sondage pour tenter de prédire qui gagnera les élections dans la circonscription de Jonquilles, qui compte 15 000 électeurs. Les sondeurs ont créé un échantillon de 1 000 personnes ayant le droit de vote, auxquelles ils ont soumis un questionnaire. Sur ces 1 000 personnes, 750 ont répondu qu'elles voteront pour le député actuel, Rémi Doré. Les sondeurs ont alors de bonnes raisons de croire que Rémi Doré restera député de Jonquilles ; ils peuvent donc rendre compte du résultat de leur enquête :

Puisque 750 personnes sur les 1 000 personnes interrogées ont déclaré avoir l'intention de voter pour Rémi Doré (1), 75 % des électeurs du comté, c'est-à-dire 11 250 électeurs sur 15 000, voteront pour Rémi Doré le jour de l'élection (C).

Bien que la prémisse n'offre pas une garantie absolue de la vérité de la conclusion et qu'une certaine marge d'erreur persiste, la maison de sondage Inspect peut en toute bonne foi livrer ce résultat aux médias.

Thomas Polémos prend connaissance du résultat du sondage au cours d'une tribune téléphonique à la radio. Il téléphone aussitôt pour émettre son opinion : selon lui, même s'il est vrai que 750 électeurs ont déclaré avoir l'intention de voter pour Rémi Doré, celui-ci ne sera pas réélu.

Les auditeurs sont intrigués : ils aimeraient connaître les raisons qui poussent Thomas Polémos à douter de la conclusion du sondage, car, même s'ils sont en majorité d'accord avec cette conclusion, ils admettent qu'il n'est pas irrationnel d'en douter. Bien que la proposition « Rémi Doré remporte l'élection » soit probable, cela ne veut pas dire qu'elle soit certaine. Il se peut même que si Thomas Polémos fournit de bonnes raisons pour justifier sa propre conclusion, il renverse la position de certains auditeurs.

Récapitulons : une induction est un raisonnement dans lequel la vérité des prémisses rend probable la vérité de la conclusion. Dans une induction, il peut arriver que les prémisses soient vraies mais la conclusion fausse, tout en demeurant logiquement cohérent et sans enfreindre le principe de non-contradiction.

Nous devons également retenir quatre idées importantes concernant l'induction. Premièrement, l'induction admet des degrés de preuve. Comme l'induction ne produit jamais de certitude, mais qu'elle offre de bonnes raisons de croire en la vérité de la conclusion, il existe des degrés dans la force de ces raisons. Dans l'exemple ci-dessus, la conclusion sera davantage plausible si le sondage a été fait une semaine avant l'élection plutôt qu'un mois avant l'élection. Elle le sera encore plus si les sondeurs démontrent que l'échantillon choisi est sans aucun doute représentatif de la totalité des électeurs, et si d'autres maisons de sondage parviennent également à un résultat semblable.

Deuxièmement, il est possible de renforcer une induction en ajoutant d'autres prémisses ; des informations supplémentaires touchant à d'autres aspects du problème considéré peuvent toujours rendre le raisonnement plus convaincant. Par exemple, pour contrer les critiques de tous les Thomas Polémos du comté, les sondeurs de la maison Inspect pourraient apporter d'autres preuves en faveur de la conclusion :

- le député Doré a été réélu trois fois ;
- depuis 25 ans, Jonquilles élit un député membre du parti de Doré ;
- les autres partis politiques n'investissent ni temps ni argent dans le comté ;
- les autres candidats sont jeunes et sans expérience.

Troisièmement, puisque même une induction dont les prémisses sont toutes vraies ne conduit cependant pas à une certitude absolue, il pourrait arriver qu'on découvre d'autres preuves qui nous incitent à nier la conclusion. Par exemple, supposons que ce que Thomas Polémos n'avait pas voulu dire à la radio avait rapport à une histoire de trafic de drogue… et que quatre jours avant l'élection dans Jonquilles, on apprend que le député Doré a été arrêté la veille dans le port de Montréal, en compagnie de trafiquants de drogues en train de conclure une transaction de cinq millions de dollars. Le député Doré se dit innocent, mais, même si c'était le cas, cela prendra beaucoup de temps pour que les citoyens lui redonnent leur confiance. Ils ne seront donc plus 75 % à voter pour lui.

Quatrièmement, bien que l'induction ne soit pas un raisonnement nécessaire, elle est un raisonnement amplifiant. L'information contenue dans la conclusion augmente l'étendue de nos connaissances empiriques : soit qu'à partir d'une connaissance plus générale, elle porte sur un nouveau fait ; soit qu'à partir de l'observation de faits, elle porte sur une connaissance plus générale que les faits réellement observés. Comparativement à la déduction, ce que l'induction perd en exactitude, elle le gagne en amplitude. Par exemple, la conclusion que 11 250 électeurs voteront probablement pour Rémi Doré est une généralisation à l'ensemble des électeurs de l'information que la maison Inspect a obtenue d'une partie seulement des électeurs, soit l'échantillon de 1 000 personnes interrogées. L'information contenue dans la conclusion va donc au-delà de l'information réellement obtenue ; elle augmente l'étendue de nos connaissances en fournissant ce nouveau fait : si rien ne change, 75 % des électeurs voteront probablement pour Rémi Doré.

Les notions de base de l'argumentation

L'utilité de l'argumentation

La vocation de tout humain est de penser par lui-même. La logique enseigne les règles du raisonnement; elle se divise en logique formelle et logique informelle (ou argumentation). L'ignorance des règles de l'argumentation a de nombreuses conséquences fâcheuses : on est conduit à croire que la vérité n'existe pas et que toutes les opinions se valent; on se trompe soi-même et on se laisse séduire par des discours persuasifs; on en vient à haïr la raison, à être intolérant et à vouloir imposer le silence aux autres. L'éthique de l'argumentation comporte trois principes : le respect des règles de l'argumentation; la charité envers autrui; la reconnaissance de nos limites.

La proposition

La proposition correspond au sens d'une phrase déclarative. Une phrase déclarative est une phrase qui contient une assertion qui peut se révéler vraie ou fausse. Une même proposition peut être exprimée de façon différente au moyen de plusieurs phrases déclaratives. En argumentation, c'est toujours le sens qui compte.

Les critères de la vérité

Il existe des critères qui nous permettent de juger correctement si une proposition est vraie. Le critère de la correspondance concerne l'adéquation d'une proposition avec le réel; la vérité des propositions repose alors sur l'observation et la vérification des faits. Le critère de la cohérence permet de juger de la vérité d'une proposition d'après sa relation avec un ensemble de propositions.

Les types de propositions

Les propositions empiriques portent sur l'existence ou l'inexistence d'une chose ou d'un fait. Leur vérité repose soit sur la correspondance, soit sur la cohérence. Parmi les propositions empiriques, on distingue les propositions singulières, les propositions particulières, les propositions universelles et les propositions indéfinies. Les propositions non empiriques sont de deux sortes : les propositions analytiques et les propositions de valeur. La vérité des propositions analytiques repose uniquement sur l'analyse conceptuelle. Il existe trois types de propositions analytiques : les propositions d'identité, les propositions dont le prédicat est déjà contenu dans le sujet, et les définitions essentielles. La vérité des propositions de valeur repose sur la cohérence de leurs liens avec d'autres propositions; il en existe deux types : les propositions d'appréciation et les propositions d'obligation.

La définition

Le but de la définition est de clarifier le sens des termes qui composent les propositions. La définition lexicale décrit les multiples emplois que nous faisons d'un terme dans la langue courante. La définition stipulative indique de manière explicite la signification que l'on assigne à un terme, dans un contexte précis. La définition essentielle décrit de façon objective la nature intrinsèque des choses. La définition persuasive donne une coloration émotive aux termes dans le but de nous influencer.

Le raisonnement

Le raisonnement est un enchaînement de propositions dans lequel la vérité de la conclusion (C) (de la thèse) résulte de sa relation logique avec les prémisses (P). Si (P) est vrai, (C) est soit nécessairement vrai, soit probablement vrai. On ne dit jamais d'un raisonnement qu'il est vrai ou faux; un raisonnement est soit bien formé, soit mal formé. Un raisonnement est bien formé lorsque les liens entre (P) et (C) sont correctement établis. Pour reconnaître les prémisses d'un raisonnement et les distinguer de la conclusion, il faut porter attention aux indicateurs de prémisses et de conclusions.

Le carré logique

Le carré logique nous permet de comprendre les liens qu'on peut établir entre les propositions catégoriques – universelle affirmative (A), universelle négative (E), particulière affirmative (I), particulière négative (O) – sans se contredire. Par exemple, les propositions contraires ne peuvent jamais être vraies en même temps, mais elles peuvent être toutes les deux fausses ; les propositions contradictoires sont toujours l'une vraie et l'autre fausse.

Les raisonnements déductif et inductif

La déduction est un raisonnement dans lequel la vérité des prémisses constitue une garantie absolue de la vérité de la conclusion. Une déduction est valide quand : le lien logique entre les prémisses et la conclusion est nécessaire ; il est impossible d'affirmer que les prémisses sont vraies et que la conclusion est fausse sans se contredire ; l'enchaînement des propositions est formellement correct. La déduction n'admet pas de degrés dans la force des prémisses ; on ne peut non plus ajouter des prémisses pour rendre le raisonnement plus convaincant. Lorsque la conclusion d'une déduction valide est fausse, c'est qu'au moins une prémisse est fausse. La déduction est un raisonnement non amplifiant.

L'induction est un raisonnement dans lequel la vérité des prémisses rend probable la vérité de la conclusion. Une induction est probante quand les prémisses nous donnent de bonnes raisons de croire que la conclusion est vraie. L'induction comporte toujours un risque d'erreur ; il n'est donc pas contradictoire d'affirmer que les prémisses sont vraies mais que la conclusion est fausse. L'induction admet des degrés de preuve ; on peut aussi y ajouter des prémisses pour rendre le raisonnement plus convaincant. Une induction bien formée peut être renversée, car il existe toujours une possibilité de découvrir une preuve qui nie la conclusion. L'induction est un raisonnement amplifiant.

Activités d'apprentissage

Les types de propositions

1. Pour chacune des propositions suivantes, dites s'il s'agit d'une proposition analytique, d'une proposition empirique ou d'une proposition de valeur.

a) Je renoncerais à la liberté pour plus de justice.

b) Une même chose ne peut être à la fois blanche et noire.

c) Le hockey est le sport préféré des Québécois.

d) Le Canada est le plus important partenaire commercial des États-Unis.

e) Tout humain est un animal rationnel.

f) Éric n'est pas un étudiant sérieux.

g) Ce que l'on reproche à autrui, il ne faut pas le faire soi-même.

h) Nous sommes tous américains.

i) L'argent fait le bonheur.

j) L'ignorance est un plus grand mal que l'injustice.

Le raisonnement

1. Pour chacun des raisonnements suivants, donnez la conclusion.

Pour vérifier si la proposition que vous avez choisie comme conclusion est la bonne, il faut vous poser la question : Pourquoi l'auteur affirme-t-il que « … » ? et voir si les autres propositions (les prémisses) sont là pour justifier cette proposition.

a) L'interdiction de l'alcool au volant est une obligation morale parce que l'alcool produit un affaiblissement des capacités et que les conducteurs dont les capacités sont affaiblies risquent de provoquer des accidents mortels.

b) Selon les statistiques, la peine de mort a un effet dissuasif. Donc, la peine de mort est une bonne chose.

c) Bien que tous les humains soient mortels, certains personnages illustres ont été immortalisés grâce à l'importance de leur œuvre ou de leurs actions. Donc, certains humains ne sont pas mortels.

d) On ne peut considérer le début du cambrien comme la période à laquelle la quantité d'oxygène est devenue pour la première fois suffisante pour permettre la respiration. D'une part, il n'est pas raisonnable de supposer que 2,5 milliards d'années ont été nécessaires pour accumuler assez d'oxygène pour permettre la respiration. D'autre part, la présence d'oxygène n'entraîne pas automatiquement le développement d'organismes capables de le respirer.

e) Selon beaucoup de gens, les animaux ne sont pas moins intelligents que l'être humain, car non seulement certaines espèces animales ont des systèmes de communication très sophistiqués, mais certains chimpanzés peuvent apprendre jusqu'à 900 mots. Toutefois, les signaux que produisent les différents cris des animaux et les mots que peuvent répéter les chimpanzés ne suffisent pas à produire un langage articulé. En effet, seul l'être humain est capable de construire des phrases en se servant d'une grammaire. L'opinion selon laquelle les animaux ne sont pas moins intelligents que l'être humain est donc fausse.

f) Il est inacceptable que les chefs des institutions civiles et religieuses s'engagent à maintenir des lois immuables. Une génération ne peut empêcher les suivantes de remettre en question les principes et les lois à la base des institutions. La liberté de penser est un droit sacré de l'humanité.

g) Rien n'est plus rare qu'un ami, car il faut être insensé pour croire en tous ceux qui se prévalent de ce nom. Il faut donc prendre soin de ses vrais amis.

h) La liberté humaine a des limites. Certaines choses dépendent de nous; d'autres n'en dépendent pas. Ce qui dépend de nous, ce sont nos jugements, nos tendances, nos désirs, nos aversions. Ce qui ne dépend pas de nous, c'est notre corps, la richesse, la célébrité, le pouvoir.

i) Malgré le respect que nous devons à toute créature vivante, nous ne pouvons défendre raisonnablement une charte des droits des animaux. Si les animaux avaient des droits, nous devrions les convaincre qu'ils ont aussi des devoirs, car depuis que la démocratie existe, l'un est inconcevable sans l'autre. Ce serait vouloir convaincre un carnivore qu'il ne doit pas s'attaquer à un plus petit que lui.

j) L'origine de tout bien est le plaisir du ventre, car le bien, c'est la paix de l'âme. Or, la paix de l'âme a pour condition l'absence de douleur physique, et, pour que le corps ne souffre pas, il faut d'abord qu'il mange.

k) Le courage est la condition de toute vertu. D'abord, sans le courage, nous n'aurions aucune force de caractère qui nous permette de nous en tenir à nos décisions: nos projets tomberaient en ruine aussitôt que se présenterait le moindre obstacle. Ensuite, le courage nous permet de surmonter les peurs qui nous empêchent de prendre parti pour ce qui est juste, alors même qu'au fond

de nous, nous le voudrions. Enfin, sans le courage, nous serions, d'une part, égoïstes, car nous ne pourrions dépasser notre intérêt personnel; d'autre part, lâches, car nous ne pourrions résister au vice.

l) C'est la vérité et non l'autorité qui devrait faire la loi. Si c'était le cas, l'humanité serait sauvée. L'ignorance du bien conduit aux pires crimes, car elle nous incite à l'accumulation de richesses plutôt qu'à l'amour de nos semblables. De plus, elle a poussé les hommes à maltraiter des justes. Ainsi, Socrate aurait pu éviter la condamnation à mort.

Le carré logique

Pour chacun des problèmes, répondez aux deux questions suivantes.

1. Si la proposition (a) est vraie, que peut-on conclure des propositions (b), (c) et (d)? Sont-elles vraies, fausses ou indéfinies?

2. Si la proposition (a) est fausse, que peut-on conclure des propositions (b), (c) et (d)? Sont-elles vraies, fausses ou indéfinies?

Problème 1 : (a) La nuit, quelques chats ne sont pas gris.

(b) La nuit, tous les chats sont gris.

(c) La nuit, quelques chats sont gris.

(d) La nuit, aucun chat n'est gris.

Problème 2 : (a) Aucun éléphant n'est boulimique.

(b) Tous les éléphants sont boulimiques.

(c) Quelques éléphants ne sont pas boulimiques.

(d) Quelques éléphants sont boulimiques.

Problème 3 : (a) Quelques orignaux traversent le lac Chapleau.

(b) Tous les orignaux traversent le lac Chapleau.

(c) Aucun orignal ne traverse le lac Chapleau.

(d) Quelques orignaux ne traversent pas le lac Chapleau.

Les raisonnements déductif et inductif

1. Lisez attentivement chacun des raisonnements suivants et dites s'il s'agit d'une induction ou d'une déduction.

a) Presque tous les chats aiment prendre un verre de bière. Coluche est mon chat. Coluche aime prendre un verre de bière.

b) Tous les adolescents sont capables de raisonner. Tous ceux qui sont capables de raisonner ont écrit un livre de logique. Tous les adolescents ont écrit un livre de logique.

c) S'il pleut, il y a des nuages. Il pleut. Donc, il y a des nuages.

d) Le gorille est un mammifère. L'homme est un mammifère. Le chimpanzé est un mammifère. Tous les primates sont des mammifères.

e) Tout ce qui vole est un oiseau. La libellule vole. La libellule est un oiseau.

f) Depuis des décennies, tous les lundis après-midi, ma mère fait la lessive. Nous sommes présentement lundi après-midi. Donc, ma mère fait la lessive.

g) La bonne digestion procure la bonne santé. Une alimentation saine procure la bonne digestion. Une alimentation saine procure la santé.

h) Tous les poètes jouent avec les mots. Émile Nelligan est un poète. Émile Nelligan joue avec les mots.

i) Une hausse des frais de scolarité serait déterminante pour que le Québec soit compétitif dans la nouvelle économie du savoir. Cela démontrerait que nos institutions d'études supérieures sont aussi performantes que les institutions américaines. De plus, les étudiants prendraient leurs études plus au sérieux. Les frais de scolarité devraient donc être le double et même le triple de ce qu'ils sont présentement.

j) Zeus est plus que jamais en colère contre nous. Le réchauffement de la planète, ainsi que l'augmentation des catastrophes naturelles le démontrent. Des ouragans et des cyclones terrifiants font des ravages là où ils sont le moins attendus. Des éruptions volcaniques sont suivies de froids intenses. Des tempêtes de neige paralysent des régions qui n'avaient jusqu'ici connu que la douceur des saisons chaudes. Au Canada, de plus en plus de tornades sont signalées dans les Prairies. En 1996, des inondations au Saguenay ont tout emporté sur leur passage. En 1998, une tempête de verglas a détruit des centaines de pylônes d'Hydro-Québec. Enfin, des météorologues spécialisés en variabilité climatique s'inquiètent des multiples

Les règles et la pratique de l'argumentation

LE SENS CRITIQUE

Même si, légalement, chacun a le droit à ses opinions, sur le plan de la vérité, toutes les opinions n'ont pas une valeur égale. Bien plus qu'une confrontation d'opinions, l'argumentation rationnelle vise un échange dans lequel chacun exerce sa puissance à distinguer le vrai du faux.

Pour exercer notre sens critique par rapport aux opinions, les nôtres et celles des autres, il faut suivre des règles. D'abord, il faut savoir écouter et comprendre ce que les autres disent. Pour comprendre, il faut acquérir l'habileté à analyser. L'analyse de l'argumentation consiste à dégager les éléments principaux d'un discours. Analyser un raisonnement, c'est identifier les propositions, distinguer entre les prémisses et la conclusion, et montrer les liens logiques qui existent entre ces différentes propositions, en respectant l'esprit de l'auteur.

Ensuite, il faut se débarrasser de cette attitude trop courante qui consiste à accepter ou à rejeter les opinions des autres sans tenir compte du raisonnement qui les soutient. L'une des règles de l'argumentation consiste à ne jamais évaluer directement une conclusion ou une thèse. Ce que l'on cherche plutôt à savoir, c'est si le raisonnement est bien formé et si les prémisses qui le composent sont vraies.

Avoir le sens critique ne signifie donc pas désapprouver sans raison valable tout ce qui ne nous convient pas. D'ailleurs, on ne peut prétendre posséder le sens critique, non plus que l'autonomie de la pensée, si l'on refuse de remettre ses propres opinions en question. L'éthique de l'argumentation nous contraint donc à admettre toute conclusion qui nous apparaît rationnellement justifiée. Si, en notre for intérieur, des doutes persistent malgré tout et que la question nous semble irrésolue, il nous incombe alors de construire des raisonnements logiques qui montrent le bien-fondé de nos accords et désaccords. Comme on dit : «La balle est dans notre camp.»

Comme un de ceux qui assistaient à sa leçon lui demandait : Convaincs-moi donc de l'utilité de la logique, il répondit :

– Tu veux que je te la démontre ?

– Oui.

– Il faut donc que je recoure à une démonstration ?

*Son interlocuteur en ayant convenu :
– Comment donc, poursuivit Épictète, sauras-tu si je ne t'abuse pas par un sophisme ?*

Notre homme se tut.

– Vois-tu, répartit Épictète, comment tu reconnais toi-même que cette connaissance est nécessaire, puisque sans elle, tu ne peux même pas te rendre compte si elle est nécessaire ou non ?»

ÉPICTÈTE,
Entretiens II, 25.

Il existe différentes méthodes d'analyse du raisonnement. Celle que nous présentons ici comporte des légendes et des schémas.

La légende du raisonnement

La légende est une liste numérotée des propositions (prémisses et conclusion) qui composent un raisonnement. En premier lieu, il faut repérer la conclusion finale ou la thèse. En effet, si l'on veut comprendre un discours, il convient d'abord de repérer la proposition pour laquelle on a construit un raisonnement. En second lieu, il faut repérer les prémisses, c'est-à-dire les propositions qui ont pour fonction de soutenir la thèse.

Voici quelques conseils utiles pour construire une légende :

- Il est recommandé de souligner les indicateurs de prémisses et de conclusions. Toutefois, l'emploi que l'on peut en faire comporte certaines restrictions. D'une part, les prémisses et les conclusions ne sont pas toujours précédées d'un indicateur. D'autre part, il peut arriver que certaines parties d'un texte, dans lesquelles on se sert d'indicateurs, ne contiennent pas de propositions qui servent au raisonnement. Il est à noter que l'on n'inclut pas les indicateurs dans la légende.

- Il faut veiller à ne pas intégrer dans la légende les propositions qui ne font qu'expliquer le contexte du raisonnement ou qui ne font qu'illustrer, sans ajouter d'informations essentielles, des assertions plus générales. Il faut aussi éviter les redites et ne s'en tenir qu'au sens.

- Il faut toujours remplacer les termes indéterminés (par exemple : « celui-ci », « cela ») par leurs référents.

- Quand c'est nécessaire, il faut reformuler les propositions et les simplifier. Toutefois, il faut faire très attention à ne pas modifier le sens des propositions.

À titre d'exemple, voici une lettre (fictive) écrite par un lecteur du magazine *Vie sauvage* au directeur de la revue :

> Monsieur le Directeur,
>
> Je suis abonné à la revue *Vie sauvage* depuis mon arrivée au Québec, il y a trois ans. Dans mon pays d'origine, la Mosquevia, j'allais régulièrement cueillir des champignons sauvages dans la forêt. C'est une tradition familiale qui remonte à plusieurs siècles, m'a-t-on dit. En tout cas, mon grand-père m'y amenait tous les dimanches, et il m'a soigneusement transmis son savoir mycologique tout comme son père l'avait fait avec mon père. À mon arrivée au Québec, j'ai donc tenté de me faire indiquer les meilleurs endroits pour aller à la cueillette de champignons, ainsi que les variétés locales.
>
> À ma grande surprise, tous les Québécois à qui j'ai parlé m'ont dit que les champignons sauvages que l'on trouve au Québec sont ou bien vénéneux, ou bien hallucinogènes. J'imagine que cela explique pourquoi on ne voit guère de

gens partir, un petit panier sous le bras, à la cueillette de champignons. Cette activité semble même si étrange, ici, qu'en la pratiquant, il m'est arrivé de me faire prendre pour un caribou!

Pourtant, il m'apparaît que les vastes sapinières québécoises sont des milieux très propices à la croissance des champignons. Je me suis donc dit que les Québécois avaient tort de penser que tous les champignons sauvages du Québec n'étaient pas comestibles. D'autant plus que, depuis, j'ai eu fort heureusement connaissance de certaines excursions organisées pour les mycologues amateurs qui aiment épater leurs convives.

Tout de même, je comprends mal cette absence de connaissances mycologiques. Peut-être que Jacques Cartier a perdu son album de mycologie au cours de la première traversée et que, depuis ce temps, on a associé les champignons à des forces maléfiques!

Enfin, j'ai moi-même découvert deux espèces de champignons sauvages parfaitement comestibles : la chanterelle en tube, qui accompagne très bien le saumon, et le lactaire couleur de scie qui, avec son chapeau noirâtre et ses lames blanches, est délicieux assaisonné de coriandre. Je vous suggère donc, Monsieur le Directeur, de consacrer un numéro de votre revue aux champignons du Québec.

Bien à vous,

Jérôme Mosquevo

Établissons la légende du raisonnement que contient la lettre : nous utilisons (C) pour identifier la conclusion principale du raisonnement (aussi appelée « thèse »), et nous numérotons entre parenthèses les différentes prémisses.

(C) : Il existe au Québec des champignons comestibles.

(1) : Les vastes sapinières québécoises sont des milieux très propices à la croissance des champignons.

(2) : On organise des excursions pour les mycologues amateurs qui aiment épater leurs convives.

(3) : Il existe au moins deux espèces de champignons comestibles.

(4) : La chanterelle en tube est comestible.

(5) : Le lactaire couleur de scie est comestible.

Le schéma du raisonnement

Un schéma est une représentation graphique de la structure d'un raisonnement. Il permet de voir tous les liens logiques qui, d'après l'auteur d'un raisonnement, existent entre les différentes propositions. Les liens entre les prémisses et la conclusion sont indiqués par des flèches qui partent des prémisses et pointent vers la conclusion.

Considérons d'abord les schémas des raisonnements simples, c'est-à-dire des raisonnements dont toutes les prémisses sont des preuves directes de la conclusion. Nous verrons ensuite comment, en combinant ces schémas de base, il est possible de construire des schémas de raisonnements complexes.

Les schémas des raisonnements simples

Un raisonnement simple ne comprend qu'une seule conclusion : celle-ci est la thèse que le locuteur tente de prouver ; il peut comprendre une ou plusieurs prémisses, mais chacune est toujours une preuve directe de la conclusion. Les trois schémas de base des raisonnements simples sont : 1) le schéma à prémisse unique ; 2) le schéma à prémisses convergentes ; 3) le schéma à prémisses liées.

Le schéma à prémisse unique

Le schéma de raisonnement le plus élémentaire est celui à prémisse unique. Dans l'exemple qui suit, la prémisse (1) conduit seule à la conclusion :

(1)

↓

(C)

(C) : Il existe au Québec des champignons comestibles.

(1) : Les vastes sapinières québécoises sont des milieux très propices à la croissance des champignons.

Le schéma à prémisses convergentes

Le deuxième schéma est composé de prémisses convergentes. Des prémisses convergentes sont des prémisses qui fournissent des preuves indépendantes ou des raisons supplémentaires de croire à la vérité d'une même conclusion. Ainsi, si l'on ajoute la prémisse (2) qui suit : « On organise des excursions pour les mycologues amateurs qui aiment épater leurs convives » au raisonnement ci-dessus, on obtient le schéma suivant :

(1)   (2)

↓ ↓

(C)

Un ARGUMENT est une preuve qui justifie rationnellement ce que l'on avance. Il peut être formé d'une seule prémisse ou d'un nombre varié de prémisses.

Autrement dit, chacune de ces prémisses constitue à elle seule un ARGUMENT. Par conséquent, si l'une d'entre elles s'avérait fausse, l'autre demeurerait une preuve que la conclusion est vraie. Un raisonnement peut avoir un très grand nombre de prémisses convergentes.

Le schéma à prémisses liées

Le dernier schéma de base est composé de prémisses liées. L'argument est composé de plus d'une prémisse. Dans le schéma, il faut alors réunir les prémisses par le signe « + » et les souligner d'un trait. Une flèche conduit à la conclusion. Prenons comme exemple la légende du raisonnement suivant :

(C) : On peut compter au moins deux espèces de champignons comestibles.

(1) : La chanterelle en tube est comestible.

(2) : Le lactaire couleur de scie est comestible.

Nous obtiendrons alors le schéma suivant :

Les prémisses liées forment, comme on le voit, une seule preuve ; elles ont besoin l'une de l'autre pour justifier la thèse. Par conséquent, si l'une d'entre elles s'avérait fausse, l'autre ne pourrait nous convaincre à elle seule de la thèse. Un argument peut être composé d'un grand nombre de prémisses liées.

Les schémas des raisonnements complexes

Dans un raisonnement simple, les prémisses apportent une preuve directe de la vérité de la thèse. Cependant, les prémisses ne sont pas toujours liées directement à la thèse ; il arrive souvent que certaines d'entre elles servent également à justifier d'autres prémisses. On a alors affaire à un raisonnement complexe, c'est-à-dire à un enchaînement de raisonnements simples qui conduit progressivement à la thèse. Par exemple, si l'on ne considère que la thèse et les prémisses (3), (4) et (5) de la légende présentée à la page 73, cela donne le schéma suivant :

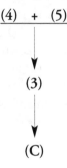

Dans le raisonnement simple (4) + (5) mène à (3), la prémisse (3) joue le rôle de conclusion. Toutefois, comme elle ne constitue pas le but dernier du raisonnement, on la distingue de la thèse ou conclusion finale (C) en lui donnant l'appellation «conclusion intermédiaire». Une conclusion intermédiaire est donc elle-même une prémisse si l'on considère l'argument qui mène à la conclusion finale dans son ensemble.

Finalement, le schéma qui représente l'ensemble des liens entre les propositions de la légende de la page 73 est le suivant :

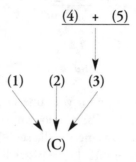

Pour vérifier l'exactitude des schémas que nous réalisons, il faut remonter de la conclusion finale aux étapes précédentes. À chaque étape, il faut poser la question « pourquoi peut-on affirmer que... ? » et nous assurer que nous avons fidèlement reproduit le raisonnement de l'auteur.

L'ÉVALUATION DU RAISONNEMENT

Maintenant que nous savons faire l'analyse du raisonnement, nous pouvons en entreprendre l'évaluation. Évaluer un raisonnement consiste à déterminer si celui-ci, qu'il soit simple ou complexe, est conforme aux règles de la logique et s'il nous permet ou non d'accepter la conclusion qu'il est censé justifier. Nous commencerons par l'examen de certains raisonnements qui, par leur forme même, ne respectent pas les règles de la logique. La connaissance de ces raisonnements nous sera utile, car elle nous évitera de perdre notre temps à évaluer minutieusement des arguments qui n'en valent pas la peine. Ensuite, nous entreprendrons l'étude des critères d'évaluation, ce qui nous permettra enfin d'exercer convenablement notre sens critique.

Les sophismes

Les sophismes sont des raisonnements fallacieux, c'est-à-dire des raisonnements qui sont destinés à tromper volontairement. Ces raisonnements enfreignent sciemment les règles de la logique ; ce sont des ruses trompeuses qui n'ont que l'apparence de la rationalité. Ils visent à persuader et non à convaincre rationnellement. En voici des exemples.

1. L'attaque contre la personne

Ce sophisme consiste à s'attaquer à la réputation d'une personne ou d'une institution qui soutient une opinion avec laquelle on est en désaccord, plutôt que de réfuter l'opinion elle-même. En éveillant du mépris pour le caractère ou la situation de la personne, on souhaite susciter la désapprobation au sujet de ce qu'elle dit.

« Socrate prétendait enseigner la nature de ce qui est beau, mais il avait lui-même un nez camus et des yeux à fleur de tête ! »

2. L'argument «toi aussi»

On incite quelqu'un à approuver une opinion en faisant ressortir les similitudes entre sa situation particulière et la situation d'une ou d'autres personnes.

«Tu es mal placé pour me dire de ne pas abandonner mes cours, car toi, tu n'as même pas fini ton secondaire.»

3. Le procès d'intention

On rejette l'opinion ou l'attitude de quelqu'un en feignant d'y découvrir une intention cachée.

«Le professeur prétend que mon travail de session n'est pas bien documenté; en fait, il n'accepte pas que mes opinions diffèrent des siennes.»

4. L'appel aux sentiments

Ce sophisme consiste à faire accepter une opinion ou une attitude en exploitant les émotions, les sentiments et les passions des interlocuteurs plutôt qu'en traitant directement le sujet concerné.

«Ce n'est pas ma faute, le destin a été si cruel envers moi.»

5. L'appel à la majorité

On fonde la crédibilité d'une opinion sur le fait que la plus grande partie de la population y croit.

«Tout l'monde le fait, fais-le donc!»

6. L'appel à la tradition

Ce sophisme consiste à s'appuyer sur les coutumes pour provoquer un sentiment de sécurité chez l'auditeur et le faire adhérer à un point de vue.

«Les Québécois devraient parler le joual, c'est la langue du patrimoine.»

7. L'appel à la modernité

On fonde la valeur d'une croyance ou d'un produit sur son originalité et son avant-gardisme.

«Le Musée d'art contemporain possède la plus extraordinaire collection d'œuvres d'art; on n'y trouve que des tableaux d'avant-garde.»

8. La fausse cause

Ce sophisme consiste à déduire que, du seul fait qu'un événement survient avant un autre, il en est obligatoirement la cause. On prend «après cela» pour «à cause de cela».

«Le sida est une conséquence de la perte des valeurs religieuses et morales.»

9. Le subjectivisme

La valeur d'une opinion se fonde uniquement sur le fait que l'orateur affirme que c'est vrai.

«Tu peux te fier à mon avis : il ne faut pas faire confiance à ces gens-là.»

10. La caricature

On donne d'abord une fausse interprétation de l'opinion de quelqu'un pour pouvoir ensuite critiquer cette interprétation comme si elle représentait réellement la position de cette personne et ainsi amener les gens à refuser cette position.

« Lucie dit qu'on se fait plus facilement des amis parmi les gens qui sont du même milieu social que nous. Marie soutient que Lucie est élitiste, car elle méprise ceux qui appartiennent à des classes sociales inférieures à la sienne. »

11. La pétition de principe (ou cercle vicieux)

Nous commettons ce sophisme lorsque nos prémisses ne font que répéter notre thèse sous une forme différente.

« Il faut toujours dire la vérité parce qu'il n'est pas bien de raconter des mensonges. »

12. L'appel à l'autorité

Pour éviter de s'embrouiller dans une argumentation compliquée, on invoque l'autorité de quelqu'un de reconnu.

« La guerre est une bonne chose puisque c'était sûrement l'avis de tous les grands conquérants, comme Napoléon et Alexandre le Grand. »

13. Le faux dilemme

Un dilemme est un raisonnement contenant deux propositions opposées entre lesquelles on est tenu de choisir et dont le choix de l'une entraîne immédiatement et nécessairement le rejet de l'autre. Un faux dilemme est un choix entre deux propositions qui ne s'opposent pas nécessairement.

« Il faut choisir entre prendre les armes ou être un lâche. »

14. L'équivoque

On formule une proposition de telle sorte qu'elle peut prendre au moins deux sens différents, parfois contradictoires.

« Il est irrationnel que je t'aime. »

15. Le sophisme par ignorance

On fonde la vérité d'une proposition sur le fait que les gens ne peuvent prouver qu'elle est fausse ; ou encore on fonde sa fausseté sur le fait qu'ils ne peuvent prouver qu'elle est vraie.

« Les fantômes existent, car personne n'a prouvé le contraire. »

« La télépathie, c'est de la foutaise ; il n'existe aucune preuve de ce supposé phénomène. »

16. La généralisation hâtive

La généralisation hâtive est une induction non probante ; elle consiste à ériger en règle générale ce qui ne vaut que pour certains cas particuliers.

« L'opium est apprécié pour ses vertus médicinales ; tout le monde devrait pouvoir l'utiliser. »

17. Le sophisme de l'accident
On fonde une affirmation sur une proposition universelle qui ne tient pas compte de certaines particularités.

« Tous les hommes sont doués d'intelligence ; Brutus est un imbécile heureux ; donc, Brutus n'est pas un homme. »

18. La pente glissante
On affirme qu'une chose ou un événement entraînera un enchaînement d'effets dont le dernier est catastrophique.

« Attention, Jean ! C'est incorrect d'offrir un verre de vin à ta fille. Elle y prendra goût et se laissera entraîner par de mauvais compagnons dans les bars. Bientôt, elle consommera de la marijuana jusqu'à ce qu'elle soit tentée par des drogues plus fortes. Elle deviendra alors héroïnomane et, comme cela coûte cher, elle se verra obligée de se prostituer. Alors, réfléchis bien Jean : si tu sers un verre de vin à ta fille, tu la pousses à se prostituer. »

19. L'implicite
Une prémisse implicite est une prémisse qui n'est pas énoncée explicitement parce qu'elle est supposée admise ou trop évidente, bien qu'elle demeure nécessaire au raisonnement pour établir la vérité de la conclusion. On commet le sophisme de l'implicite lorsque, pour créer un faux effet de vérité, on dissimule volontairement une prémisse parce que l'on sait que, présentée explicitement, elle serait difficilement acceptable, et la conclusion serait rejetée.

« L'indépendance du Québec n'est pas une chose souhaitable ; le nationalisme allemand a entraîné des atrocités raciales. »

Dans ce raisonnement, on présuppose sans le dire que tout nationalisme conduit nécessairement au racisme.

20. L'affirmation du conséquent
À partir de la vérité d'un énoncé hypothétique et de la vérité du conséquent, on conclut à la vérité de l'antécédent.

« S'il pleut, il y a des nuages.

Il y a des nuages, donc il pleut. »

Il arrive parfois que l'énoncé hypothétique de départ ne soit qu'implicite.

« S'il y a des nuages, il pleut. »

LES CRITÈRES D'ÉVALUATION

L'évaluation d'un raisonnement se fait en trois étapes : la première consiste à évaluer l'acceptabilité des prémisses ; la seconde, à évaluer leur pertinence ; la troisième, à évaluer la suffisance du lien entre les prémisses et la conclusion.

L'acceptabilité des prémisses
Pour évaluer un raisonnement, il faut commencer par déterminer si le contenu de chacune des prémisses est acceptable ou non. Car si les prémisses d'un

raisonnement ne sont pas acceptables, nous ne sommes plus justifiés d'admettre la vérité de la conclusion.

Les critères d'acceptabilité des prémisses varient selon les types de propositions[1].

Les prémisses empiriques

Nous connaissons déjà deux critères généraux qui permettent d'établir la vérité d'une proposition empirique : ce sont la correspondance et la cohérence.

Nous recourons à la correspondance lorsqu'il est possible de vérifier directement un fait ou un phénomène. Dans ce cas, une prémisse est considérée comme vraie si son contenu représente fidèlement la réalité ; dans le cas contraire, elle est considérée comme fausse.

Lorsqu'il est impossible de vérifier directement le contenu d'une prémisse, on peut évaluer si son lien avec d'autres prémisses est cohérent et s'il permet de la considérer comme vraie[2].

Outre les critères de la correspondance et de la cohérence, l'avis d'expert est un troisième critère d'acceptabilité de prémisses empiriques. Contrairement à la correspondance, l'avis d'expert ne nous donne pas la certitude qu'une prémisse est vraie, mais pour admettre une prémisse, il n'est nul besoin d'avoir cette certitude. Il suffit que nous soyons rationnellement justifiés de lui donner notre assentiment, jusqu'à preuve du contraire.

Prenons l'exemple suivant. François Machin va voir le médecin. Celui-ci lui fait passer une batterie de tests, à la lumière desquels il affirme que « François Machin est en santé ». François Machin ne dispose pas des connaissances nécessaires pour savoir si cette proposition est vraie ; en effet, seul son médecin est en mesure d'en donner les justifications appropriées. Pourtant, François Machin juge qu'il est rationnel de croire que, si son médecin dit qu'il est en santé, il est donc en santé. Pourquoi est-ce rationnel d'accepter cette proposition ? Parce que son médecin est un expert.

Contrairement aux opinions personnelles, l'avis d'expert est rationnellement acceptable parce que, par définition, il tend vers l'objectivité et l'universalité ; c'est d'ailleurs pour cela qu'on peut le dire scientifique. Toutefois, il faut faire très attention à ne pas confondre l'avis d'expert et l'appel à l'autorité[3]. C'est pourquoi le recours à ce critère exige le respect de certaines conditions. Les conditions d'acceptabilité de l'avis d'expert sont au nombre de quatre.

1. Il faut que l'expert soit reconnu comme tel par d'autres experts et qu'il puisse fournir des preuves de ses compétences. Par exemple, si François Machin apprenait que les diplômes affichés dans le cabinet de son médecin sont des faux ou encore que celui-ci a été suspendu par le Collège des médecins, il ne pourrait plus se fier à sa parole.

---

1. Voir le chapitre 3, p. 54 à 56.
2. Voir les exemples donnés au chapitre 3, p. 53 et 54.
3. Voir l'explication de ce sophisme, p. 78.

2. L'avis doit relever du champ de compétence de l'expert. Par exemple, si votre médecin vous conseille un investissement financier, son avis ne vaut guère plus que le vôtre, car cela ne fait pas partie de son champ d'expertise.

3. Il faut que l'avis d'expert soit impartial. Par exemple, si vous apprenez que votre médecin reçoit des sommes d'argent d'une compagnie pharmaceutique pour laquelle il fait des conférences et participe à la vente de nouveaux médicaments, vous aurez probablement des doutes sur la pertinence de ses ordonnances.

4. Il faut que l'avis fasse consensus parmi les experts d'un même domaine. Dans tous les domaines, il y a certains problèmes sur lesquels les avis des experts sont partagés. Par conséquent, il est impérieux que l'expert sollicité soit du même avis que les autres experts du même domaine ou que la majorité d'entre eux.

Les prémisses non empiriques

1. Les propositions de valeur

Pour vérifier la vérité des propositions de valeur, il faut d'abord s'assurer qu'elles ne relèvent pas de dogmes ou de croyances sans fondement rationnel. Et, même si elles étaient vraies, des croyances ne pourraient servir de preuves dans une argumentation rationnelle, car elles sont inaccessibles à la lumière de notre raison.

Ensuite, comme il est impossible de vérifier la vérité de propositions de valeur au moyen du critère de la correspondance, il est très important de les justifier suffisamment. Par exemple, avant d'affirmer que «la peine de mort est une bonne chose», il faut d'abord expliquer ce que signifie «une bonne chose».

Toutefois, comme tous les débats d'ordre éthique contiennent forcément des propositions de valeur et qu'il est impossible de toujours tout remettre en question, il faut adopter une juste mesure et admettre les propositions qui font l'unanimité et qui sont rationnellement acceptables, jusqu'à ce que nous puissions fournir des preuves du contraire.

Enfin, il faut vérifier si les liens que les propositions de valeur ont avec d'autres propositions tenues pour vraies sont cohérents : nous ne pouvons accepter une proposition de valeur si elle est en contradiction avec d'autres propositions d'un même raisonnement.

2. Les prémisses analytiques

Les prémisses analytiques sont des propositions que l'on tient pour vraies en se basant uniquement sur le sens des termes qu'elles renferment, sans avoir à recourir ni à la réalité extérieure, ni à d'autres propositions. Quand on veut savoir si une prémisse analytique est vraie, on peut lui appliquer le test de la négation du prédicat : si la forme négative de la proposition contient une contradiction interne, nous avons la preuve de la vérité de la prémisse initiale[4].

Il arrive aussi que, dans un raisonnement, on emploie une définition comme prémisse. Par exemple, dans les débats sur l'avortement ou sur l'euthanasie, les diverses parties donnent ce qu'elles considèrent comme une définition de la vie

---

4. Voir le chapitre 3, p. 55.

humaine pour appuyer leur position. Toutefois, nous ne pouvons accepter comme vraies que les définitions essentielles[5], c'est-à-dire celles qui possèdent les caractéristiques suivantes :

- L'universalité. Par exemple : « Un triangle est une figure géométrique plane à trois côtés », ce qui est identique à « tous les triangles sont des figures géométriques planes à trois côtés ».

- L'affirmation. Il faut que la définition nous dise ce qu'est une chose et non pas ce qu'elle n'est pas. Par exemple : « Un triangle n'est pas un cheval » est vrai, mais cela ne nous avance à rien ; un triangle n'est pas un saumon non plus !

- La conversion du terme défini en terme définissant. Par exemple : « Toutes les figures géométriques planes à trois côtés sont des triangles. » Par contre, la proposition « tous les chiens sont des animaux » ne se convertit pas, car il n'est pas vrai de dire « tous les animaux sont des chiens ». Il faut donc rejeter cette proposition, dans le cas où elle est présentée comme une définition.

- L'appartenance en propre du terme définissant au terme défini. Par exemple : « figure géométrique plane à trois côtés » appartient en propre au triangle, alors que « figure géométrique plane » appartient aussi à d'autres figures. Il ne faut donc pas qu'une définition soit trop inclusive (« Un triangle est une figure géométrique plane »), ni trop exclusive (« Un triangle est une figure géométrique plane à trois côtés, dont deux sont à angle droit », ce qui exclut certains types de triangles.).

Pour l'acceptabilité des prémisses, il faut aussi surveiller la présence des sophismes suivants : l'appel à l'autorité, l'équivoque et le faux dilemme.

La pertinence des prémisses

Même si toutes les prémisses d'un raisonnement étaient acceptables, elles n'apporteraient pas nécessairement des éléments de preuve à l'appui de la conclusion. Il se peut en effet que des prémisses vraies n'aient rien à voir avec la conclusion. Par exemple, si quelqu'un essaie de vous démontrer que « la Lune tourne autour de la Terre » (C), à l'aide des prémisses suivantes : « Le dauphin est un mammifère » (1) et « Albert Camus est l'auteur de *La peste* » (2), vous jugerez que, même si elles sont vraies, ces prémisses ne sont pas pertinentes, c'est-à-dire qu'elles n'ont aucun rapport avec la conclusion ; le raisonnement ne tient donc pas.

Pour bien saisir ce qu'on entend par « pertinence », imaginez que vous êtes un procureur de la Couronne et que vous constituez un dossier contenant les preuves de la culpabilité d'un accusé. Vous y incluez tous les éléments qui, selon vous, sont liés à votre affaire, en prenant bien soin de n'y mêler rien de distinct ou de superflu. Votre dossier est alors pertinent, car il ne contient que ce qui a un rapport ; tout ce qui est hors du sujet est éliminé.

---

5. Voir le chapitre 3, p. 57.

Nous dirons donc qu'une prémisse est pertinente seulement si elle a un lien logique avec la conclusion et si, par le fait même, elle peut compter comme élément de preuve de la vérité de la conclusion. Ce lien peut, par ailleurs, être plus ou moins fort.

Il n'existe pas de critère aussi précis pour évaluer la pertinence que pour évaluer l'acceptabilité. Chaque cas mérite un examen particulier. Il faut faire très attention aux sophismes, car beaucoup d'entre eux contreviennent au critère de la pertinence. C'est le cas de l'attaque contre la personne, de l'argument « toi aussi », du procès d'intention, de l'appel aux sentiments, de l'appel à la majorité, de l'appel à la tradition, de l'appel à la modernité, de la fausse cause, du subjectivisme et de la caricature : dans chacun de ces cas, les prémisses n'ont pas de lien avec la conclusion.

Un avocat présente sa preuve à la cour.

La suffisance du lien entre les prémisses et la conclusion

Si les prémisses d'un raisonnement sont acceptables et si elles sont pertinentes, il se peut cependant qu'elles ne suffisent pas à établir la conclusion. Prenons l'exemple suivant.

En route pour Saint-Bovin, vous arrêtez pour faire le plein d'essence à Saint-Porphyre-sur-Ruisselet. Au moment de payer, le caissier de la station d'essence se montre désagréable à votre endroit. Vous concluez que les Porphyriens sont des gens déplaisants.

(1)   Un citoyen de Saint-Porphyre s'est montré désagréable.

(C)   Tous les citoyens de Saint-Porphyre sont déplaisants.

La prémisse (1) est acceptable puisque, dans le cas qui nous occupe, elle est vraie. Elle est également pertinente, puisqu'elle apporte un élément de preuve à l'appui de la conclusion. Toutefois, elle ne suffit pas à montrer que la conclusion est vraie, ni même qu'elle est probable : le lien entre la prémisse (1) et la conclusion est insuffisant.

Nous dirons donc que le lien entre les prémisses et la conclusion est suffisant si les prémisses sont acceptables et pertinentes, et qu'elles offrent une preuve suffisante pour établir la vérité ou la probabilité de la conclusion[6].

Il est important de mentionner que, dans le cas où l'on tente de démontrer une conclusion qui est une proposition de valeur, même si des prémisses empiriques peuvent constituer des éléments de preuve, elles ne suffisent jamais à établir la vérité ou la probabilité de la conclusion.

---

6. Dans l'exemple présenté à la page 63 du chapitre 3, la prémisse fournit une preuve suffisante de la probabilité de la conclusion.

Les sophismes qui contreviennent à la règle de la suffisance sont : la pétition de principe, le sophisme par ignorance, la généralisation hâtive, le sophisme de l'accident, la pente glissante et l'affirmation du conséquent.

LA RÉDACTION D'UN TEXTE D'ARGUMENTATION

Les critères d'un bon texte d'argumentation

Comme tout raisonnement vise un échange rationnel avec les autres, nos raisonnements doivent être bien construits. C'est pourquoi nous devons veiller à respecter les critères d'acceptabilité, de pertinence et de suffisance ; il faut aussi se garder d'employer des sophismes. Cette méthode est la seule qui peut nous conduire à des positions objectives et impartiales.

Pour mettre en évidence le caractère dialogique de l'argumentation, dans le discours écrit ou oral, il convient de faire intervenir des opinions contraires aux nôtres parmi celles qui sont les plus reconnues chez les gens à qui l'on s'adresse. Évidemment, comme la fonction de notre raisonnement est de défendre notre propre position, nous ne pouvons présenter ces opinions comme si elles avaient une valeur égale à la nôtre ; par conséquent, il faut s'en servir pour montrer que notre position est la meilleure, même si elle doit faire par la suite l'objet de critiques.

L'antithèse, l'objection et la réfutation

On appelle « antithèse » une proposition qui s'oppose à notre thèse. Généralement, elle apparaît dans l'introduction d'un texte, après l'exposition du problème dont nous discuterons.

On appelle « objection » (ou « contre-argument »), une opinion qui s'oppose à l'une de nos prémisses ou à l'un de nos arguments. Un texte d'argumentation peut contenir plusieurs objections. Nous les introduisons dans notre texte quand nous voyons que l'une de nos prémisses ou l'un de nos arguments sont contestables et qu'il est préférable de les renforcer par des justifications supplémentaires. En se faisant ainsi l'avocat du diable à l'égard de nos propres arguments, nous déjouons en quelque sorte nos éventuels contradicteurs.

Chaque fois que nous signalons une objection qui peut être faite à l'une de nos justifications, elle doit être suivie d'une réfutation afin que nous ne donnions pas raison à l'adversaire, plutôt que de défendre notre thèse. La réfutation consiste à mettre en évidence la non-acceptabilité, la non-pertinence ou la non-suffisance des objections, de telle sorte que nos arguments demeurent les plus convaincants et que nous puissions poursuivre notre raisonnement sans obstacle.

Supposons que vous défendiez la thèse suivante :

« L'argumentation rationnelle est le meilleur moyen pour l'être humain d'accéder à la vérité. »

À l'appui de cette thèse, vous fournissez cet argument :

«L'homme n'est pas réduit aux perceptions sensibles comme le sont les autres animaux.»

Toutefois, vous savez que d'autres ne pensent pas comme vous et soutiennent plutôt que, pour l'humain, il n'y a pas de vérité supérieure à l'opinion et que l'opinion est elle-même formée à partir de perceptions sensibles. Vous présentez alors cette position comme objection à votre argument :

«Il est vrai que, selon certains, il n'y a pas, pour l'humain, de vérité supérieure à l'opinion et que l'opinion est elle-même formée à partir de perceptions sensibles.»

Évidemment, si vous voulez convaincre vos interlocuteurs de votre position, vous devez faire suivre cette objection par une réfutation. Par exemple :

«Toutefois, si l'être humain n'avait à sa disposition que ses facultés sensibles, il n'aurait pu faire progresser la science.»

Vous pouvez ensuite présenter vos autres arguments.

Le développement du texte d'argumentation

Normalement, le développement d'un texte d'argumentation se fait selon l'ordre qui suit. Dans l'introduction, l'auteur annonce le thème de son texte (1) et il indique un problème lié à ce thème, dont le texte traitera (2). Il oppose ensuite à la position de possibles contradicteurs (l'antithèse) (3) la thèse qu'il se propose de défendre (4).

Voici un exemple d'introduction.

Dans ce texte, nous traiterons du thème de la liberté (1). Nous tenterons de répondre à la question «la liberté humaine est-elle une réalité ou n'est-elle qu'une vaine illusion ?» (2). Certains prétendent que l'être humain est entièrement déterminé par les lois de la nature et par le destin (3). Toutefois, nous démontrerons que, grâce à sa raison, l'être humain a la possibilité de choisir et de créer des choses inédites (4).

Une fois l'introduction terminée, on commence, dans un nouveau paragraphe, la présentation de notre raisonnement. Pour plus de clarté, on changera de paragraphe chaque fois qu'on envisagera un nouvel argument ou, si un argument est composé de plusieurs raisonnements, chaque fois qu'on introduira un nouveau raisonnement simple.

Enfin, quand la thèse a été bien appuyée et qu'il y a eu réfutation de toutes les objections soulevées, on conclut en rappelant la thèse[7] et en résumant les principaux arguments.

---

7. Si on utilise, dans la conclusion, des mots différents de ceux qu'on a employés dans l'introduction, on doit faire attention à ne pas transformer le sens de sa thèse.

Les règles et la pratique de l'argumentation

Le sens critique

Pour bien exercer son sens critique, il faut apprendre à analyser et à évaluer des raisonnements. Il faut aussi accepter de remettre en question ses propres opinions et ne pas rejeter les opinions des autres sans raison. Il faut enfin être en mesure de construire des raisonnements logiques.

L'analyse du raisonnement

La légende du raisonnement est une liste des propositions qui le composent : l'énoncé de la conclusion, identifiée (C), puis les prémisses, numérotées, qui soutiennent cette conclusion. Le schéma d'un raisonnement est la représentation graphique de tous les liens logiques qui existent entre les différentes propositions. Il existe différents types de schémas : les schémas à prémisse unique, les schémas à prémisses convergentes, les schémas à prémisses liées et les schémas qui contiennent une ou plusieurs conclusions intermédiaires.

L'évaluation du raisonnement

Évaluer un raisonnement consiste à déterminer si celui-ci est conforme aux règles de la logique et s'il nous permet ou non d'accepter la conclusion. Il faut toujours veiller à ce que le raisonnement ne soit pas un sophisme. Les sophismes sont des raisonnements fallacieux qui visent à persuader et non à convaincre rationnellement. Outre l'identification des sophismes, l'évaluation d'un raisonnement se fait en trois étapes. La première porte sur l'acceptabilité des prémisses. La vérité ou l'acceptabilité de prémisses empiriques repose sur les critères suivants : la correspondance, la cohérence et l'avis d'expert. Les propositions de valeur ne sont acceptables que si elles ne relèvent pas de croyances, si elles sont suffisamment justifiées et si leurs liens avec les autres propositions sont cohérents. Pour évaluer la vérité de prémisses analytiques et de définitions essentielles, on utilise le test de négation du prédicat. Les définitions sont acceptables lorsqu'elles possèdent les caractéristiques suivantes : l'universalité, la forme affirmative, la conversion du terme défini en terme définissant et l'appartenance en propre du terme définissant au terme défini.

La deuxième étape de l'évaluation d'un raisonnement porte sur la pertinence des prémisses. Une prémisse est pertinente seulement si elle a un lien logique avec la conclusion et si elle peut compter comme un élément de preuve de sa vérité ou de son acceptabilité.

La troisième étape de l'évaluation d'un raisonnement porte sur la suffisance du lien entre les prémisses et la conclusion. Ce lien est suffisant si les prémisses sont acceptables et pertinentes, et si elles offrent une preuve suffisante de la vérité ou de la probabilité de la conclusion. Les propositions empiriques n'offrent jamais de preuves suffisantes pour établir la vérité ou la probabilité des propositions de valeur.

Les critères d'un bon texte d'argumentation

Pour viser des positions objectives et impartiales, il faut respecter les critères d'acceptabilité, de pertinence et de suffisance. Il faut également montrer la valeur de certaines de nos propositions en leur opposant d'autres propositions en désaccord avec les nôtres.

L'antithèse, l'objection et la réfutation

L'antithèse est une proposition qui s'oppose à la thèse que l'on défend. Les objections sont constituées d'une ou de plusieurs propositions qui s'opposent à des prémisses ou à des arguments de notre raisonnement ; on les utilise pour renforcer notre propre thèse. Les réfutations sont des propositions qui montrent la non-acceptabilité, la non-pertinence ou la non-suffisance des objections.

Le développement du texte d'argumentation

Les éléments d'un texte d'argumentation suivent l'ordre suivant :

- l'introduction (le thème, le problème, l'antithèse et la thèse) ;

- le raisonnement (les arguments, les objections et les réfutations) ;

- la conclusion.

L'analyse du raisonnement

1. Faites la légende et le schéma de chacun des raisonnements de l'exercice n° 1, p. 36, chapitre 3 : «Le raisonnement».

2. Faites la légende et le schéma de chacun des raisonnements de l'exercice n° 1, p. 40, chapitre 3 : «Les raisonnements déductif et inductif».

3. Pour chacun des raisonnements suivants :

   a) donnez la légende et le schéma ;

   b) dites s'il s'agit d'une induction ou d'une déduction ;

   c) dites de quel philosophe présocratique a été inspiré ce raisonnement.

Argumentation n° 1

En plus d'une cause matérielle, l'atome, l'existence nécessite une cause du mouvement, le vide. Sans le vide, la combinaison des atomes serait impossible. *Démocrite*

Argumentation n° 2

L'être est constitué de quatre éléments fondamentaux, car il est impossible qu'un seul élément se transforme par lui-même pour donner naissance à toutes les choses ; l'existence provient plutôt d'un procédé mécanique d'échange entre différents éléments. *Convergentes — Empédocle*

Argumentation n° 3

Tous les êtres de l'univers subissent le mouvement parce qu'ils sont constitués d'une matière et que toute matière se transforme. Toutefois, il existe quelque chose qui reste en permanence à travers le mouvement. Puisque l'eau est indécomposable en autre chose

qu'elle-même, l'eau est l'élément premier dont tout provient et auquel tout retourne. *Thalès de Milet*

Argumentation n° 4

L'être réunit en même temps les contraires, car, sans le changement, l'être resterait identique. Or, la permanence de l'être équivaut à la fin de l'être.

Argumentation n° 5

Un même être ne peut recevoir deux attributs opposés. Or, puisque devenir, c'est passer de ce que je suis à autre chose, et que devenir autre, ce n'est plus être identique à soi, devenir ce n'est pas être véritablement. Finalement, l'être sensible n'est qu'apparence. *Parménide*

L'évaluation du raisonnement

4. Identifiez les sophismes suivants.

   a) Joseph, Germain et Cécile ont rédigé avec beaucoup de passion leur dissertation de fin de session. Les étudiants adorent faire des dissertations.

   b) L'argent fait le bonheur ; personne ne choisirait d'être pauvre plutôt que riche.

   c) Dieu n'existe pas ; le philosophe Sartre n'y croyait pas.

   d) Il est impérieux et justifié de faire la guerre à l'Islam. N'oubliez jamais le spectacle horrible et désolant auquel nous ont fait assister les pauvres victimes des tours jumelles.

   e) Il faut accepter les méfaits de la mondialisation ; nous ne sommes plus à l'ère du protectionnisme.

   f) Soit vous êtes en faveur de la politique américaine au Moyen-Orient, soit vous êtes un ennemi des États-Unis.

g) Si tu veux, tu peux.

h) Ma grande intelligence est due à un art de vivre que je me suis moi-même donné.

i) Tu n'as pas à te sentir coupable de profiter des fonds publics, car tous les fonctionnaires qui en ont la chance le font.

j) Les féministes sont des femmes qui militent pour les droits des femmes; certains disent que Platon était féministe; donc, Platon était une femme.

k) Il faut choisir nos amis parmi les gens qui peuvent nous être utiles, car il ne vaut pas la peine d'avoir des amis qui ne nous apportent rien.

l) Il fallait s'attendre à ce qu'un cataclysme survienne. C'était le tournant du siècle.

m) Nous sommes tenus au statu quo jusqu'à ce que l'on puisse nous démontrer qu'il existe un ordre meilleur.

n) Cet étudiant se montre particulièrement poli à mon égard; il croit que ses notes vont ainsi augmenter.

o) Il faut apprendre aux jeunes filles la broderie, le tricot et la couture. Ce serait dommage qu'elles ignorent l'art de nos grand-mères.

5. Évaluez les raisonnements a, b, c, d, e et k de l'exercice n° 1, p. 36, chapitre 3 : «Le raisonnement».

6. Évaluez les raisonnements a, b, f, i et j de l'exercice n° 1, p. 40, chapitre 3 : «Les raisonnements déductif et inductif».

7. Évaluez chacun des raisonnements de l'exercice n° 3, p. 87.

La rédaction d'un texte d'argumentation

8. Choisissez un problème parmi les suivants.

a) Devrions-nous laisser les scientifiques créer des êtres humains par clonage?

b) Devrions-nous laisser les scientifiques faire des expériences sur les animaux?

c) Vaut-il la peine d'avoir des amis qui ne nous apportent aucun intérêt ou avantage matériel?

d) Une action moralement bonne est-elle nécessairement une action accomplie avec une bonne intention?

e) L'argent fait-il le bonheur?

f) La philosophie a-t-elle un rôle à jouer dans notre société actuelle?

g) Les animaux ont-ils une âme?

h) Le milieu social des jeunes a-t-il une influence sur leur comportement?

i) Devrions-nous financer, à même les fonds publics, des stades pour les équipes professionnelles de sport?

j) Pour qu'une société politique soit juste, l'État doit-il imposer des limites à la liberté individuelle?

k) Le développement technologique entraîne-il le bonheur de l'humanité?

l) Le suicide est-il un acte moralement acceptable?

m) Devrions-nous toujours obéir aux lois?

n) Faut-il ne jamais dire de mensonge?

o) Les voyages nous aident-ils à nous débarrasser de nos préjugés?

p) Le sacré est-il un élément essentiel de la vie humaine?

q) Y a-t-il de bonnes raisons qui justifient qu'un joueur de hockey ait un meilleur salaire qu'un ministre?

r) La mondialisation veut-elle dire humanisation ?

s) Les enfants peuvent-ils être de vrais philosophes ?

t) Les forces du mal sont-elles l'apanage de cultures particulières ?

u) Puis-je vouloir la guerre dans d'autres pays quand c'est le prix à payer pour qu'il y ait la paix chez moi ?

v) Devons-nous tolérer des pratiques qui remettent en question notre conception de la liberté ?

w) Est-ce moral de n'avoir de compassion que pour ceux et celles qui nous ressemblent ?

x) L'art est-il un élément essentiel de la vie humaine ?

y) Le bonheur est-il possible sans désirs ?

z) L'amour et l'égoïsme sont-ils contradictoires ?

9. Produisez la légende et le schéma de votre texte d'argumentation.

Votre légende doit commencer par l'énonciation de votre thèse et elle doit comporter cinq ou six prémisses formant au moins deux arguments, au plus trois. Votre raisonnement doit comprendre une conclusion intermédiaire.

10. Faites une seconde légende avec une antithèse et une objection.

11. Donnez à votre raisonnement la forme d'un texte suivi.

Commencez par une introduction : thème, problème, antithèse et thèse.

Développez votre argumentation : n'oubliez pas de réfuter l'objection (à l'aide de l'une de vos cinq ou six prémisses).

Vous devez aussi illustrer l'une de vos prémisses ou l'un de vos arguments à l'aide d'un exemple.

En dernier lieu, réaffirmez votre thèse au moyen d'une conclusion finale dans laquelle vous faites un bref résumé de vos arguments.

PARTIE III

Les philosophes grecs et l'utilité de la rationalité

Les sophistes

L'homme est la mesure de toutes choses : de celles qui sont, de leur existence, et de celles qui ne sont pas, de leur non-existence.

PROTAGORAS

LES ORATEURS ET LES RHÉTEURS

Les sophistes étaient des enseignants professionnels qui, à partir du milieu du Vᵉ siècle avant Jésus-Christ, se déplaçaient à travers toute la Grèce pour faire des discours publics et donner des leçons particulières aux jeunes gens qui étaient en mesure de les rémunérer. Les sophistes étaient des maîtres dans l'art du langage ; ils prétendaient connaître la vérité en toute chose. Ils inventèrent et enseignèrent la rhétorique, l'art de faire de beaux discours, grâce à quoi ils formèrent d'habiles orateurs et politiciens.

L'enseignement de la rhétorique repose sur la conviction qu'il n'y a pas de vérité supérieure à l'opinion, et que toutes les opinions se valent. Il recourt à la fois à l'usage correct de la langue, l'art d'user de sophismes[1], l'éloquence, la connaissance des œuvres des poètes et de l'histoire, et l'utilisation de techniques psychologiques propres à éveiller les émotions et à envoûter les âmes. Comme on le voit, l'art des sophistes ne vise pas à convaincre rationnellement ; il privilégie plutôt toutes sortes de moyens de permettre à la personne qui parle de persuader les autres que son opinion est la meilleure. De ce point de vue, tout débat est vu comme un combat au terme duquel l'opinion la plus séduisante l'emporte sur toutes les autres.

En ce sens, la rhétorique s'oppose à l'argumentation rationnelle qu'ont introduite les présocratiques et que structureront par la suite de façon plus précise Socrate et Platon. Pour ces derniers, il n'existe qu'une seule vérité, une vérité universelle, et l'échange rationnel est nécessaire pour y accéder. Socrate et Platon pensent que les sophistes ne sont ni des sages ni des pédagogues comme ils le prétendent ; ce ne sont, selon eux, que de beaux parleurs et des démagogues qui flattent la foule afin de la séduire et de faire valoir leurs intérêts personnels.

---

1. On trouve une liste de sophismes dans la partie II, chapitre 4, p. 76-79.

Une DÉMOCRATIE est un régime politique dont le gouvernement est régi par le peuple (en grec : *dêmos*).

PROTAGORAS est né à Abdère, en Thrace, vers −485. C'est le plus célèbre des sophistes. Il a été le premier enseignant professionnel à initier les Grecs à la vie publique. Il a visité plusieurs fois Athènes, où il faisait des discours et où, à la fin de sa vie, il a été jugé, puis banni pour l'impiété de ses affirmations sur les dieux. Il est mort vers −410.

GORGIAS est né à Léontini, en Sicile, vers −483. Comme les autres sophistes, il se déplaçait de cité en cité pour faire des discours publics et donner des leçons particulières en échange d'honoraires. Son style particulier et son éloquence ont créé une si grande impression sur ses auditeurs que parler comme lui, ou « gorgianiser », était devenu une mode. Il est mort vers −380.

Un régime est MONARCHIQUE lorsque le gouvernement est régi par un seul (en grec : *mónos*) chef. La monarchie est dite tyrannique lorsque le roi ne respecte pas le bien commun et qu'il gouverne (en grec : *árkhein*) dans son unique intérêt.

Ce désaccord entre les sophistes, d'une part, et Socrate et Platon, d'autre part, est au cœur des débats philosophiques qui ont cours à Athènes à l'époque de la DÉMOCRATIE. Chose inouïe dans l'Antiquité, de −508 à −338, Athènes jouit en effet d'un système démocratique et se présente alors comme l'endroit idéal pour discuter librement et faire progresser la pensée.

Dans ce chapitre, nous décrirons les événements qui ont conduit à la démocratie athénienne, et nous présenterons les avantages et les désavantages de ce régime politique. Ensuite, nous nous initierons aux théories des grands sophistes, PROTAGORAS et GORGIAS, et nous expliquerons comment ils justifiaient leur pratique de la rhétorique. Enfin, nous verrons que l'amoralisme dont Socrate et Platon les accusent est peut-être plus le fait d'élèves ambitieux que des grands sophistes eux-mêmes.

LA DÉMOCRATIE ATHÉNIENNE

Dans l'Antiquité, la Grèce, qui est un pays naturellement morcelé par sa structure montagneuse, était partagée en plusieurs petites cités-États qui se liguaient pour combattre des ennemis extérieurs. Chacune de ces cités-États possédait sa propre administration et des cultes religieux distincts ; chacune avait également une agora (place où se tenaient les assemblées politiques), un marché et une acropole ou citadelle.

Jusqu'à la fin du VIIIᵉ siècle avant Jésus-Christ, le régime politique des cités-États de la Grèce avait consisté généralement en un régime MONARCHIQUE, telles les royautés décrites par Homère dans ses épopées. À cette époque, il n'y avait pas encore de lois écrites. Le mythe prédominait sur la pensée rationnelle ; les rois fondaient leur pouvoir sur les rituels religieux auxquels ils présidaient.

L'Acropole, forteresse et sanctuaire d'Athènes.

Cette alliance entre pouvoir politique et pouvoir religieux servit longtemps au maintien de la cohésion sociale, mais, progressivement, cette situation se modifia. Les communautés s'étant agrandies et enrichies, les riches propriétaires terriens qui formaient le Conseil du roi finirent par accaparer son pouvoir et instaurèrent un régime ARISTOCRATIQUE. Ces gouvernants, qui étaient désormais issus des classes sociales les plus riches, se servirent d'une supposée justice divine pour abuser le peuple.

Toutefois, au VIe siècle avant Jésus-Christ, la classe commerçante, qui s'était elle-même enrichie grâce à ses échanges avec les pays étrangers, avait acquis la capacité de remettre en question le pouvoir arbitraire des gouvernants. Elle se mit à la tête du peuple et revendiqua la formulation de lois écrites afin de protéger ses nouvelles acquisitions. On passa alors graduellement d'une justice divine (sans lois écrites) à une justice humaine (avec des lois écrites). La nature, depuis la naissance de la philosophie, avait perdu son caractère religieux; cette évolution s'appliquait maintenant aux affaires humaines. Désormais, les lois n'étaient plus considérées comme faisant partie de l'ordre immuable des choses; on tendait plutôt à leur attribuer une origine historique. La Grèce connut alors la création de régimes plus modérés qui permirent aux moins nantis de se libérer peu à peu de la tyrannie des plus puissants. À Athènes, ces changements aboutirent à l'instauration de la démocratie.

Solon (v. –640 / v. –558) fut le premier haut fonctionnaire à répondre de façon significative aux revendications du peuple athénien; c'est pourquoi on le surnomme « le père de la démocratie ». Parmi les principales modifications qu'il apporta à la Constitution d'Athènes, on compte l'abolition des dettes imposées par les riches propriétaires terriens aux paysans – ces derniers purent dès lors devenir possesseurs des terres sur lesquelles ils travaillaient –, la libération des esclaves d'origine grecque et la substitution de l'aristocratie de fortune (ou ploutocratie) à l'aristocratie de naissance. Cette dernière modification ouvrait la voie à la démocratie, car tout CITOYEN ayant désormais le droit de s'enrichir, une certaine flexibilité s'installa parmi les différents couches sociales de la cité. Les charges publiques n'allaient plus être l'affaire exclusive des nobles de sang.

Solon, réformateur athénien, d'après une représentation de l'école flamande.

Un régime est ARISTOCRATIQUE lorsque le gouvernement est régi par quelques individus reconnus les meilleurs (en grec : *áristos*). L'aristocratie n'est qu'une oligarchie (gouvernement constitué d'un petit nombre de personnes) lorsque le gouvernement exerce son pouvoir (en grec : *krátos*) de façon tyrannique.

Le statut de CITOYEN n'était pas accordé à tous. La Grèce a toujours connu l'esclavage, et les esclaves ne comptaient pas au nombre des citoyens. À l'apogée d'Athènes, qui comptait alors 300 000 habitants, les esclaves étaient au moins trois fois plus nombreux que les personnes libres. Par ailleurs, parmi les 30 000 à 40 000 personnes libres, les femmes, les enfants qui avaient moins de 18 ans et les métèques (étrangers domiciliés à Athènes) n'avaient ni le droit de vote, ni celui de participer à l'administration de la cité.

Malgré la réforme de Solon (−594), il faudra attendre jusqu'en −508, au moment de l'application du système décimal de Clisthène, pour qu'un véritable régime démocratique voie le jour. Dans le but de supprimer les privilèges des aristocrates, Clisthène divisa le territoire d'Athènes en 10 tribus (d'où le nom « système décimal ») où se trouvaient rassemblés pêle-mêle les citoyens de différentes couches socioéconomiques. Les membres du gouvernement de la cité furent dès lors choisis dans les tribus sans distinction de classe ou de profession. Le gouvernement était formé de 10 stratèges ou généraux (un par tribu), élus annuellement par voie de scrutin[2], et de 500 conseillers (50 par tribu) tirés au sort ; les conseillers de chaque tribu siégeaient au prytanée[3] pendant un dixième de l'année administrative. Par ailleurs, un tribunal populaire composé de 5 000 juges (500 par tribu) tirés au sort rendait la justice ; le jury d'un unique procès pouvait compter jusqu'à 1 001 personnes.

TABLEAU 5.1	Faits historiques liés au régime démocratique athénien
De −508 à −338	Démocratie athénienne
De −499 à −479	Guerres médiques ; la victoire finale des Grecs sur les Perses a pour conséquence la confédération des cités grecques qu'Athènes subjugue et entraîne bientôt dans son empire.
De −480 à −430	Époque surnommée le « siècle de Périclès »
De −431 à −404	Guerre du Péloponnèse (Athènes contre Sparte)
−411	Brève oligarchie dite des « Quatre-Cents »
De −404 à −403	Brève oligarchie dite des « Trente Tyrans »
−338	Fin de la démocratie ; victoire de Philippe de Macédoine sur la Grèce
−336	Règne d'Alexandre le Grand (fils de Philippe de Macédoine)
−146	La Grèce devient une province romaine.

2. Périclès (homme politique qui a vécu de −495 à −429) a été réélu 15 fois stratège (de −443 à −429) par les citoyens d'Athènes. Grâce à lui, Athènes devint prestigieuse sur le plan des arts et des lettres.
3. Le prytanée est l'édifice public où logent et siègent à tour de rôle les 10 groupes de conseillers qui, pendant une dixième partie de l'année, forment un comité directeur. C'est là aussi que l'on rend un culte à l'État, auquel seuls les citoyens sont admis à participer.

Contrairement aux démocraties modernes, qui sont représentatives – ce sont des représentants élus qui exercent le pouvoir à la place du peuple –, à Athènes, le peuple gouvernait directement. D'abord, le tirage au sort permettait à tout citoyen d'être tour à tour gouvernant et gouverné. Cela avait pour avantage de limiter les intrigues, ainsi que le pouvoir des individus qui avaient une trop grande influence. Dans le même but, Clisthène avait institué l'ostracisme, qui consistait à expulser de la cité tout citoyen qui, devenu trop influent, risquait de faire basculer la démocratie du côté de la tyrannie.

Ensuite, avant qu'une décision politique soit prise, tout citoyen, même s'il ne faisait pas partie du Conseil, pouvait présenter des avis qu'il jugeait bons pour la cité. Les Athéniens valorisaient au-delà de tout la suprématie du principe de liberté ; cela se faisait sentir dans l'importance qu'ils accordaient aux dialogues et aux discours tenus devant l'ASSEMBLÉE DU PEUPLE, à laquelle c'était un devoir de participer.

L'Assemblée du peuple devenait souveraine dans toutes les affaires publiques. Elle nommait et surveillait les hauts magistrats, votait toutes les lois élaborées par le Conseil, administrait la justice. Seules les lois étaient désormais placées au-dessus des citoyens. Les Athéniens méprisaient le fait qu'on puisse se prosterner devant un maître autre que la loi et, même si les classes sociales subsistaient, des mesures furent établies dans le but d'atténuer les trop grandes différences de richesse. Par exemple, seuls les riches avaient à payer les frais occasionnés par les rassemblements de citoyens, comme les fêtes populaires, les cérémonies religieuses et les repas en commun.

Ce contexte était idéal pour les sophistes, qui étaient en demande à Athènes plus que partout ailleurs. Les jeunes gens riches qui avaient des ambitions politiques s'intéressaient aux cours de rhétorique, car ils souhaitaient acquérir l'art de faire de beaux discours pour persuader la foule de leurs opinions et influencer le vote de la majorité.

Malheureusement, vers la fin du Ve siècle avant Jésus-Christ, la pratique de la démocratie se dégrada. Certains hommes, cultivés et financièrement bien nantis incitèrent le peuple, en toute légalité, à prendre des décisions extravagantes[4] et firent valoir leurs intérêts sans se soucier aucunement du bien commun. Selon le témoignage de Platon, ils encourageaient le peuple à émettre des décrets qui allaient souvent à l'encontre des lois déjà existantes ; les lois se faisaient et se défaisaient au rythme des besoins immédiats. C'était devenu le désordre total.

La démocratie qui, à ses débuts, réunissait les fins de l'individu et celles de l'État, perdit peu à peu sa raison d'être.

L'ASSEMBLÉE DU PEUPLE ou *ecclésia* était constituée de tous les citoyens, bien qu'en temps de paix une grande partie d'entre eux n'y participaient que rarement. Elle tenait séance une trentaine de fois par année, ordinairement sur la colline appelée la Pnyx. Son rôle était de discuter et, si elle le désirait, de modifier les propositions que lui présentait le Conseil des Cinq-Cents. Elle devait donc être informée de tout et statuer sur tout.

---

4. Par exemple, en −406, lors de la victoire des Athéniens aux îles Arginuses, les généraux vainqueurs furent condamnés en bloc pour ne pas, comme le voulait la coutume, avoir rapporté les dépouilles des morts, alors qu'il faisait tempête. Le lendemain, les Athéniens pleuraient sur le sort de ces mêmes généraux.

L'HUMANISME ET LE RELATIVISME DES SOPHISTES

Les sophistes sont les premiers **humanistes** de l'histoire de la pensée occidentale. Ce sont les premiers à subordonner la science à l'expérience humaine et aux besoins des individus, et à soutenir l'impossibilité de parvenir à la connaissance de toute cause transcendante. Protagoras, par exemple, est **agnostique**; il refuse de faire intervenir les dieux dans toute discussion portant sur la réalité humaine, car, dit-il, « touchant les dieux, je ne suis pas en mesure de savoir ni s'ils existent, ni s'ils n'existent pas, pas plus que ce qu'ils sont quant à leur aspect. Trop de choses nous empêchent de le savoir : leur insensibilité [le fait qu'on ne peut les percevoir au moyen des sens] et la brièveté de la vie humaine »[5].

Les sophistes s'inspirent des théories de Parménide[6] et d'Héraclite[7] pour montrer le bien-fondé de leur humanisme. On se souvient qu'à partir du principe de l'identité absolue de l'être, Parménide avait établi une séparation entre le monde intelligible, l'être, et le monde sensible, le non-être. Cette position radicale de Parménide avait forcé tous ceux qui se préoccupaient de philosophie à prendre position et à trancher soit en faveur de l'être parfait, soit en faveur du changement. Mettant l'argumentation de Parménide sens dessus dessous, les sophistes, quant à eux, optent pour l'univers matériel et changeant, et ils protestent contre la thèse de Parménide qui n'accorde l'existence qu'à ce qui est toujours identique à soi.

Selon les sophistes, le monde intelligible n'existe pas; il n'y a pas de réalité supérieure à celle des êtres changeants de la nature. Cette conception s'appuie sur la thèse héraclitéenne du mobilisme universel : tout ce qui existe se meut et change constamment; l'être n'est pas ce qui est toujours identique –de l'être, plutôt, émergent les contraires.

Dans son traité intitulé *Du non-être ou De la nature*, le sophiste Gorgias tente de démontrer, à l'aide de trois principes, sinon l'inexistence d'un être permanent, du moins l'impossibilité de le connaître.

1. *Rien n'existe*. L'être et le non-être ne sont pas.

Le non-être n'est pas. Si le non-être est le non-être, alors il est. Or, une même chose ne peut être et ne pas être à la fois. Donc, le non-être n'existe pas.

DÉFINITIONS

HUMANISME

Doctrine qui subordonne la vérité à l'esprit humain et à l'expérience. L'homme devient le juge exclusif de la réalité. Dans le domaine des choses humaines, l'humanisme privilégie la croyance dans le salut de l'homme au moyen des seules forces humaines.

AGNOSTIQUE

Relatif à l'agnosticisme, qui considère qu'il est inutile de se préoccuper de métaphysique et de théologie, car leur objet est inconnaissable. L'agnosticisme diffère de l'athéisme. qui nie l'existence même de Dieu.

---

5. Protagoras, fragment du traité *Sur les dieux,* dans Jean-Paul Dumont, *Les écoles présocratiques,* Paris, Gallimard, 1991, p. 680, coll. « Folio/Essais », n° 152.
6. Voir partie I, chapitre 2, p. 35.
7. Voir partie I, chapitre 2, p. 29.

L'être n'est pas. Si l'être existe, il est soit éternel, soit dérivé (engendré), soit les deux à la fois. Si aucune des trois possibilités ne s'applique, il n'est pas.

Si l'être est éternel, il n'a pas de commencement; s'il n'a pas de commencement, il est infini. Or, s'il est infini, il n'est nulle part. En effet, s'il est quelque part, ce quelque part est différent de lui, et alors il n'est pas infini (puisqu'il existe quelque chose d'autre que lui). Et, s'il n'est nulle part, il n'existe pas, donc il n'est pas éternel.

Si l'être est dérivé (créé par autre chose que lui-même), il vient soit de l'être soit du non-être. Or, s'il vient de l'être, il existait déjà, donc il n'est pas dérivé. Et il est impossible qu'il vienne du non-être, puisque pour engendrer il faut d'abord exister. Donc, l'être n'est pas dérivé.

L'être ne peut être à la fois dérivé et non dérivé, puisque cela est contradictoire. Ainsi, il n'est pas dérivé ni non dérivé ni les deux à la fois. Donc, il n'existe pas.

2. *Même si quelque chose existait, ce quelque chose serait inconnaissable.* La raison serait impuissante à le saisir.

Nous pouvons penser des choses qui ne sont pas. Ce n'est pas, en effet, parce que nous nous représentons un homme volant ou des chars roulant sur la mer que de telles choses existent réellement. Si, donc, il nous arrive parfois de nous représenter ce qui n'existe pas, nous n'avons aucun moyen de le distinguer de ce qui existe, puisque notre pensée porte aussi bien sur le non-être que sur l'être. Nous sommes donc impuissants à connaître l'être.

3. *Même si l'être était connaissable, nous ne pourrions le communiquer à autrui.*

S'il était possible, au moyen du langage, de rendre clairement la vérité sur la réalité que l'on perçoit, il n'y aurait jamais de conflits d'opinions, puisque le jugement de tous et chacun suivrait inévitablement cette vérité exprimée clairement. Mais il ne peut en être ainsi, car la parole, qui diffère des sens (l'ouïe, la vue, etc.) par lesquels nous percevons les objets extérieurs, traduit difficilement le contenu de nos perceptions. Quand nous communiquons, nous livrons des mots, mais ceux-ci ne sont pas identiques à ce que nous avons vu ou entendu. Entre les deux (discours et chose perçue), il n'y a pas de lien nécessaire.

Selon Gorgias, la vérité étant donc impossible à atteindre, le **scepticisme** est l'attitude la plus sage à adopter quant au problème de l'être. Il vaut mieux limiter l'objet du savoir à ce qui est utile aux humains que de consacrer ses efforts à des considérations qui vont au-delà de notre entendement.

Ayant, au départ, réagi au discrédit que Parménide avait jeté sur le monde sensible, les sophistes ne cherchent cependant pas à établir scientifiquement ce qu'il est. Les sophistes tiennent pour acquis la position de Parménide selon laquelle le monde sensible dans lequel nous vivons n'est fait que d'apparences. Ils délaissent la science de la nature et font porter leur recherche sur l'humain et le langage.

Si, au-delà de la nature, il n'existe aucune réalité permanente et objective, et si la nature n'offre rien de stable à la connaissance, pourquoi, en effet, ne pas s'intéresser aux habiletés de l'humain qui, par la parole, a le pouvoir d'agir sur les choses ? Les sophistes se consacrent donc au perfectionnement du langage, visant ainsi à donner un sens à ce qui n'est d'abord que non-sens. Selon eux, il revient à l'humain d'ordonner la réalité fuyante des apparences ; l'humain a le pouvoir d'orienter de façon signifiante le monde à travers le chaos originel des sensations fluctuantes et contradictoires. Grâce au langage, il a la possibilité de faire surgir l'être de ce qui n'était que non-être ; ses perceptions sensibles sont réelles et vraies dans la mesure où son discours est persuasif. Cette conception du réel est bien exprimée dans une formule célèbre de Protagoras : « L'homme est la mesure de toutes choses : de celles qui sont, de leur existence, et de celles qui ne sont pas, de leur non-existence. »

De cette conception découle, par ailleurs, la conséquence suivante : puisque le réel et le vrai ne sont que les effets de la manière dont nous organisons dans le discours ce qui apparaît à nos sens, il faut admettre que l'être diffère d'un individu à l'autre et, qui plus est, chez le même individu au fil du temps. Si l'on sait, par exemple en ce qui concerne le goût, que beaucoup de choses peuvent apparaître agréables aux uns et désagréables aux autres sans que personne soit dans l'erreur, nous verrons cependant que cette théorie soulève des objections en ce qui concerne la connaissance scientifique. Mais, pour les sophistes, rien ne peut être l'objet d'une connaissance certaine, car l'être n'a pas de qualités objectives ; tout n'est qu'objet de sensation et, par conséquent, ce qui, pour chacun, apparaît *est* véritablement.

Le **subjectivisme** des sophistes n'admet aucun recours à des normes universelles et supérieures aux opinions individuelles. Pour les sophistes, il n'y a pas de séparation entre vérité et opinion. La vérité est elle-même changeante. Il n'y a rien de vrai éternellement. Les perpétuelles contradictions des apparences sur lesquelles chacun fonde ses opinions constituent le principe même de la réalité. La vérité est donc relative à l'individu, et les opinions, aussi contradictoires soient-elles, sont toutes également vraies.

Les sophistes, ayant délaissé la philosophie de la nature et s'étant préoccupés davantage de l'humain, appliquent le principe héraclitéen du changement au domaine de l'action. En ce qui concerne les affaires humaines, ils soutiennent donc un relativisme éthique : selon eux, le bien ne dépend pas d'un modèle unique et absolu. La réalité humaine est livrée à un débat d'opinions dont aucune n'est essentiellement plus vraie que les autres. C'est pourquoi les sophistes accordent énormément d'importance au pouvoir de persuasion : ils comptent sur le fait que l'opinion peut être transformée.

LE PRAGMATISME ET LA PERSUASION

Les sophistes considèrent que le bien est relatif aux individus et aux situations et qu'il n'existe aucun critère de vérité pour juger des mœurs de différents groupements humains ou des actions des individus. Pour établir la justice, l'homme d'État ne peut donc se référer qu'à des normes **pragmatiques.** S'il veut empêcher le désordre politique et les luttes perpétuelles, il faut qu'il fasse adopter, au moyen de discours persuasifs, les opinions les plus utiles à la vie en société, peu importe, par ailleurs, les croyances qu'il propage ou les fictions qu'il fabrique pour maintenir la cohésion. Pour les sophistes, la sagesse consiste en cette capacité d'influencer les foules et d'orienter la vie commune en ralliant la majorité autour des choix qui conviennent le mieux à un moment donné. Étant des maîtres du langage et de la persuasion, ils enseignent donc cet art qui consiste à faire en sorte que, dans une situation donnée, tel aspect de la réalité apparaisse non pas plus vrai, mais plus avantageux que les autres.

L'art des sophistes ne peut être confondu avec la volonté d'échanger rationnellement avec les autres, afin de surmonter les contradictions et de progresser ensemble vers la vérité. Si toutes les opinions sont reconnues aussi vraies les unes que les autres, le débat oratoire consiste en une joute qui n'admet qu'une opinion gagnante. Par exemple, Protagoras affirme que, pour toute chose, il existe deux discours opposés qui se valent l'un l'autre. Il enseigne donc à ses élèves à louer et à blâmer chacune des deux positions opposées d'un même problème. Par la maîtrise de cette technique, dite du discours double, ses élèves acquièrent l'habileté nécessaire pour vaincre tout contradicteur éventuel. On peut saisir la subtilité de l'art enseigné par Protagoras à l'aide d'un exemple : la discussion qu'il eut avec Périclès après une compétition athlétique pendant laquelle un homme avait été tué accidentellement par un javelot. Les deux hommes passèrent une journée entière à se demander si la cause de cet événement devait être attribuée au javelot, à celui qui l'avait lancé ou aux organisateurs des jeux. Selon le point de vue que l'on adopte, chacune de ces trois causes peut être justifiée. Ainsi, pour le médecin, c'est le javelot qui est responsable de la mort ; pour le juge, c'est l'athlète ; pour l'autorité politique, ce sont les organisateurs des jeux.

Tout en ayant la prétention de posséder un art rationnel, les sophistes ne ressentent aucune honte à utiliser toutes sortes de ruses pour persuader leur auditoire de la valeur de leurs opinions. Selon Gorgias, la rhétorique tient sous sa domination toutes les sciences, car il n'existe aucun sujet sur lequel un rhéteur ne puisse parler à une foule d'une manière plus persuasive qu'un spécialiste, quel qu'il soit. On comprend dès lors l'empressement des jeunes gens qui voulaient participer activement à la vie politique à acquérir ce savoir.

PRAGMATIQUE
Ce terme a plusieurs sens. Dans le présent contexte, on peut le définir ainsi : est pragmatique ce qui ne considère les choses (le mot « chose » en grec se dit *prâgma*) que du point de vue de leur utilité pour la conduite humaine.

La THÉORIE DE L'ÉVOLUTION
DES SOCIÉTÉS HUMAINES
de Protagoras contient en
germe les théories du
contrat social des XVIIᵉ et
XVIIIᵉ siècles de notre ère.
Selon la théorie de Thomas
Hobbes (1588 – 1679),
par exemple, les hommes
conclurent un accord visant
à protéger leurs droits et
libertés contre un état de
nature dans lequel, chacun
agissant comme un loup à
l'égard des autres hommes,
régnait une guerre perpétuelle
de tous contre tous.

LA CONVENTION ET LA DÉMOCRATIE

Nous avons vu que les transformations sociales qui eurent lieu en Grèce au VIᵉ siècle avant Jésus-Christ entraînèrent la substitution d'une justice humaine à une justice divine. L'application de lois non écrites, que les dieux nous auraient transmises et que les tyrans modifiaient au gré de leurs désirs, fut alors remplacée par l'établissement de lois écrites, plus égalitaires.

Pour encourager les Grecs à se conformer respectueusement à ces nouvelles lois, le sophiste Protagoras élabore une théorie historique, la THÉORIE DE L'ÉVOLUTION DES SOCIÉTÉS HUMAINES, dans laquelle il loue les mérites des lois, qui ont pour origine la **convention**.

Selon cette théorie, ce n'est que par un lent apprentissage que les humains apprirent à se libérer de leurs instincts primitifs et égoïstes, et à se protéger contre une nature dangereuse dans laquelle ils étaient constamment livrés aux attaques des animaux. Comme ils souhaitaient quitter cet état brutal et désordonné, ils passèrent un contrat d'entraide mutuelle et s'empressèrent alors d'obéir à la loi, seule garantie de sécurité et d'égalité. Protagoras oppose donc à un état primitif et sauvage une sociabilité acquise par l'expérience. Malgré leur nature qui ne les porte pas à s'unir, les humains peuvent faire l'apprentissage des vertus et, grâce à l'éducation, ils respectent la convention, puisque leur vie même est en jeu.

Par cette théorie, Protagoras veut faire comprendre que, sans la valorisation de la convention et de l'harmonie politique, la vie humaine régresserait vers un état de désordre et de guerre perpétuelle. C'est pourquoi il incite si ardemment les autres à participer à la vie publique et à faire valoir les opinions qu'ils jugent avantageuses pour tous. C'est pourquoi également les leçons des sophistes étaient si appréciées sous la démocratie athénienne, le propre d'un régime démocratique étant de laisser libre cours à l'expression des opinions jusqu'à ce qu'un consensus se forme autour des meilleurs choix.

Les sophistes ne croient qu'en la justice conventionnelle. Selon eux, la légalité recouvre entièrement la justice. Contrairement à la position qui reconnaît l'existence de lois universelles et antérieures aux lois écrites – par exemple, la loi qui nous interdirait naturellement de ne pas tuer autrui ou celle qui nous empêcherait de commettre l'inceste –, le bien et le mal, selon les sophistes, dépendent entièrement des décisions humaines.

Cette position s'accorde, par ailleurs, avec leur théorie sur le réel. En effet, si, comme nous l'avons vu, il n'y a aucune réalité extérieure et antérieure à celle que l'homme conçoit, il s'ensuit que, dans le domaine de l'action, il ne peut y avoir de justice autre que celle qui relève de l'initiative humaine. En ce sens, il n'existe aucune justice supérieure à la convention ; la justice n'a pas de qualités qui lui appartiennent en propre. Par définition, la loi instaurée par les humains est juste ;

CONVENTION
La convention est un accord auquel on consent par choix, par opposition à ce qui est déterminé par la nature ou par les dieux.

elle est synonyme de justice aussi longtemps que la communauté politique la croit telle. Toutefois, si, sous l'influence de la parole persuasive d'un bon orateur, l'Assemblée du peuple juge que ce qu'elle avait jusque-là considéré comme utile lui est maintenant nuisible, ou que ce qu'elle avait rejeté lui est désormais favorable, il faut alors, par un consentement commun, voter de nouvelles lois et modifier ou annuler les anciennes.

En fait, pour les sophistes, il n'y a pas de lien nécessaire entre la vérité et la justice. La justice est changeante ; elle dépend des opinions les plus persuasives.

LA LOI DU PLUS FORT

L'opposition établie entre la nature et la loi justifie, selon la pensée de Protagoras, l'obligation pour les hommes de se conformer à la convention sociale. La loi substitue une justice égale pour tous à un état de nature sauvage et désordonné.

D'autres sophistes, qui s'appuient pourtant sur la même théorie du développement historique de la société, adoptent cependant une conception qui privilégie la nature. Étant donné que, dans l'esprit des Grecs, la loi n'est plus qu'affaire de convention humaine, ces sophistes jugent qu'elle est artificielle comparativement à la nature et que, par conséquent, il faut lui désobéir chaque fois qu'on ne risque pas de se faire prendre.

Pour certains de ceux-ci, dont le sophiste Thrasymaque, les hommes sont à l'évidence plus enclins à suivre leur nature égoïste qu'à respecter la loi. Par conséquent, il est normal que chacun agisse dans son intérêt personnel sans tenir compte d'autrui. La loi de la nature, opposée à la loi établie par convention humaine, est ainsi faite que c'est toujours le plus fort qui commande et qui établit des lois dans son propre intérêt, alors que le plus faible obéit, uniquement par crainte de représailles. Plus celui qui commande est cruel et injuste, plus la foule se soumet et loue son tyran, comme si c'était un bienfaiteur. La justice n'est que l'intérêt du plus fort.

Dans le but de justifier la nécessité où se trouve chacun de suivre ses instincts égoïstes, Glaucon, un personnage de *La République* de Platon, raconte ce qui un jour arriva à Gygès, un berger au service du roi de Lydie. À la suite d'un séisme, Gygès découvrit dans le sol un anneau d'or qui, chaque fois qu'on en tournait le chaton vers l'intérieur de la main, rendait invisible celui qui le possédait. Dès qu'il prit conscience de son nouveau pouvoir, le berger se rendit chez le roi, séduisit la reine, tua le roi et s'empara du trône[8]. Donc, si chacun, selon Glaucon, possédait cet anneau légendaire, il n'y aurait aucune distinction entre le juste et l'injuste, car personne ne résisterait à la tentation de commettre le mal. Le respect de la loi n'est jamais volontaire ; la loi n'est qu'un obstacle à la réalisation de la nature humaine.

Le sophiste Antiphon a un point de vue plus radical encore. Selon lui, la loi n'est qu'une invention de la majorité, composée de faibles et de vauriens qui sont impuissants à réaliser leurs désirs et qui veulent empêcher les plus forts de dominer.

---

8. On trouve la fable « L'anneau de Gygès » dans le livre II de *La République* de Platon.

Cela nous montre que, même si tous les sophistes étaient d'avis qu'il n'y a ni vérité absolue ni justice divine, en ce qui concerne la justice humaine, ils se divisaient en deux clans : ceux qui, comme Protagoras, soutenaient qu'il faut obéir à la loi, et ceux qui, à l'inverse, affirmaient qu'elle met injustement un frein à la nature humaine. Cependant, comme l'enseignement des uns et des autres visait beaucoup plus l'acquisition des moyens de réussite que la connaissance des fins morales pour lesquelles on doit gouverner, leurs auditeurs et élèves pouvaient, s'ils le désiraient, utiliser l'habileté qu'ils avaient acquise uniquement dans leur intérêt personnel. Par exemple, tout en tentant de persuader le peuple que telle ou telle option politique était la plus avantageuse, ils pouvaient garder secrètes des intentions tout autres. Au fond, laissée entre leurs mains, la loi devenait une affaire de stratégie et de calcul.

Calliclès, riche aristocrate et ami des sophistes, offre un exemple typique de l'immoralité dans laquelle la démocratie athénienne avait sombré à l'époque où Socrate et Platon s'opposèrent aux sophistes. Selon Calliclès, les plus forts ont le devoir de mépriser la loi érigée par convention et de suivre la loi de la nature, qui dicte d'user de tous les moyens pour dominer les autres. Comme la nature donne aux plus forts la possibilité de satisfaire tous leurs désirs, il est juste de se comporter ainsi. L'homme véritablement juste est le tyran le plus cruel ; à côté de cela, la convention n'est que sottise, affirme Callidès.

En conclusion, retenons donc que le relativisme radical des sophistes a fait en sorte que, au sein même de la sophistique, l'éloge de la démocratie s'est transformé au fil du temps en un éloge de la tyrannie et de l'égoïsme.

RÉSUMÉ

Les sophistes

Le orateurs et les rhéteurs

Les sophistes sont des enseignants professionnels. Ils enseignent la rhétorique ou l'art de faire de beaux discours. Cet enseignement repose sur la conviction que toutes les opinions se valent. Il vise à persuader et non à convaincre rationnellement. Socrate et Platon accusent les sophistes de n'être que des démagogues. Les débats qui les opposent ont lieu à l'époque de la démocratie athénienne.

La démocratie athénienne

Dans l'Antiquité, la Grèce est divisée en cités-États. Jusqu'au VIIIe siècle avant Jésus-Christ, les cités-États étaient généralement gouvernées par des monarchies qui furent progressivement remplacées par des aristocraties. Avec le temps, l'absence de lois écrites entraîna des abus ; mais, sous les pressions du peuple, on vit naître des régimes plus modérés, avec des lois écrites. En −594, Solon, « le père de la démocratie », apporta d'importantes modifications à la Constitution d'Athènes. Un véritable régime démocratique, qui vit le jour en −508 avec l'application du système décimal de Clisthène, fut appliqué jusqu'en −338. Sous ce régime, l'Assemblée du peuple était souveraine. On valorisait au-delà de tout la liberté d'expression et de pensée. Dans ce contexte, beaucoup de jeunes s'intéressaient aux cours de rhétorique.

L'humanisme et le relativisme des sophistes

Les sophistes sont les premiers humanistes de l'Antiquité. Selon eux, il n'existe pas de réalité supérieure au monde sensible. Par réaction contre la pensée de Parménide, ils nient l'existence de l'être permanent ; et, même si celui-ci existait, affirment-ils, il serait impossible de le connaître. Toutefois, ils sont d'accord avec Parménide pour dire que le monde sensible n'est que changement et apparence. Selon leur doctrine, l'humain, grâce au langage, peut faire surgir un sens du non-être, et le réel peut différer d'un individu à l'autre : ce qui, pour chacun, apparaît, est véritablement. L'opinion et la vérité sont identiques. Appliquant le principe héraclitéen du changement au domaine de l'action, ils soutiennent que le bien est relatif à chacun.

Le pragmatisme et la persuasion

Pour les sophistes, la justice se fonde exclusivement sur des normes pragmatiques. La sagesse est la capacité de rallier la majorité autour des choix les plus avantageux. Puisque les opinions contradictoires sont également vraies, il ne sert à rien de discuter rationnellement ; tout débat est un combat au terme duquel doit l'emporter l'opinion la plus persuasive. Selon Gorgias, la rhétorique est supérieure à toutes les sciences.

La convention et la démocratie

Protagoras élabore une théorie historique de l'évolution des sociétés humaines, dans laquelle il oppose la nature à la convention. Le respect de la loi empêche les hommes de régresser vers un état de désordre originel. La démocratie permet aux citoyens de faire adopter les règles les plus favorables à la vie en société. Il n'y a pas de justice antérieure et supérieure à la convention. Le seul critère d'une loi juste est la volonté humaine.

La loi du plus fort

Selon certains sophistes, la convention est artificielle comparativement à la loi de la nature. Cela justifie qu'on puisse lui désobéir. La loi n'est qu'un obstacle à la réalisation de la nature égoïste des humains. La loi est une invention de la majorité, formée de vauriens. Les élèves des sophistes finissent par faire de la loi une affaire de calculs et d'intérêts. La justice est l'intérêt du plus fort.

L'humanisme et le relativisme des sophistes

1. Dans «Théétète I», Socrate interroge le jeune Théétète, qui deviendra un grand mathématicien, sur la science. Théétète soutient la thèse de Protagoras : «La science n'est pas autre chose que la sensation», que Socrate assimile à la formule célèbre : «L'homme est la mesure de toutes choses.»

a) Trouvez, dans le texte, quatre prémisses, mais pas plus de deux arguments, en faveur de cette thèse, et faites la légende du raisonnement.

b) Faites le schéma du raisonnement.

c) Résumez l'exemple que donne Socrate à propos du vent.

d) D'après vous, le vent a-t-il ou non des qualités qui lui appartiennent en propre ? Justifiez votre réponse à l'aide d'un argument.

2. Dans «Théétète II», Socrate expose la position de Protagoras sur le rôle éducatif des sophistes. Commencez par lire attentivement le texte plusieurs fois, et répondez aux questions suivantes :

a) En une phrase, dites quel rapport entretiennent entre elles l'opinion et la vérité, d'après ce témoignage.

b) Appuyez la réponse que vous avez donnée à l'aide d'une citation tirée du texte.

c) Inventez une antithèse de la position de Protagoras.

Note : Certaines des activités d'apprentissage, qui sont présentées dans la partie III du manuel, nécessitent l'acquisition préalable des notions et des règles de l'argumentation, qui ont fait l'objet de la partie II du manuel.

Le pragmatisme et la persuasion

3. Dans «Sisyphe», le sophiste Critias, reconnu comme le plus cruel des Trente Tyrans d'Athènes (−404), raconte quelle fut, selon lui, l'origine des dieux. Lisez attentivement le texte et répondez aux questions suivantes.

a) Quelle fut, selon Critias, l'origine des dieux ?

b) Quelle fonction leur attribue-t-il ?

c) Selon vous, quel rapprochement peut-on faire entre cette histoire et la rhétorique telle qu'elle est pratiquée par les sophistes ?

4. En vous inspirant de votre lecture du manuel, trouvez trois différences entre la philosophie et la rhétorique.

La convention et la démocratie

5. Dans «La fable de Protagoras», Protagoras raconte l'origine des humains et comment ils apprirent progressivement à survivre. Lisez attentivement le texte et répondez aux questions qui suivent.

a) Dites ce que les humains inventèrent, une fois que Prométhée les eut pourvus du feu et du savoir technique.

b) Que manquait-il encore aux humains pour qu'ils puissent se protéger contre la nature sauvage ?

c) Quelle différence principale cette fable présente-t-elle entre l'humain et les animaux ?

d) Quelle différence est établie entre l'art politique et les autres arts ?

e) D'après vous, pourquoi cette caractéristique propre à la politique semble-t-elle si importante aux yeux de Protagoras ?

f) Selon vous, l'art politique est-il le lot de tous ou nécessite-t-il des études et un savoir particuliers ? Justifiez votre réponse à l'aide d'un argument formé d'au moins deux prémisses.

La loi du plus fort

6. a) D'après *La République*, quelle est la thèse de Thrasymaque sur la nature de la justice ?

b) Quel argument Thrasymaque fournit-il en faveur de cette thèse ?

c) Donnez, en une phrase, l'essentiel de l'antithèse présentée par Socrate.

d) Quelle position vous semble la meilleure ? Justifiez votre réponse à l'aide d'un argument formé d'au moins deux prémisses.

7. Quel serait pour vous le crime le plus grave qui soit ? Imaginez qu'un avocat ait réussi à faire acquitter une personne qui aurait commis ce crime. Pensez-vous que justice aurait été rendue ?

Justifiez votre réponse au moyen d'un argument formé d'au moins deux prémisses.

Théétète I

Platon, «Théétète», dans *Œuvres complètes*, tome VIII, 2ᵉ partie, texte établi
et traduit par Auguste Diès, Paris, Les Belles Lettres, 1967, p. 151d–153a.

THÉÉTÈTE : Au fait Socrate, puisque toi-même m'y exhortes si vivement, il y aurait
honte à ne point faire tous ses efforts pour dire ce que l'on a dans l'esprit. Donc, à mon
jugement, celui qui sait sent ce qu'il sait et, à dire la chose telle au moins qu'actuellement elle m'apparaît, science n'est pas autre chose que sensation.

SOCRATE : Voilà qui est beau et noble, mon jeune ami : voilà comment il faut, en sa
parole, faire apparaître sa pensée. Eh bien, allons et de concert examinons si c'est là, au
fait, produit viable ou apparence creuse. C'est la sensation, dis-tu, qui est la science.

THÉÉTÈTE : Oui.

SOCRATE : Tu risques, certes, d'avoir dit là parole non banale au sujet de la science
et qui, au contraire, est celle même de Protagoras. Sa formule est un peu différente, mais
elle dit la même chose. Lui affirme, en effet, à peu près ceci : «l'homme est la mesure
de toutes choses ; pour celles qui sont, mesure de leur être ; pour celles qui ne sont point,
mesure de leur non-être.» Tu as lu cela, probablement ?

THÉÉTÈTE : Je l'ai lu bien souvent.

SOCRATE : Ne dit-il pas quelque chose de cette sorte : telles tour à tour m'apparaissent les choses, telles elles me sont ; telles elles t'apparaissent, telles elles te sont ?
Or, homme, tu l'es et moi aussi.

THÉÉTÈTE : Il parle bien en ce sens.

SOCRATE : Il est vraisemblable, au fait, qu'un homme sage ne parle pas en l'air : suivons
donc sa pensée. N'y a-t-il pas des moments où le même souffle de vent donne, à l'un
de nous, le frisson et, à l'autre, point ; à l'un, léger, à l'autre violent ?

THÉÉTÈTE : Très certainement.

SOCRATE : Que sera, en ce moment, par soi-même, le vent ? Dirons-nous qu'il est
froid, qu'il n'est pas froid ? Ou bien accorderons-nous à Protagoras qu'à celui qui fris-
sonne, il est froid ; qu'à l'autre, il ne l'est pas ?

THÉÉTÈTE : C'est vraisemblable.

SOCRATE : N'apparaît-il pas tel à l'un et à l'autre ?

THÉÉTÈTE : Si.

SOCRATE : Or cet «apparaître», c'est être senti ?

THÉÉTÈTE : Effectivement.

SOCRATE : Donc apparence et sensation sont identiques, pour la chaleur et autres
états semblables. Tels chacun les sent, tels aussi, à chacun, ils risquent d'être.

THÉÉTÈTE : Vraisemblablement.

SOCRATE : Il n'y a donc jamais sensation que de ce qui est, et jamais que sensation
infaillible, vu qu'elle est science.

THÉÉTÈTE : Apparemment.

SOCRATE : Etait-ce donc, par les Grâces, une somme de sagesse que ce Protagoras, et
n'a-t-il donné là qu'énigmes pour la foule et le tas que nous sommes, tandis qu'à ses disciples, dans le mystère, il enseignait la vérité ?

THÉÉTÈTE : Qu'est-ce donc, Socrate, que tu entends par là ?

SOCRATE : Je vais te le dire et ce n'est certes point thèse banale. Donc, un en soi et par soi, rien ne l'est ; il n'y a rien que l'on puisse dénommer ou qualifier avec justesse : si tu le proclames grand, il apparaîtra aussi bien petit ; si lourd, léger ; et ainsi de tout, parce que rien n'est un ni déterminé ni qualifié de quelque façon que ce soit. C'est de la translation, du mouvement et du mélange mutuels que se fait le devenir de tout ce que nous affirmons être ; affirmation abusive, car jamais rien n'est, toujours il devient. Disons qu'à cette conclusion, tous les sages à la file, sauf Parménide, sont portés d'un mouvement d'ensemble : Protagoras, Héraclite et Empédocle ; parmi les poètes, les cimes des deux genres de poésie, dans la comédie Épicharme, dans la tragédie Homère. Quand celui-ci parle de

L'Océan générateur des dieux et leur mère Téthys,

c'est dire que toutes choses ne sont que produits du flux et du mouvement. N'est-ce pas, à ton avis, cela qu'il veut dire ?

THÉÉTÈTE : Si, à mon avis.

Théétète II

Platon, « Théétète », dans *Œuvres complètes,* tome VIII, 2ᵉ partie, texte établi et traduit par Auguste Diès, Paris, Les Belles Lettres, 1967, p. 166d–167c.

SOCRATE : […] Car, moi [Protagoras], j'affirme que la Vérité est telle que je l'ai écrite : mesure est chacun de nous et de ce qui est et de ce qui n'est point. Infinie pourtant est la différence de l'un à l'autre, par le fait même qu'à l'un ceci est et apparaît, à l'autre cela. La sagesse, le sage, beaucoup s'en faut que je les nie. Voici par quoi, au contraire, je définis le sage : toutes choses qui, à l'un de nous, apparaissent et sont mauvaises, savoir en invertir le sens de façon qu'elles lui apparaissent et lui soient bonnes. Cette définition elle-même, ne va point la poursuivre dans le mot-à-mot de sa formule. Voici plutôt qui te fera, plus clairement encore, comprendre ce que je veux dire. Rappelle-toi, par exemple, ce que nous disions précédemment : qu'au malade un mets apparaît et est amer qui, à l'homme bien portant, est et apparaît tout le contraire. Rendre l'un des deux plus sage⁹ n'est ni à faire ni, en réalité, faisable ; pas plus qu'accuser d'ignorance le malade parce que ses opinions sont de tel sens et déclarer sage le bien-portant parce que les siennes sont d'un autre sens. Il faut faire l'inversion des états ; car l'une de ces dispositions vaut mieux que l'autre. De même, dans l'éducation, c'est d'une disposition à la disposition qui vaut mieux que se doit faire l'inversion : or le médecin produit cette inversion par ses remèdes, le sophiste par ses discours. D'une opinion fausse, en effet, on n'a jamais fait passer personne à une opinion vraie; car l'opinion ne peut prononcer ce qui n'est point ni prononcer autre chose que l'impression actuelle, et celle-ci est toujours vraie. Je pense, plutôt, qu'une disposition pernicieuse de l'âme entraînait des opinions de même nature; par le moyen d'une disposition bienfaisante, on a fait naître d'autres opinions conformes à cette disposition; représentations que d'aucuns, par inexpérience, appellent vraies; pour moi, elles ont plus de valeur[10] les unes que les autres; plus de vérité, pas du tout.

---

9. Le terme « sage » a ici le sens de « savant », c'est-à-dire celui qui détient la vérité concernant tel ou tel sujet.
10. L'expression « plus de valeur » signifie, ici, non pas « plus vraie », mais « plus avantageuse ».

Sisyphe

Critias, « Sisyphe », dans *Les Présocratiques*, Paris, Gallimard,
éd. établie par Jean-Paul Dumont, 1988, p. 1145-1146.

En ce temps-là jadis, l'homme traînait sa vie

Sans ordre, bestiale et soumise à la force,

Et jamais aucun prix ne revenait aux bons,

Ni jamais aux méchants aucune punition.

Plus tard les hommes, je le crois, ont pour punir

Institué des lois, pour que régnât le droit,

Et que pareillement, (également pour tous),

La démesure soit maintenue asservie.

Alors on put châtier ceux qui avaient fauté.

Mais, puisque par les lois ils étaient empêchés

Par la force, au grand jour, d'accomplir leurs forfaits,

Mais qu'ils les commettaient à l'abri de la nuit,

Alors, je le crois, (pour la première fois),

Un homme à la pensée astucieuse et sage

Inventa la crainte (des dieux) pour les mortels,

Afin que les méchants ne cessassent de craindre

D'avoir compte à rendre de ce qu'ils auraient fait,

Dit, ou encor pensé, même dans le secret :

Aussi introduit-il la pensée du divin.

« C'était, leur disait-il, comme un démon vivant
D'une vie éternelle. Son intellect entend
Et voit tout en tout lieu. Il dirige les choses
De par sa volonté. Sa nature est divine,
Par elle il entendra toute parole d'homme,
Et par elle il verra tout ce qui se commet.
Et si dans le secret encore tu médites
Quelque mauvaise action, cela n'échappe point
Aux dieux, car c'est en eux qu'est logée la pensée. »
Et c'est par ces discours qu'il donna son crédit
À cet enseignement paré du plus grand charme.
Quant à la vérité, ainsi enveloppée,
Elle se réduisait à un discours menteur.
Il racontait ainsi que les dieux habitaient
Un céleste séjour qui par tous ses aspects
Ne pouvait qu'effrayer les malheureux mortels.
Car il savait fort bien d'où vient pour les humains
La crainte, et ce qui peut secourir le malheur.
(Maux et biens) provenaient de la céleste sphère,
De cette voûte immense où brillent les éclairs,
Où éclatent les bruits effrayants du tonnerre ;
Mais où se trouve aussi la figure étoilée
De la voûte céleste, et la fresque sublime,
Le chef-d'œuvre du Temps, architecte savant,
Où l'astre de lumière, incandescent, s'avance.
Et d'où tombent les pluies sur la terre assoiffée.
Voilà les craintes dont il entoura les hommes,
Par lesquelles il sut, par l'art de la parole,
Fonder au mieux l'idée de la Divinité,
Dans le séjour voulu ; et ainsi abolir
Avec les lois le temps de l'illégalité.
C'est ainsi, je le crois, que quelqu'un, le premier,
Persuada les mortels de former la pensée
Qu'il existe des dieux.

La fable de Protagoras

Platon, « Protagoras », dans *Œuvres complètes*, tome III, 1re partie, texte établi
et traduit par Alfred Croiset, Paris, Les Belles Lettres, 1984, p. 320c-322d.

C'était le temps où les dieux existaient déjà, mais où les races mortelles n'existaient pas encore. Quand vint le moment marqué par le destin pour la naissance de celles-ci, voici que les dieux les façonnent à l'intérieur de la terre avec un mélange de terre et de feu et de toutes les substances qui se peuvent combiner avec le feu et la terre. Au moment de les produire à la lumière, les dieux ordonnèrent à Prométhée et à Épiméthée[11] de distribuer convenablement entre elles toutes les qualités dont elles avaient à être pourvues. Épiméthée demanda à Prométhée de lui laisser le soin de faire lui-même la distribution : « Quand elle sera faite, dit-il, tu inspecteras mon œuvre. » La permission accordée, il se met au travail.

Dans cette distribution, il donne aux uns la force sans la vitesse ; aux plus faibles, il attribue le privilège de la rapidité ; à certains, il accorde des armes ; pour ceux dont la nature est désarmée, il invente quelque autre qualité qui puisse assurer leur salut. A ceux qu'il revêt de petitesse, il attribue la fuite ailée ou l'habitation souterraine. Ceux qu'il grandit en taille, il les sauve par là même. Bref, entre toutes les qualités, il maintient un équilibre. En ces diverses inventions, il se préoccupait d'empêcher aucune race de disparaître.

Après qu'il les eut prémunis suffisamment contre les destructions réciproques, il s'occupa de les défendre contre les intempéries qui viennent de Zeus, les revêtant de poils touffus et de peaux épaisses, abris contre le froid, abris aussi contre la chaleur, et en outre, quand ils iraient dormir, couvertures naturelles et propres à chacun. Il chaussa les uns de sabots, les autres de cuirs massifs et vides de sang. Ensuite, il s'occupa de procurer à chacun une nourriture distincte, aux uns les herbes de la terre, aux autres les fruits des arbres, aux autres leurs racines ; à quelques-uns il attribua pour aliment la chair des autres. A ceux-là, il donna une postérité peu nombreuse ; leurs victimes eurent en partage la fécondité, salut de leur espèce.

Or, Épiméthée, dont la sagesse était imparfaite, avait déjà dépensé, sans y prendre garde, toutes les facultés en faveur des animaux, et il lui restait encore à pourvoir l'espèce humaine, pour laquelle, faute d'équipement, il ne savait que faire. Dans cet embarras, survient Prométhée pour inspecter le travail. Celui-ci voit toutes les autres races harmonieusement équipées, et l'homme nu, sans chaussures, sans couvertures, sans armes. Et le jour marqué par le destin était venu, où il fallait que l'homme sortît de la terre pour paraître à la lumière.

---

11. Prométhée et Épiméthée sont deux frères de la génération des Titans. Prométhée veut dire « prévoyant », alors qu'Épiméthée veut dire « celui qui pense après coup ».

Prométhée, devant cette difficulté, ne sachant quel moyen de salut trouver pour l'homme, se décide à dérober l'habileté artiste d'Héphæstos et d'Athéna, et en même temps le feu, – car, sans le feu, il était impossible que cette habileté fût acquise par personne ou rendît aucun service –, puis, cela fait, il en fit présent à l'homme.

C'est ainsi que l'homme fut mis en possession des arts utiles à la vie, mais la politique lui échappa : celle-ci, en effet, était auprès de Zeus ; or Prométhée n'avait plus le temps de pénétrer dans l'acropole qui est la demeure de Zeus : en outre il y avait aux portes de Zeus des sentinelles redoutables. Mais il put pénétrer sans être vu dans l'atelier où Héphæstos et Athéna pratiquaient ensemble les arts qu'ils aiment, si bien qu'ayant volé à la fois les arts du feu qui appartiennent à Héphæstos et les autres qui appartiennent à Athéna, il put les donner à l'homme. C'est ainsi que l'homme se trouve avoir en sa possession toutes les ressources nécessaires à la vie, et que Prométhée, par la suite, fut, dit-on, accusé de vol.

Parce que l'homme participait au lot divin, d'abord il fut le seul des animaux à honorer les dieux, et il se mit à construire les autels et des images divines ; ensuite, il eut l'art d'émettre des sons et des mots articulés, il inventa les habitations, les vêtements, les chaussures, les couvertures, les aliments qui naissent de la terre. Mais les humains, ainsi pourvus, vécurent d'abord dispersés et aucune ville n'existait. Aussi étaient-ils détruits par les animaux, toujours et partout plus forts qu'eux, et leur industrie, suffisante pour les nourrir, demeurait impuissante pour la guerre contre les animaux ; car ils ne possédaient pas encore l'art politique, dont l'art de la guerre est une partie. Ils cherchaient donc à se rassembler et à fonder des villes pour se défendre. Mais, une fois rassemblés, ils se lésaient réciproquement, faute de posséder l'art politique ; de telle sorte qu'ils recommençaient à se disperser et à périr.

Zeus alors, inquiet pour notre espèce, menacée de disparaître, envoie Hermès porter aux hommes la pudeur et la justice, afin qu'il y eût dans les villes de l'harmonie et des liens créateurs d'amitié.

Hermès donc demande à Zeus de quelle manière il doit donner aux hommes la pudeur et la justice : « Dois-je les répartir comme les autres arts ? Ceux-ci sont répartis de la manière suivante : un seul médecin suffit à beaucoup de profanes, et il en est de même des autres artisans ; dois-je établir ainsi la justice et la pudeur dans la race humaine, ou les répartir entre tous ? – Entre tous, dit Zeus, et que chacun en ait sa part : car les villes ne pourraient subsister si quelques-uns seulement en étaient pourvus, comme il arrive pour les autres arts ; en outre, tu établiras cette loi en mon nom, que tout homme incapable de participer à la pudeur et à la justice doit être mis à mort, comme un fléau de la cité. »

La République

Platon, *La République*, livre I, introduction, traduction et notes de Robert Baccou, Paris, GF/Flammarion, 1966, p. 87 et 90-91.

THRASYMAQUE: Eh bien! ne sais-tu pas que, parmi les cités, les unes sont tyranniques, les autres démocratiques, les autres aristocratiques ?

SOCRATE : Comment ne le saurais-je pas ?

THRASYMAQUE : Or l'élément le plus fort, dans chaque cité, est le gouvernement ?

SOCRATE : Sans doute.

THRASYMAQUE : Et chaque gouvernement établit les lois pour son propre avantage : la démocratie des lois démocratiques, la tyrannie des lois tyranniques et les autres de même; ces lois établies, ils déclarent juste, pour les gouvernés, leur propre avantage, et punissent celui qui le transgresse comme violateur de la loi et coupable d'injustice. Voici donc, homme excellent, ce que j'affirme : dans toutes les cités le juste est une même chose : l'avantageux au gouvernement constitué; or celui-ci est le plus fort, d'où il suit, pour tout homme qui raisonne bien, que partout le juste est une même chose : l'avantageux au plus fort.

[…]

SOCRATE : […] Mais dis-moi : le médecin au sens précis du terme, […] a-t-il pour objet de gagner de l'argent ou de soigner les malades ? Et parle-moi du vrai médecin.

THRASYMAQUE : Il a pour objet […] de soigner les malades.

SOCRATE : Et le pilote ? le vrai pilote, est-il chef des matelots ou matelot ?

THRASYMAQUE : Chef des matelots.

SOCRATE : Je ne pense pas qu'on doive tenir compte du fait qu'il navigue sur une nef pour l'appeler matelot; car ce n'est point parce qu'il navigue qu'on l'appelle pilote, mais à cause de son art et du commandement qu'il exerce sur les matelots.

THRASYMAQUE : C'est vrai […].

SOCRATE : Donc, pour le malade et le matelot il existe quelque chose d'avantageux ?

THRASYMAQUE : Sans doute.

SOCRATE : Et l'art […] n'a-t-il pas pour but de chercher et de procurer à chacun ce qui lui est avantageux ?

THRASYMAQUE : C'est cela […].

SOCRATE : Mais pour chaque art est-il un autre avantage que d'être aussi parfait que possible ?

THRASYMAQUE : Quel est le sens de ta question ?

SOCRATE : Celui-ci […]. Si tu me demandais s'il suffit au corps d'être corps, ou s'il a besoin d'autre chose, je te répondrais : «Certainement il a besoin d'autre chose. C'est pourquoi l'art médical a été inventé : parce que le corps est défectueux et qu'il ne lui suffit pas d'être ce qu'il est. Aussi, pour lui procurer l'avantageux, l'art s'est organisé.» Te semblé-je […] en ces paroles, avoir raison ou non ?

THRASYMAQUE : Tu as raison […].

SOCRATE : Mais quoi! la médecine même est-elle défectueuse ? en général un art réclame-t-il une certaine vertu — comme les yeux la vue, ou les oreilles l'ouïe, à cause de quoi ces organes ont besoin d'un art qui examine et leur procure l'avantageux pour voir et pour entendre ? Et dans cet art même y a-t-il quelque défaut ? Chaque art réclame-t-il un autre art qui examine ce qui lui est avantageux, celui-ci à son tour un autre semblable, et ainsi à l'infini ? Ou bien examine-t-il lui-même ce qui lui est avantageux ? Ou bien n'a-t-il besoin ni de lui-même ni d'un autre pour remédier à son imperfection ? Car aucun art n'a trace de défaut ni d'imperfection, et ne doit chercher d'autre avantage que celui du sujet auquel il s'applique : lui-même, lorsque véritable, étant exempt de mal et pur, aussi longtemps qu'il reste rigoureusement et entièrement conforme à sa nature. Examine en prenant les mots dans ce sens précis dont tu parlais. Est-ce ainsi ou autrement ?

THRASYMAQUE : Ce me semble ainsi […].

SOCRATE : Donc […] la médecine n'a pas en vue son propre avantage, mais celui du corps.

THRASYMAQUE : Oui […].

SOCRATE : Ni l'art hippique son propre avantage, mais celui des chevaux; ni, en général, tout art son propre avantage — car il n'a besoin de rien — mais celui du sujet auquel il s'applique.

THRASYMAQUE : Ce me semble ainsi […].

SOCRATE : Mais, Thrasymaque, les arts gouvernent et dominent le sujet sur lequel ils s'exercent.

Il eut bien de la peine à m'accorder ce point.

Donc, aucune science n'a en vue ni ne prescrit l'avantage du plus fort, mais celui du plus faible, du sujet gouverné par elle.

Il m'accorda aussi ce point à la fin, mais après avoir tenté de le contester; quand il eut cédé :

SOCRATE : Ainsi […] le médecin, dans la mesure où il est médecin, n'a en vue ni n'ordonne son propre avantage, mais celui du malade ? Nous avons en effet reconnu que le médecin, au sens précis du mot, gouverne les corps et n'est point homme d'affaires. Ne l'avons-nous pas reconnu ?

Il en convint.

SOCRATE : Et le pilote, au sens précis, gouverne les matelots, mais n'est pas matelot ?

THRASYMAQUE : Nous l'avons reconnu.

SOCRATE : Par conséquent, un tel pilote, un tel chef, n'aura point en vue et ne prescrira point son propre avantage, mais celui du matelot, du sujet qu'il gouverne.

Il en convint avec peine.

SOCRATE : Ainsi donc, Thrasymaque, […] aucun chef, quelle que soit la nature de son autorité, dans la mesure où il est chef, ne se propose et n'ordonne son propre avantage, mais celui du sujet qu'il gouverne et pour qui il exerce son art; c'est en vue de ce qui est avantageux et convenable à ce sujet qu'il dit tout ce qu'il dit et fait tout ce qu'il fait.

LECTURES SUGGÉRÉES

ROMEYER DHERBEY, Gilbert. *Les sophistes*, Paris, PUF, 1989, coll. « Que sais-je ? », n° 2223.

VOILQUIN, Jean. *Les penseurs grecs avant Socrate. De Thalès de Milet à Prodicos,* Paris, Garnier-Flammarion, 1964. Voir les pages 197 à 224.

CHAPITRE 6

Socrate

> *Parmi vous, humains, celui-là est le plus savant qui, ainsi que l'a fait Socrate, a reconnu qu'il ne vaut rien sur le plan du savoir.*
>
> PLATON,
> *Apologie de Socrate,*
> *23b.*

SOCRATE : LE FONDATEUR DE LA SCIENCE MORALE

Socrate a vécu de 470 à 399 avant notre ère. Il est né à Athènes, d'où il n'est jamais sorti, sauf pour les expéditions militaires auxquelles il a participé et, une fois, pour assister à la présentation des jeux isthmiques de Corinthe[1]. Phénarète, sa mère, était sage-femme ; son père, Sophronisque, était sculpteur. On raconte que Socrate a lui-même pratiqué le métier de sculpteur avant de se consacrer à la philosophie. Avec son épouse, Xanthippe, il a eu trois enfants.

Socrate n'était pas beau. Le contraste entre sa laideur physique et sa beauté intérieure étonnait ses concitoyens. C'est que les Grecs, qui accordaient beaucoup d'importance à la beauté physique, croyaient qu'une belle âme s'accompagnait nécessairement d'une belle physionomie. Socrate, qui ne s'opposait pas à ces croyances, disait de lui-même qu'il se serait naturellement adonné à un genre de vie conforme à son allure grotesque s'il n'était pas devenu, grâce à l'exercice de la philosophie, meilleur que sa nature.

Ce que nous connaissons de Socrate nous vient surtout de l'œuvre de Platon, car Socrate lui-même n'a rien écrit. Platon écrivait des dialogues, une forme littéraire courante à l'époque. Dans presque tous ces dialogues, on voit apparaître Socrate qui discute d'un problème éthique avec un ou plusieurs interlocuteurs, des sophistes pour la plupart. Comme Platon est devenu lui-même un très grand philosophe, il est parfois difficile de déterminer si les propos que tient Socrate dans ses œuvres reflètent véritablement sa pensée ou si nous avons affaire à un Socrate fictif qui ne fait qu'exposer la pensée de Platon. Néanmoins, les commentateurs divisent généralement les dialogues de Platon en deux groupes. Ceux du premier groupe présenteraient la véritable pensée de Socrate ; Platon qui, dans sa jeunesse, avait été un disciple de Socrate et à qui il avait voué une très grande admiration, se serait contenté de reproduire

Socrate (470-399), le fondateur de la science morale, exhortait les gens à remettre en question leurs préjugés et leurs opinions.

---

1. Les jeux isthmiques se déroulaient sur l'isthme de Corinthe tous les quatre ans, en l'honneur du dieu Poséidon.

les paroles du maître. Par contre, dans les dialogues du deuxième groupe, ultérieurs à ceux du premier groupe, Platon aurait gardé Socrate comme héros, mais c'est sa propre philosophie qu'il aurait transmise par la bouche de Socrate.

L'activité philosophique de Socrate a lieu au moment même où la démocratie athénienne bat son plein. De grands poètes tragiques, tels Sophocle (-496/-406) et Euripide (-480/-406), sont ses contemporains. On assiste alors à une surabondance de débats privés et publics touchant à toutes les questions relatives aux affaires humaines. Les sophistes, qui sont devenus les maîtres à penser de la jeunesse athénienne, enseignent toutes les subtilités de la rhétorique et de la persuasion. C'est principalement pour mettre un frein à ces pratiques, qui, selon lui, entraînent la désobéissance aux lois et la dégradation des mœurs, que Socrate se préoccupe de rechercher la vérité dans le domaine moral.

Socrate côtoie alors des gens de toutes les classes sociales. Il passe la plus grande partie de son temps sur la place publique, où il discute avec tous ceux qu'il rencontre, et il dénonce la prétention et le conformisme irréfléchi. Contre ceux qui prônent la loi du plus fort, la recherche de plaisirs et l'accumulation de richesses matérielles, il exhorte les humains à prendre soin de leur vie intérieure et de leur âme. Socrate se vaut ainsi l'admiration d'un grand nombre de ses concitoyens. Toutefois, son sens critique et son combat acharné contre l'injustice lui attirent de graves ennuis ; en -399, le tribunal d'Athènes le condamne à boire la ciguë, un poison mortel.

On a dit de Socrate qu'il était en faveur de l'aristocratie, contre la démocratie. En réalité, Socrate ne faisait que remettre en question ce qui, selon lui, empêchait la démocratie de bien fonctionner. Son raisonnement était simple : si tous les citoyens doivent gouverner, il faut que, selon les préceptes de l'art politique, chacun gouverne dans l'intérêt de tous les gouvernés et non dans son unique intérêt ; il faut donc que tous les citoyens soient vertueux, qu'ils soient disposés à toujours agir selon le bien. Cependant, la principale théorie de Socrate stipulait que, pour être vertueux, il faut savoir reconnaître rationnellement le bien. Malheureusement, Socrate constatait, devant les opinions toutes faites et les préjugés qui circulaient, que cela n'était en fait le cas que de bien peu de gens. Pour aider ses concitoyens dans leur démarche vers cette connaissance du bien, Socrate a donc mis au point une méthode de discussion grâce à laquelle les participants pouvaient mettre leurs raisons en commun plutôt que de confronter leurs opinions. Avec Socrate, philosopher ne veut plus dire acquérir une habileté propre à manier la crédulité des autres (comme c'était le cas avec beaucoup de sophistes), mais signifie plutôt se remettre en question soi-même, mesurer ses croyances à une norme de vérité.

Selon Platon et Aristote, on doit à Socrate d'avoir fondé la science morale. C'est le premier à avoir eu le souci de la rigueur en ce qui concerne les questions éthiques. Socrate ne s'intéressait pas au problème de la nature ; il croyait que cette science était trop complexe pour l'humain et que celui-ci devait faire acte d'humilité et limiter l'objet de sa recherche à ce qui est le plus près de lui, c'est-à-dire sa propre conduite. Socrate s'est donc entièrement consacré à l'édification d'une science morale. Avec lui, on assiste à un déplacement de l'objet de la connaissance. Le tableau suivant récapitule les grandes étapes de l'évolution de la science à partir des recherches des tout premiers philosophes.

TABLEAU 6.1	L'évolution de la connaissance scientifique jusqu'à Socrate		
Avec les premiers philosophes, la nature	—— (est objet de) ——▶	science
Avec la critique de Parménide, la nature	—— (n'est qu'objet d') ——▶	opinion
Avec les sophistes, l'éthique	—— (n'est qu'objet d') ——▶	opinion
Avec Socrate, l'éthique	—— (est objet de) ——▶	science

Avant Socrate, les sophistes avaient eux aussi délaissé la philosophie de la nature et s'étaient intéressés aux problèmes éthiques et politiques. Toutefois, puisqu'ils soutenaient que le bien est changeant et relatif à l'opinion, qu'il ne possède aucune qualité objective, les sophistes ne pouvaient faire des problèmes éthiques l'objet d'une science véritable. Socrate s'oppose à ce relativisme. Selon lui, le bien ne peut dépendre de ce qui apparaît à chacun. Pour lui, il n'y a qu'une seule vérité, à partir de laquelle il est possible de juger de la valeur de nos actions. Le bien n'est pas relatif à chacun ; il est le même dans tous les cas, il est universel. Socrate s'indigne de ce que ceux qui s'affairent à rédiger les lois soient impuissants à définir correctement l'essence de la justice. Comment peuvent-ils juger de la rectitude d'une loi s'ils ne savent ce qu'est en soi la justice ?

Socrate dénonce les prétentions de ceux qui disent enseigner la vertu et qui cherchent à acquérir du pouvoir en séduisant les autres par de beaux discours. Il ne croit pas que la vertu s'acquière simplement en écoutant les autres en parler ; il affirme plutôt que la vertu exige un travail sur soi-même. Selon lui, chacun a en lui le sens du vrai, et c'est à chacun de trouver, dans les profondeurs de son âme, la vérité sur le bien.

On a établi plusieurs analogies entre Socrate et Jésus de Nazareth. Tous deux ont eu, en effet, une influence historique immense alors qu'ils se déplaçaient uniquement l'un dans sa cité, l'autre dans son petit pays, pour transmettre un enseignement moral à qui voulait bien les entendre. Tous deux s'opposaient à la tradition de leur époque et ont été condamnés par la justice de leur propre communauté, puis mis à mort. Tous deux ont perçu leur mort comme un signe du règne ultérieur de la justice ou de l'amour. Enfin, aucun n'a laissé d'œuvres écrites, et ce sont des disciples qui ont fondé des écoles pour propager le message des maîtres. Dans le cas de Socrate, cependant, les disciples ont conçu des doctrines qui sont en désaccord entre elles et, dans bien des cas, en désaccord avec Socrate lui-même.

Parmi les successeurs de Socrate, on distingue les grands socratiques et les petits socratiques. Les grands socratiques se partagent en deux écoles : ce sont Platon et les ACADÉMICIENS d'une part, et Aristote et les PÉRIPATÉTICIENS d'autre part. Les petits socratiques, ce sont : Antisthène (-445/-365) et Diogène de Sinope (-413/-327) de l'école cynique, qui a influencé le STOÏCISME ; Aristippe (IVe s. av. J.-C.), le fondateur de l'école des cyrénaïques, qui s'est prolongée dans l'ÉPICURISME ; Euclide dit le socratique (-450/-380), le fondateur de l'école des mégariques, qui a influencé le SCEPTICISME. Cette diversité de doctrines s'explique probablement par le fait que la pensée de Socrate était à l'opposé d'un dogme et

Les ACADÉMICIENS sont ceux qui fréquentaient l'Académie, célèbre école fondée par Platon.

Les PÉRIPATÉTICIENS sont les disciples d'Aristote. Ce nom vient du grec *peripateîn*, qui veut dire « se promener ». On appelait ainsi les disciples d'Aristote, parce que ce dernier leur enseignait en marchant.

Le STOÏCISME et l'ÉPICURISME sont deux écoles de pensée nées pour répondre aux besoins moraux des Grecs après la chute des cités-États. Alors que le stoïcisme offre le modèle d'une cité universelle, l'épicurisme propose l'intimité d'une « société des amis ». D'un côté, on pense que toute souffrance individuelle peut être anéantie si on l'envisage par rapport à l'ordre déterminé de l'univers. De l'autre côté, on recherche l'absence de trouble au moyen de l'élimination des désirs superflus et des craintes relatives aux dieux.

Le SCEPTICISME fait ici référence à une école de pensée dont le fondateur est Pyrrhon d'Élis, qui a vécu de -365 à -275. Les adeptes du scepticisme nient que la vérité puisse être atteinte par l'être humain. En conséquence, ils pratiquent la suspension de tout jugement.

qu'on pouvait, à partir d'elle, suivre des voies multiples. Cela montre également que l'influence de Socrate a été des plus importantes dans l'histoire de la pensée occidentale. Socrate est un révolutionnaire dans le domaine moral et l'acteur principal du bouleversement des modes de pensée de son temps. Depuis sa mort, Socrate est l'emblème des intellectuels persécutés pour leurs idées.

Dans ce chapitre, nous entrerons plus en détail dans la théorie de Socrate, qui lie l'action moralement bonne à la connaissance rationnelle. Nous analyserons sa méthode, et nous tenterons de comprendre pourquoi, selon lui, il est si important de rechercher les définitions universelles et pourquoi la quête de la vérité nécessite un engagement total des personnes. Enfin, nous parlerons de sa mort et nous expliquerons pourquoi il croyait qu'il est nécessaire d'obéir aux lois malgré l'injustice qui lui a été faite.

Diogène, le cynique, faisait consister le bonheur dans la satisfaction exclusive des nécessités vitales. Alexandre lui ayant offert de lui donner ce dont il avait besoin, Diogène lui demande de ne pas lui cacher le soleil.

LA VERTU-SCIENCE

La valeur fondamentale de l'éthique socratique est le désir rationnel d'agir selon le bien. Socrate consacre sa vie à la recherche du bien. Pour lui, ce choix a une valeur absolue ; il lui procure la certitude que sa manière de vivre est la meilleure. Cette certitude se révèle à travers les expériences multiples de la vie quotidienne. Les craintes et les maux qui assaillent la grande majorité des êtres humains et les font s'entre-déchirer semblent insignifiants à ceux qui goûtent au bonheur que donne la volonté inébranlable d'agir vertueusement et chez qui rien ne peut ébranler la conviction que le bonheur consiste dans la vertu. Sans elle, les biens non moraux, comme la richesse, la beauté, l'intelligence, la santé et la bonne réputation, sont sans valeur et peuvent par surcroît conduire au mal. Même la vie a, selon Socrate, une valeur moindre que la vertu. C'est pourquoi, à la fin du procès où il est condamné à la mort, il prévient ses accusateurs que « le difficile n'est pas d'éviter la mort, mais bien plutôt d'éviter de mal faire »[2].

Selon Socrate, ce désir rationnel du bien, qui guide sa vie, est inné chez tout être humain. Tous les humains désirent naturellement le bien, même si la majorité d'entre eux se laissent séduire par ce qui apparaît bon sans l'être véritablement. Ils agissent à l'encontre du bien, car ils accordent plus d'importance à leurs inclinations sensibles et à leurs passions qu'à leur raison. Par conséquent, ils se trompent sur la nature du bien. Pour les humains, la vérité sur le bien n'est pas toujours une donnée évidente ; on croit souvent le reconnaître là où il n'est pas. Mais, selon Socrate, les humains ne sont

2. Platon, *Apologie de Socrate,* dans *Œuvres complètes,* t. I, Paris, Les Belles Lettres, 1963, p. 39a.

pas méchants volontairement : il est impossible qu'on «se trompe de son plein gré et fasse volontairement des choses mauvaises et honteuses»[3]. Le désir d'un objet quelconque est toujours le désir de quelque chose de bien, même si, en réalité, cet objet est mauvais. Si, donc, nous faisons le mal, c'est que notre raison éprouve de la difficulté à reconnaître le bien. Elle manque d'exercice dans la recherche ; elle tient pour acquis ce qui apparaît aux sens sans rien remettre en question. Mais si notre jugement était toujours sain et que nous concevions clairement ce qu'est le bien, aucune passion ni aucun désir irrationnel ne pourraient faire obstacle à notre volonté d'agir vertueusement. C'est pourquoi Socrate incite les gens de son entourage à fortifier leur âme au moyen de l'argumentation rationnelle et à se méfier de l'éloquence des discours qui ne visent qu'à persuader et qui les entraînent ainsi dans l'erreur. Par exemple, dans l'un des dialogues de Platon, Socrate tente de démontrer au jeune Phèdre que, malgré l'élégance de l'expression, le discours qu'a composé son maître Lysias sur l'amour ne tient aucunement compte de la vérité. La thèse qu'y soutient Lysias et qui a séduit Phèdre est qu'il vaut mieux accorder ses faveurs à un poursuivant sans amour qu'à un amant[4] passionné. Socrate démontre à Phèdre que Lysias n'a pas défini convenablement son sujet et que son discours réunit pêle-mêle des arguments pour le moins contestables. Socrate oppose cette prétendue forme d'amour à deux autres formes. La première naît du délire de l'amant à la vue de la beauté de celui qu'il aime ; ce délire, qui ressemble à celui des poètes, est, selon Socrate, un don des dieux. Si l'amant, avec le consentement de l'aimé, se laisse entraîner par son désir, il n'y a donc là rien de répréhensible, et cela vaut mieux que le désir bestial. Toutefois, il existe une autre forme d'amour, supérieure à celle-là ; c'est celle qui incite l'amant à beaucoup de générosité envers l'aimé et qui le porte à lui communiquer son enthousiasme pour les belles connaissances. Ainsi, l'amant et l'aimé sont entraînés à progresser ensemble, dans une communion des esprits, plutôt qu'à se livrer simplement à l'union de leurs corps.

Socrate et Erato, la muse qui inspire les poèmes d'amour. Socrate dit avoir reçu d'une femme, Diotime, son savoir sur la nature véritable de l'amour.

---

3. Platon, *Protagoras,* dans *Œuvres complètes,* t. III, 1re partie, Paris, Les Belles Lettres, 1984, p. 345e.
4. Vu la difficulté de la traduction, en français, du grec ancien, on utilise le terme «amant» dans le sens de «celui qui est épris d'amour» sans pour autant savoir si cet amour est réciproque. Dans le but de respecter le texte original, les termes «amant» et «aimé» ont été laissés au masculin. À l'époque de la Grèce classique, l'homosexualité était courante et n'était pas jugée répréhensible.

Il en découle, selon Socrate, qu'agir vertueusement nécessite que nous suivions les prescriptions de la raison. La vertu dépend d'un savoir rationnel ; c'est la connaissance rationnelle du bien qui nous permet d'agir toujours en fonction de celui-ci. L'action moralement bonne est donc intimement liée à la connaissance. À l'inverse, c'est l'ignorance du bien qui nous porte à mal agir, même si, dans nos propos, nous semblons parfois le reconnaître. Mais lorsque notre raison est droite, nous agissons nécessairement de manière vertueuse : il y a, selon Socrate, un lien nécessaire entre le savoir vrai (la science) et la vertu.

LA DISCUSSION RÉFUTATIVE

Socrate tourne le dos aux spécialistes qui réservent leur enseignement aux jeunes aristocrates avides de pouvoir. Selon lui, la recherche de la vérité dans le domaine moral implique un travail en commun qui concerne tous ceux qui s'engagent à perfectionner leur âme. Socrate s'oppose à la croyance selon laquelle toutes les opinions seraient aussi vraies les unes que les autres. L'opinion défendue avec beaucoup d'éloquence, même si elle remporte l'adhésion de la majorité, ne reste en elle-même qu'une opinion ; il peut arriver que la majorité soit dans l'erreur. Même si cela est parfois vécu douloureusement, il faut donc accepter de remettre en question ses fausses croyances, ne pas se satisfaire d'un savoir extérieur, prendre conscience des exigences réelles d'un savoir vrai.

Dans le but de dépasser les opinions et d'atteindre un savoir universel, Socrate invite donc les autres au dialogue selon des règles strictes qu'il a établies. Ces règles visent à examiner scrupuleusement ce que chacun affirme et à ne pas se perdre dans de longs développements qui permettent de soutenir le pour et le contre sans jamais arriver à une compréhension juste du problème soulevé. On ne doit pas prêter attention principalement à l'élégance et au style, mais bien au sens des mots et à la cohérence des assertions. Cette façon de dialoguer, appelée **discussion réfutative**, se fait entre deux interlocuteurs : le premier pose des questions afin d'examiner une thèse soutenue par l'autre, et le second défend sa thèse en répondant aux questions. Les rôles, dans la discussion, ne sont pas interchangeables. Socrate, dans les discussions auxquelles il se livre, joue habituellement le rôle de l'interrogateur. Par exemple, dans les dialogues de Platon, les discussions réfutatives débutent par une question que Socrate pose à un interlocuteur, qui est le plus souvent un sophiste ou l'un de leurs adeptes. En général, la question porte sur la nature d'une vertu et est du type : « Qu'est-ce que la justice ? » ou « Qu'est-ce que le courage ? », ou encore « Crois-tu que la vertu puisse s'enseigner ? ». Celui qui répond aux questions énonce son opinion en tenant pour acquis qu'elle est vraie. Socrate lui pose alors d'autres questions auxquelles son interlocuteur est tenu de répondre. L'enquête se poursuit ainsi en même temps que Socrate veille à la cohérence du

DISCUSSION RÉFUTATIVE
La discussion réfutative, ou réfutation socratique, comprend l'ensemble des échanges mettant en lumière les contradictions qui peuvent découler d'une thèse. On appelle « réfutation » et non « objection » l'ensemble des prémisses que Socrate rassemble et oppose à la thèse soutenue par son interlocuteur, lorsque ces prémisses rendent la thèse inacceptable.

discours ; il s'assure que l'ensemble des réponses de son interlocuteur sont reliées entre elles de façon logique. Toutefois, si celui-ci est amené à admettre que certaines des conclusions auxquelles aboutit le raisonnement sont en contradiction entre elles ou avec la thèse de départ, les deux interlocuteurs doivent alors reprendre la question à partir du commencement et procéder à une autre tentative pour surmonter les contradictions et se rapprocher, d'un commun accord, de la vérité.

Prenons comme exemple le dialogue *Hippias majeur*, où Socrate demande à Hippias, un sophiste renommé, de lui enseigner la nature du beau. Hippias, qui n'a aucun doute quant à son savoir, fournit aussitôt une définition du beau. Mais Socrate, non satisfait de la réponse, réfute cette première définition. Hippias en donne alors huit autres, que Socrate examine minutieusement et qu'il réfute tour à tour. La discussion se termine sans qu'on obtienne une définition incontestable du beau. Socrate lui-même ne nous conduit à aucune conclusion. Toutefois, il nous amène à prendre conscience de la difficulté à définir quelque chose correctement et des exigences de l'argumentation rationnelle. Voici, tirées de ce dialogue de Platon, trois des neuf définitions du beau que donne Hippias et les réfutations que lui adresse Socrate.

> Première définition : Le beau, c'est une belle jeune fille.
> Réfutation :
> La beauté d'une jeune fille est relative ; tout dépend des choses auxquelles on la compare. Une jeune fille est belle comparée à une marmite, même si celle-ci est faite de la main d'un bon potier, mais elle est laide comparée aux dieux. Elle est donc aussi bien laide que belle et ne peut donc être le beau en soi.

> Deuxième définition : Le beau, c'est l'or.
> Réfutation :
> L'or n'est pas plus beau que l'ivoire ou que le bois de figuier, car l'or (tout comme l'ivoire et le bois de figuier) ne fait paraître belles que les choses auxquelles il convient. Par exemple, Phidias, qui était un excellent sculpteur, n'a pas choisi l'or pour faire le visage, les pieds et les mains de son Athéna ; il savait que l'ivoire était mieux approprié.

> Troisième définition : Le beau, c'est produire un discours élégant et beau.
> Réfutation :
> Si l'on ignore ce qu'est le beau en soi, il est impossible de discourir sur de belles occupations et de savoir si quelqu'un a fait un beau discours ou une belle action.

Socrate affirme qu'il ne sait rien ; cela explique pourquoi, dans les discussions, il préfère jouer le rôle de l'interrogateur. Il répète souvent qu'il n'a pas de savoir tout fait à communiquer à ses disciples. Il les exerce plutôt à découvrir par eux-mêmes que leur prétendu savoir n'est en somme qu'un faux savoir. Ce que Socrate énonce quand il soutient qu'il ne sait rien et qu'il n'enseigne rien, c'est que, dans le domaine moral, on n'aboutit jamais à une explication totale de ce que l'on recherche, on n'acquiert aucune certitude indubitable : il y a toujours place pour une nouvelle enquête. Cependant, cela n'exclut pas le fait que Socrate revendique comme vraies de nombreuses propositions lorsqu'elles sont rationnellement justifiées et qu'elles résistent à la réfutation. C'est pourquoi ses interlocuteurs ont parfois l'impression que le grand philosophe, en réalité, feint seulement de ne rien savoir ; c'est de là que vient ce qu'on appelle « l'ironie socratique ».

LA DÉFINITION UNIVERSELLE

Puisque c'est la connaissance rationnelle du bien qui nous porte à agir de façon moralement bonne, le but de la discussion réfutative est de nous faire découvrir les définitions des différentes vertus : ce que sont en soi la justice, le courage, la tempérance, la piété, par exemple. Or, pour définir correctement une chose, il ne suffit pas d'en énumérer une série d'exemples ni d'énoncer des opinions qui ne se rapportent qu'à des situations particulières, prises au hasard. Quand, par exemple, Socrate interroge Hippias sur ce qu'est le beau, il ne cherche pas à savoir quelles choses sont belles, mais ce qui fait que des choses sont belles : il veut qu'on rende évidente la cause de leur beauté. Socrate ne peut accepter les définitions d'Hippias parce que celui-ci ne fait que donner ses impressions, sans définir ce qu'est le beau en soi. Ses « définitions » ne s'appliquent pas à l'ensemble des choses qui peuvent être dites belles.

Une définition n'est donc acceptable que si elle fait voir la raison pour laquelle une chose particulière appartient à un ensemble de choses ayant en commun une même essence[5] ou une même **forme**. La forme d'une chose, que fournit une bonne définition, s'applique à cette chose et à toutes les choses auxquelles on donne le même nom ; c'est pourquoi, dans ce cas, on parle de définition universelle.

De plus, quand on définit une chose, il faut prendre garde de ne pas en donner un trait trop général, qui n'est pas un caractère spécifique de cette chose. Par exemple, on ne peut définir l'humain comme étant identique à l'animal, non plus qu'on ne peut, selon Socrate, définir la piété comme étant la justice. Dans les deux cas, le terme qui sert de définissant s'applique à d'autres choses qu'au terme défini : autrement dit, celui-ci ne représente qu'une partie de ce que recouvre le définissant. La recherche des définitions universelles qui s'appliquent aux vertus est évidemment beaucoup plus difficile que la recherche de définitions universelles qui s'appliquent aux choses qui relèvent des sciences naturelles. Toutefois, même si nous savons que nous n'obtiendrons peut-être jamais des certitudes dans notre recherche de définitions universelles des vertus, cette recherche reste importante car elle nous incite à la prudence et à plus de sagesse dans nos paroles et dans nos actions.

5. Les définitions universelles que recherche Socrate sont identiques aux définitions essentielles que nous avons étudiées au chapitre 3, partie II, p. 57

L'EXAMEN DE SOI

Bien que la discussion réfutative soit censée nous conduire à la saisie de définitions universelles, Socrate considère que sa première fonction est de permettre aux humains de se défaire de leurs fausses idées et de leurs illusions, de désapprendre ce qu'ils croient savoir : en d'autres termes, de déconstruire leur pseudo-savoir. Dans une discussion réfutative, la personne qui répond aux questions prend conscience que son savoir n'était au fond qu'un faux savoir et que la recherche du vrai implique plus que l'adhésion à des opinions toutes faites. Selon Socrate, ce n'est que placée dans ce vide de connaissance, ce degré zéro du savoir, que l'âme peut chercher à combler le manque à l'aide d'un autre savoir plus profond et plus vrai. La vérité est, pour Socrate, en chacun de nous ; mais, pour y accéder, il faut d'abord renoncer aux opinions et aux préjugés acquis par conformisme et paresse d'esprit. Cela nécessite des efforts ; il faut avoir le courage de se mettre soi-même à l'épreuve, de se questionner sans cesse, de fuir la vanité d'un prétendu savoir. Il ne faut jamais croire que nous sommes en possession de certitudes inébranlables. Le tableau suivant montre quelles sont, selon Socrate, les étapes de la connaissance, de l'état le plus naïf à l'état le plus savant.

TABLEAU 6.2 Les étapes de la connaissance

1. Celui qui ne sait pas, mais qui croit tout savoir.	Socrate situe les sophistes à ce niveau.
2. Celui qui sait qu'il ne sait pas.	C'est ainsi que Socrate définit la science qu'il possède.
3. Celui qui ne sait pas qu'il sait.	La vérité est en chacun de nous, mais il faut abandonner nos fausses croyances pour y accéder.
4. Celui qui sait.	Celui qui est en possession d'une connaissance universelle. Cette étape représente le savoir que Socrate désire acquérir.

Le rôle de Socrate a été, selon Platon, celui d'un « accoucheur des esprits » ; cette métaphore est intéressante, surtout quand on se rappelle que Phénarète, la mère de Socrate, était sage-femme. Socrate croyait, en fait, que ses interlocuteurs possédaient toujours, parmi leurs nombreuses fausses croyances, quelque vérité qu'il pourrait rallumer et qui engendrerait d'autres vérités. Selon Socrate, la tâche du philosophe consiste à faire prendre conscience aux autres que le bien est en eux et qu'ils peuvent le découvrir s'ils attachent plus d'importance à leur âme qu'à leur corps, aux biens spirituels qu'aux biens matériels. Socrate exhortait donc ses concitoyens à n'accorder d'importance qu'à leur perfectionnement moral, car, disait-il, « une vie sans examen ne vaut pas la peine d'être vécue »[6].

---

6. Platon, op. cit., p. 38a.

Socrate avait fait sienne la maxime «Connais-toi toi-même», inscrite sur le fronton du temple de Delphes. Par cette formule, il invitait tous ceux qu'il rencontrait à perfectionner leur âme. La psychologie moderne a aussi adopté cette maxime, mais elle lui donne un autre sens. Socrate ne cherchait pas à faire connaître aux humains leur caractère individuel, leurs aptitudes et leurs tendances propres, comme le fait la psychologie moderne ; il les invitait, au contraire, à rechercher une connaissance qui dépasse les individualités. Sa démarche avait pour but de leur faire prendre conscience de leur ignorance, de les amener à méditer sur les formes universelles des vertus et à trouver ce qui, en chacun de nous, fait que nous appartenons à une même humanité.

LA MORT DE SOCRATE

En - 399, le tribunal d'Athènes réclame la mort de Socrate sous prétexte qu'il corrompt les jeunes gens et qu'il ne croit pas aux dieux que vénère la cité, mais leur substitue plutôt des divinités nouvelles. Ces accusations sont d'ordre philosophique, bien qu'implicitement le procès soit aussi politique.

Le procès a lieu quelques années après la chute de l'oligarchie des «Trente Tyrans» et la restauration de la démocratie athénienne, en l'an - 403[7]. Ce sont donc des citoyens athéniens, adeptes de la démocratie, qui poursuivent Socrate en justice. L'année précédente, l'oligarchie des «Trente Tyrans» avait pris le pouvoir à Athènes et avait renversé la démocratie. Socrate, qui remettait en question le

La Mort de Socrate, peinture de David. Socrate fut condamné à mort pour ses idées.

7. Voir le tableau intitulé «Faits historiques liés au régime démocratique athénien», chapitre 5, partie III, p. 96

fonctionnement de la démocratie, est vu par ses accusateurs comme l'intellectuel de l'opposition. Entre autres choses, on lui reproche, sans le dire, d'avoir entretenu des relations avec Critias et Charmide, deux membres des «Trente Tyrans», parents de Platon. Pourtant, si Socrate accepte, en effet, de dialoguer avec tous ceux qui en ont envie, sous le règne des «Trente Tyrans», il a été le seul à avoir le courage de désobéir aux ordres de Critias, malgré la menace de mort qui pesait sur ceux qui commettaient une telle action. On reproche aussi à Socrate d'avoir corrompu le jeune Alcibiade, un stratège remarquable, mais sans principes moraux bien établis. En fait, les Athéniens qui n'aimaient pas Socrate profitent d'une situation politique inhabituelle pour l'accuser, faussement, de torts qui font facilement scandale dans la population.

Dans le dialogue intitulé *Apologie de Socrate*, Platon relate les propos que tient Socrate au cours de son procès. Selon ce témoignage, les hommes puissants d'Athènes cherchent depuis longtemps à se débarrasser de lui parce qu'ils ne sont pas heureux qu'il démasque leur prétention et leur ignorance. Mais Socrate explique qu'il ne peut faire autrement, car cette tâche qui l'oblige à questionner les hommes est une mission à l'origine de laquelle on trouve le dieu APOLLON lui-même, ainsi que l'explique ce qui suit, rapporté dans le texte de Platon.

APOLLON est le dieu de la divination, de la musique et de la poésie. À Delphes, il tua le dragon Python et prit possession du sanctuaire où il rendait des oracles par l'intermédiaire de la PYTHIE, une prêtresse.

Il y a longtemps, à Delphes, la PYTHIE dévoila à Chéréphon, un ami de Socrate, que ce dernier était, selon Apollon, «le plus savant de tous les hommes». Mis au courant par Chéréphon, et ne comprenant pas ce que l'oracle voulait dire, Socrate mena alors une enquête auprès des gens qu'il croyait beaucoup plus savants que lui. Il interrogea des hommes d'État, des orateurs, des poètes et des artisans, jusqu'à ce qu'il découvre le sens de l'énigme. Bien que tous ces gens connaissaient un tas de belles choses, ils étaient ignorants, en ce sens qu'ils prétendaient connaître des choses qu'ils ne connaissaient pas. Socrate, lui, qui ne prétendait pas savoir, savait du moins qu'il ne savait rien. C'est ainsi que le philosophe conclut qu'il est plus sage d'être conscient de son ignorance que de croire que l'on sait tout. À partir de ce moment, Socrate considéra qu'il était de son devoir d'aider les autres à prendre conscience de leur non-savoir, comme Apollon l'avait aidé, lui, à le faire. Les êtres humains, affirme Socrate, doivent accepter leur condition et ne pas s'enorgueillir du peu de connaissance qu'ils ont. Ils doivent avouer leur ignorance et aspirer à la sagesse, qui est une propriété exclusive des dieux. Aspirer à la sagesse

La Pythie de Delphes, sur son trépied.

signifie donc : découvrir combien nous savons peu de choses par rapport à celles qui nous restent à découvrir. Par opposition, l'arrogance et la vanité sont des signes d'impiété et d'ignorance profonde. C'est pourquoi, rapporte Platon, fort de cette conviction, Socrate n'a cessé de questionner, d'examiner, de «piquer comme un taon», de réfuter; et que des hommes, qui n'acceptaient pas d'avoir à rompre avec les valeurs établies, ont cherché à profiter de la crédulité de la foule pour compromettre sa réputation.

Dans sa défense, au procès, Socrate explique la force de persuasion qu'ont ses accusateurs (Mélétos, Anytos et Lycon) par le fait que ce qu'ils lui reprochent est basé sur des accusations et des calomnies beaucoup plus anciennes. Ainsi, les anciens le blâmaient, premièrement, de rechercher indiscrètement ce qui se passe sous la terre et dans le ciel. Mais Socrate répond qu'il n'a jamais fait de philosophie de la nature; pour lui, la philosophie doit porter sur la conduite morale de l'humain.

Deuxièmement, on disait qu'il faisait en sorte que l'argument le plus faible l'emporte sur le plus fort; en d'autres mots, on confondait sa pratique avec celle de Protagoras et des autres sophistes.

Troisièmement, on l'accusait de se faire rémunérer pour enseigner à d'autres à faire comme lui. C'était ne pas savoir que Socrate n'enseignait pas et ne troquait pas le savoir contre de l'argent.

Enfin, on disait qu'en défendant indifféremment le bien et le mal, et qu'en étudiant la nature, Socrate rendait les jeunes athées. Socrate soutient pourtant qu'il n'est pas athée. D'abord, il affirme qu'un dieu personnel lui parle et l'arrête chaque fois qu'il tend à ne pas faire le bien. C'est ce dieu personnel qui l'a incité à ne pas s'occuper activement de politique pour se consacrer plutôt entièrement à la philosophie, afin d'examiner son âme et celle de ses concitoyens. Quant aux dieux de la cité, Socrate ne les rejette pas. Cependant, il s'oppose aux croyances traditionnelles selon lesquelles les dieux ont accompli des actes immoraux; selon lui, les dieux n'ont pu avoir les querelles, les différends ni les haines qui, selon la mythologie, les auraient dressés les uns contre les autres. Si la connaissance du bien entraîne nécessairement chez l'homme une conduite vertueuse, affirme-t-il; cette connaissance, qui est parfaite chez les dieux, s'accorde d'autant moins avec une mauvaise conduite. Les dieux auxquels croit Socrate sont des dieux bienfaisants qui incitent les hommes à faire usage de leur raison pour agir selon le bien et atteindre ainsi au bonheur.

La peine de mort qu'on menace de lui infliger n'a donc pas raison de Socrate; selon lui, craindre la mort, c'est s'attribuer un savoir qu'on n'a pas. Il préfère mourir plutôt que de renoncer à la vertu et à la vérité. Malgré les implorations de son ami Criton, qui veut l'aider à s'évader de prison, Socrate ne fait aucune concession à l'injustice. Son refus de considérer la mort comme un mal est l'exemple ultime qu'il donne à ceux qui usent de leur pouvoir pour le blesser et l'accuser à tort. En ce sens, on peut dire de Socrate qu'il est l'un des plus grands philosophes. Il ne s'est pas contredit, même quand cela engageait non seulement sa pensée, mais aussi toute sa personne, et même sa vie.

LE RESPECT DES LOIS

Pour Socrate, être bon, c'est être juste. S'il ne faut jamais préférer le mal au bien, il ne faut jamais, non plus, préférer ce qui est injuste à ce qui est juste. Socrate refuse la LOI DU TALION, qui consiste à infliger au coupable une peine identique au mal qu'il a fait subir à sa victime. En énonçant son désaccord avec cette loi, Socrate ampute la morale traditionnelle des Grecs de l'une de ses parties fondamentales et procède à un renversement total des valeurs. Mais, selon lui, nous ne devons en aucun cas faire le mal, quoi qu'on ait pu subir. Si le bonheur ne peut être atteint que dans la recherche rationnelle du bien, il va de soi que la personne qui commet une injustice fait violence à sa propre raison et se rend elle-même malheureuse. La faute qu'elle commet ne porte pas tant sur le mal qu'elle fait à autrui que sur le mal qu'elle se fait à elle-même. De ce point de vue, il serait, en effet, contradictoire qu'une personne vraiment juste, qui connaît le sens véritable de la justice, fasse le mal volontairement. Socrate ne croit donc pas que la justice soit relative à chaque situation. Elle dicte toujours la même chose : ne jamais commettre d'injustice ; ne jamais rendre le mal par le mal. Ce principe est supérieur aux lois de la cité, et constitue la justice en soi, indépendamment des lois qui relèvent de décisions humaines. Des lois justes ne peuvent exister que si elles sont fondées sur ce principe.

C'est la LOI DU TALION qu'exprime le proverbe célèbre : « Œil pour œil, dent pour dent. »

Il pourrait sembler contradictoire que Socrate, qui a passé toute sa vie à exhorter ses concitoyens à rompre avec les valeurs établies et à n'obéir qu'à des principes plus fondamentaux que la convention, se soit lui-même soumis à la décision du tribunal d'Athènes qui le condamnait injustement à la mort. Toutefois, il est logique de penser que s'il ne faut faire aucune concession au mal, il faut aussi obéir aux lois de la cité. Dans le dialogue de Platon intitulé *Criton*, c'est ce que Socrate explique à son ami. Même s'il est possible d'espérer que certaines lois soient modifiées avec le temps, réformer, affirme Socrate, n'est pas synonyme de désobéir et de détruire. Pour ne pas mener la cité à l'anarchie et ne pas encourager chacun à agir comme bon lui semble, il faut donc respecter les lois.

Socrate

Socrate : le fondateur de la science morale

Socrate est un Athénien qui a vécu de - 470 à - 399. Sa beauté intérieure lui venait de l'exercice de la philosophie. Nous connaissons sa pensée grâce à l'œuvre de Platon. Socrate s'opposait à la pratique de la persuasion, enseignée par les sophistes. Sa critique acharnée contre l'injustice lui a valu d'être condamné à mort. Il a conçu une méthode de discussion rationnelle dans le but de rendre ses concitoyens vertueux. Avec lui, l'éthique devient l'objet de la recherche scientifique. Socrate se bat contre le relativisme des sophistes. Selon lui, la vérité sur le bien est universelle. Il exhorte les autres à examiner leur âme. La diversité des doctrines de ceux qui ont subi son influence montre que Socrate accordait plus d'importance à la recherche qu'à l'établissement d'un dogme.

La vertu-science

La vie a une valeur moindre que la vertu. Le désir rationnel du bien est inné. Nul n'est méchant volontairement ; la cause du mal est dans l'importance qu'on accorde aux sens et aux passions. L'argumentation rationnelle peut fortifier la raison et nous aider à reconnaître le bien. Il y a un lien nécessaire entre la connaissance rationnelle et l'action moralement bonne.

La discussion réfutative

La recherche de la vérité dans le domaine moral implique un travail en commun dans lequel chacun doit accepter de remettre en question ses opinions. Socrate a créé la discussion réfutative, qui comporte des règles visant à examiner le sens des mots et la cohérence des assertions. Dans la discussion, Socrate préfère jouer le rôle de l'interrogateur ; il n'a pas de savoir tout fait à communiquer. La discussion réfutative n'aboutit jamais à des certitudes inébranlables, mais elle fait découvrir les exigences de la démarche rationnelle.

La définition universelle

Le but de la discussion réfutative est la découverte des définitions universelles des vertus. La définition universelle montre ce qu'est une vertu en soi, indépendamment de la multitude des cas où elle peut être exemplifiée. Elle fait voir la forme ou l'essence commune à un ensemble de choses qui portent le même nom. La forme est ce qui est propre à un ensemble donné de choses.

L'examen de soi

Pour accéder au savoir universel, il faut d'abord se débarrasser de nos opinions toutes faites et de notre prétendu savoir. Celui qui croit tout savoir est celui qui est le moins avancé dans la connaissance. La vérité est en chacun de nous, mais pour y accéder, il faut accepter d'examiner et de perfectionner son âme. Se connaître soi-même, c'est découvrir l'universel en nous.

La mort de Socrate

Certains Athéniens, qui en voulaient à Socrate de remettre en question le fonctionnement de la démocratie, lui ont intenté un procès. Socrate est accusé de corrompre les jeunes gens et de ne pas croire aux dieux de la cité, mais de leur substituer de nouveaux dieux. Depuis longtemps, des hommes puissants lui faisaient une mauvaise réputation, car ils n'étaient pas heureux qu'il démasque leur ignorance. Socrate croit être investi d'une mission divine, l'enjoignant de faire prendre conscience aux autres que leur prétention au savoir est signe d'ignorance. Selon Socrate, il est plus sage d'être conscient de son ignorance que de croire que l'on sait tout. Socrate n'est pas athée ; il croit que beaucoup de croyances populaires sur les dieux sont erronées. Socrate a préféré mourir plutôt que de renoncer à la vertu.

Le respect des lois

Commettre une injustice, c'est se faire du mal à soi-même. La justice dicte toujours la même chose : ne jamais rendre le mal qu'on nous a fait. La connaissance de ce principe est nécessaire aux bons législateurs. Il est légitime de critiquer les lois, mais on doit leur obéir.

La vertu-science

1. Croyez-vous que «la connaissance rationnelle du bien nous porte nécessairement à agir de façon moralement bonne» ou que «tout en discernant le bien, nous pouvons être méchant volontairement»? Pour répondre à cette question, vous devez:

a) faire une introduction avec thème, problème, antithèse et thèse;

b) choisir l'une des deux thèses proposées;

c) la défendre à l'aide d'un argument;

d) faire une objection;

e) la réfuter;

f) faire une brève conclusion.

La définition universelle

2. Dans «Lachès», Socrate demande à Lachès, un militaire reconnu, de lui définir ce qu'est le courage. Lachès définit d'abord le courage comme étant «la disposition à repousser les ennemis tout en gardant son rang, et sans prendre la fuite». Socrate examine cette première définition, questionne Lachès et l'amène à reconnaître qu'elle n'est pas satisfaisante. Lachès donne alors une deuxième définition du courage: «Le courage est une certaine fermeté de l'âme.» Mais Socrate lui démontre que les conséquences de cette définition sont contradictoires et qu'elle ne répond donc pas mieux que la première aux critères d'une bonne définition.

a) Résumez la réfutation qu'apporte Socrate à la première définition.

b) Dites, dans vos mots, ce qui fait que ce n'est pas une bonne définition.

c) Résumez la réfutation de Socrate de la deuxième définition.

d) Dites, dans vos mots, ce qui fait que ce n'est pas une bonne définition.

La mort de Socrate

3. La première partie du texte «Le procès de Socrate» présente la défense de Socrate concernant l'accusation qui lui est faite de «corrompre les jeunes gens». Son plaidoyer consiste en un interrogatoire dans lequel on distingue deux arguments soutenus par Mélétos et que réfute Socrate.

a) Dans son premier argument, Mélétos soutient que, à l'exception de Socrate qui corrompt la jeunesse, tous les Athéniens sont capables de faire l'éducation de la jeunesse et de la rendre meilleure.

Expliquez, dans vos propres mots, en quoi consiste principalement la réfutation présentée par Socrate.

b) Dans son second argument, Mélétos soutient que les méchants font du mal à leurs proches, tandis que les bons leur font du bien; que nul homme souhaite éprouver du dommage de la part de ceux avec qui il vit; que c'est volontairement que Socrate corrompt la jeunesse.

Expliquez, dans vos propres mots, en quoi consiste principalement la réfutation présentée par Socrate.

c) Selon vous, les réfutations de la première accusation constituent-elles une bonne défense? Autrement dit, trouvez-vous que Socrate a clairement démontré qu'il ne corrompait pas la jeunesse? Justifiez votre réponse.

4. Dans la seconde partie du texte «Le procès de Socrate», Socrate se défend contre l'accusation suivante: «Ne pas croire aux dieux auxquels croit la cité et leur substituer des divinités nouvelles.» Étant invité à répondre aux questions de Socrate, Mélétos affirme que Socrate est athée et que, par exemple, il ne croit pas que le soleil et la lune sont des dieux (alors que c'était une croyance chez les Grecs de l'époque).

Expliquez, dans vos propres mots, en quoi consiste principalement la réfutation présentée par Socrate.

5. Si vous aviez été juge au procès de Socrate, quel aurait été votre verdict? Justifiez votre position au moyen d'un argument rationnel.

Le respect des lois

6. Le dialogue de Platon intitulé *Criton* rapporte que Socrate, qui est condamné à mort, reçoit la visite de son ami Criton. Celui-ci, avec d'autres amis, a préparé l'évasion de Socrate de prison et tente de le persuader de s'échapper. Socrate refuse, mais dans le but de réconforter son ami Criton, il imagine un dialogue dans lequel il s'entretient avec les lois de la cité.

Dans ce texte, Socrate soutient la thèse suivante : « Il n'y a rien de plus précieux que le respect des lois. »

a) Trouvez 10 prémisses qui justifient cette thèse et faites une légende.

b) Faites le schéma du raisonnement.

Attention : vos prémisses doivent former au moins trois arguments.

c) Répondez à la question « Qu'auriez-vous fait à la place de Socrate ? », et justifiez votre réponse au moyen de trois prémisses tirées de votre propre réflexion.

7. Selon vous, la justice nous dicte-t-elle d'agir toujours selon le bien, indépendamment des circonstances, ou est-elle relative à chaque situation ?

Pour répondre à cette question, vous devez :

a) formuler une thèse ;

b) appuyer votre thèse sur un argument rationnel ;

c) émettre une objection ;

d) réfuter cette objection.

8. En vous inspirant de votre lecture des chapitres 5 et 6 du manuel, rédigez un court texte d'argumentation dans lequel vous prendrez position en faveur de ce que soutient Socrate concernant la nécessité de l'échange rationnel pour atteindre la vérité dans le domaine moral. Pour réaliser cet exercice, vous devez :

a) faire une introduction avec thème, problème, antithèse et thèse ;

b) formuler une thèse en accord avec la pensée de Socrate (présentez cette thèse comme si c'était la vôtre) ;

c) soutenir votre thèse à l'aide de trois arguments ;

d) émettre deux objections en vous inspirant de la conception des sophistes ;

e) réfuter les objections ;

f) donner une brève conclusion.

Lachès

Platon, *Lachès, Eutyphron*, introductions et traductions de Louis-André Dorion, Paris, GF-Flammarion, 1997, p. 190e-194b.

SOCRATE : Alors tentons en tout premier lieu, Lachès, de dire ce qu'est le courage. Après cela, nous examinerons aussi de quelle façon on peut en assurer la présence chez les jeunes gens, et dans quelle mesure cette présence peut se fonder sur les exercices et les apprentissages. Eh bien, essaie de formuler ce que je demande : qu'est-ce que le courage ?

LACHÈS : Par Zeus, Socrate, ce n'est pas difficile à formuler. Si un homme est prêt à repousser les ennemis tout en gardant son rang, et sans prendre la fuite, sois assuré que cet homme est courageux.

SOCRATE : Bien parlé, Lachès. Mais sans doute suis-je responsable, en raison de l'obscurité de mon langage, du fait que tu n'as pas répondu à la question que j'avais en tête en te la posant, mais à une autre.

LACHÈS : Que veux-tu dire, Socrate ?

SOCRATE : Je vais te l'expliquer, pour autant que j'en aie la capacité. Il est courageux, j'imagine, cet homme dont tu parles, celui qui combat les ennemis tout en restant à son poste.

LACHÈS : C'est bien ce que j'affirme.

SOCRATE : Et moi donc! Mais qu'en est-il de celui qui combat les ennemis en fuyant, et qui ne reste pas à son poste ?

LACHÈS : Qu'entends-tu par «en fuyant» ?

SOCRATE : Je l'entends à la façon de ce que l'on rapporte des Scythes ; ils ne combattent pas moins en fuyant qu'en pourchassant. Et Homère loue quelque part les chevaux d'Énée[1] «prompts à se déplacer ici et là» et il dit qu'ils savent «pourchasser et fuir». Quant à Énée lui-même, Homère a aussi prononcé son éloge sous ce rapport, c'est-à-dire le savoir de la fuite, et il a affirmé qu'il est un «maître de la déroute».

LACHÈS : Et Homère avait raison, Socrate, car il parlait des chars de guerre. Et toi tu parles des cavaliers scythes ; leur cavalerie combat en effet de cette façon, mais les hoplites[2], en tout cas ceux des Grecs, se battent comme je le dis.

SOCRATE : À l'exception peut-être des hoplites lacédémoniens[3], Lachès. On rapporte en effet qu'à Platées les Lacédémoniens, quand ils firent face aux soldats armés de boucliers d'osier, ne voulurent pas se battre contre eux en demeurant sur place, et ils prirent la fuite ; et quand les lignes perses furent brisées, ils se battirent à la façon des cavaliers, en

---

1. Dans la mythologie grecque, Énée est le fils de la déesse Aphrodite et du mortel Anchise.
2. Les hoplites sont des militaires de l'infanterie grecque ; très armés, ils combattent à pied.
3. Originaires de Lacédémone, ou Sparte, en Grèce.

faisant volte-face, et c'est ainsi qu'ils remportèrent la bataille livrée à cet endroit.

LACHÈS : Tu dis vrai.

SOCRATE : Eh bien, comme je le reconnaissais il y a un instant, je suis cause que tu ne m'aies pas répondu correctement, parce que je n'ai pas correctement formulé ma question. Je voulais en effet m'enquérir auprès de toi non seulement des hommes qui sont courageux dans l'infanterie, mais aussi de ceux qui le sont dans la cavalerie et dans toute forme de corps militaire. Et je m'intéressais non seulement à ceux qui sont courageux à la guerre, mais aussi à ceux qui font preuve de courage à l'égard des périls de la mer, et bien entendu à tous ceux qui sont courageux face aux maladies, à la pauvreté, à la politique ; et je pensais en outre non seulement à ceux qui sont courageux face aux douleurs et aux craintes, mais aussi à ceux qui excellent dans la lutte contre les désirs et les plaisirs, que ce soit en tenant ferme ou en faisant volte-face. Car enfin, Lachès, il y a bien, j'imagine, des hommes courageux dans ce genre de choses !

LACHÈS : Ils sont extrêmement courageux, Socrate.

SOCRATE : Ainsi, tous ces hommes sont courageux, mais, pour ceux-ci, c'est à l'égard des plaisirs qu'ils font preuve de courage ; pour ceux-là, c'est dans les souffrances ; pour d'aucuns, c'est contre les désirs ; pour certains, c'est par rapport aux craintes. Mais il y en a d'autres, je crois, qui manifestent de la lâcheté dans ces mêmes occasions.

LACHÈS : Parfaitement.

SOCRATE : Alors qu'est-ce que le courage et la lâcheté ? Voilà ce que je cherchais à savoir. Essaie donc à nouveau de dire, en commençant par le courage, en quoi il demeure identique dans tous les cas. Ou bien ne saisis-tu pas encore ce que je veux dire ?

LACHÈS : Non, pas très bien.

SOCRATE : Eh bien, voici ce que je veux dire : c'est comme si je demandais ce qu'est la vitesse, elle qui se trouve aussi bien, pour nous, dans l'activité de courir, dans celle de jouer de la cithare, celle de parler, d'apprendre et dans plusieurs autres ; et nous la possédons presque en tout ce qui mérite qu'on en parle, qu'il s'agisse de l'exercice des mains, des jambes, de la bouche, de la voix ou de la pensée. N'est-ce pas ainsi que tu t'exprimerais toi aussi ?

LACHÈS : Oui, tout à fait.

SOCRATE : Si donc quelqu'un me demandait : «Dis Socrate, en quoi consiste ce que tu appelles "vitesse" dans tous ces cas ?», je lui répondrais qu'en ce qui me concerne, j'appelle vitesse la capacité de faire plusieurs choses en peu de temps, qu'il s'agisse de la voix, de la course, etc.

LACHÈS : Et tu aurais raison de le dire.

SOCRATE : Essaie donc toi aussi, Lachès, de parler du courage de cette façon. Qu'est-ce que cette capacité qui demeure la même dans le plaisir, dans la souffrance et dans tous les cas où nous avons dit tout à l'heure qu'elle se manifeste, et qui a reçu le nom de « courage » ?

LACHÈS : Eh bien, il me semble que c'est une certaine fermeté de l'âme, si vraiment il faut dire ce qu'est sa nature dans tous les cas.

SOCRATE : Mais il le faut, si nous avons à cœur de répondre à ce qui nous est demandé. Voici en tout cas mon impression : je ne crois pas que tu regardes toute fermeté comme du courage. Et je me fonde sur ceci : je suis à peu près sûr, Lachès, que tu comptes le courage au nombre des très belles choses.

LACHÈS : Sache bien que c'est l'une des plus belles choses.

SOCRATE : N'est-ce pas la fermeté secondée par la réflexion qui est belle et bonne ?

LACHÈS : Certainement.

SOCRATE : Mais qu'en est-il de la fermeté secondée par l'irréflexion ? N'est-elle pas, au contraire de la première, nuisible et dommageable ?

LACHÈS : Si.

SOCRATE : Et qualifieras-tu de belle une chose de ce genre, qui est dommageable et nuisible ?

LACHÈS : Je n'en ai pas le droit, Socrate !

SOCRATE : Tu n'accorderas donc pas qu'une pareille fermeté soit du courage, étant donné qu'elle n'est pas belle, et que le courage est beau.

LACHÈS : Tu dis vrai.

SOCRATE : Selon ton point de vue, c'est donc la fermeté réfléchie qui serait le courage.

LACHÈS : Apparemment.

SOCRATE : Voyons alors à quel objet s'applique cette fermeté réfléchie. À moins qu'elle ne s'applique à tous les objets, les grands aussi bien que les petits ? Par exemple, si quelqu'un se montre ferme en dépensant son argent de façon réfléchie, sachant que cette dépense lui rapportera gros, appelleras-tu cet homme courageux ?

LACHÈS : Par Zeus, je m'en garderais bien.

SOCRATE : Eh bien, suppose qu'un médecin, dont le fils ou quelque autre patient souffre d'une inflammation des poumons et réclame qu'on lui donne à boire ou à manger, ne se laisse pas fléchir et persévère dans le refus.

LACHÈS : Cette fermeté ne serait pas non plus du courage, pas le moins du monde.

SOCRATE : Et à la guerre, voici un homme dont la fermeté et la détermination à engager le combat résultent d'un calcul réfléchi : il sait que les autres lui prêteront main-forte, qu'il se bat contre des ennemis moins nombreux que ses camarades, et inférieurs à eux, et qu'il a en outre l'avantage du terrain. Dirais-tu que cet homme, dont la fermeté est secondée par une réflexion pareille et une telle préparation, est plus courageux que l'homme du camp adverse qui veut demeurer sur place et être ferme ?

LACHÈS : Mon impression, Socrate, est que le plus courageux est l'homme du camp adverse.

SOCRATE : Et pourtant sa fermeté est bien plus irréfléchie que celle de l'autre.

LACHÈS : Tu dis vrai.

SOCRATE : En conséquence, tu dirais aussi de celui dont la fermeté, dans un combat de cavalerie, repose sur une connaissance de l'équitation, qu'il est moins courageux que celui auquel cette connaissance fait défaut.

LACHÈS : C'est bien mon impression.

SOCRATE : Il en va de même pour celui dont la fermeté est secondée par la connaissance du lancer de la fronde, ou du tir à l'arc, ou d'un autre art.

LACHÈS : Tout à fait.

SOCRATE : De même, tous ceux qui, à l'occasion d'une descente ou d'un plongeon dans un puits, sont déterminés à faire preuve de fermeté dans cette action, ou dans toute autre de ce genre, alors qu'ils n'ont pas la compétence requise, tu les diras plus courageux que ceux qui sont compétents en la matière.

LACHÈS : Que pourrait-on dire d'autre, Socrate ?

SOCRATE : Rien, si précisément on croit qu'il en est ainsi.

LACHÈS : Alors c'est bien ce que je crois !

SOCRATE : Et pourtant, Lachès, en courant ces risques avec fermeté, ces hommes se montrent beaucoup plus irréfléchis, j'imagine, que ceux qui accomplissent la même chose avec le secours de l'art.

LACHÈS : C'est manifeste.

SOCRATE : La hardiesse et la persévérance irréfléchies ne nous avaient-elles pas semblé, précédemment, laides et nuisibles ?

LACHÈS : Parfaitement.

SOCRATE : Et il avait été convenu que le courage est une belle chose.

LACHÈS : De fait, cela a été convenu.

SOCRATE : Maintenant, au contraire, nous affirmons que cette laide chose, la persévérance irréfléchie, est du courage.

LACHÈS : Apparemment.

SOCRATE : As-tu l'impression que nous parlons de façon sensée ?

LACHÈS : Par Zeus, j'ai l'impression que non.

SOCRATE : Toi et moi n'avons donc pas produit, Lachès, cet accord dorien[4] dont tu as parlé ; en effet, il n'y a pas accord entre nos actions et nos paroles. Pour ce qui est des actes, on reconnaîtrait vraisemblablement que nous avons eu part au courage, mais, en ce qui concerne le discours, je ne crois pas qu'on le reconnaîtrait si l'on prêtait l'oreille à notre conversation présente.

LACHÈS : Ce que tu dis est la vérité même.

SOCRATE : Mais quoi ? Te paraît-il beau que nous nous retrouvions dans cette situation ?

LACHÈS : Non, pas le moins du monde.

SOCRATE : Veux-tu, dans ces conditions, que nous nous conformions à notre discours, sur un point à tout le moins ?

LACHÈS : Sur quel point, et de quel discours ?

SOCRATE : Celui qui nous exhorte à être ferme. Si tu veux bien, nous aussi nous ferons preuve de persévérance et de fermeté dans cette recherche, de peur que le courage lui-même n'ironise à nos dépens parce que nous ne partons pas courageusement à sa recherche — dans l'hypothèse où, sait-on jamais ? la fermeté est souvent synonyme de courage.

Le procès de Socrate

Platon, *Apologie de Socrate,* dans *Œuvres complètes,* tome I, texte établi et traduit par Maurice Croiset, Paris, Les Belles Lettres, 1963, p. 24b-28a.

Partie I

SOCRATE : Maintenant c'est à cet honnête homme de Mélétos, à cet ami dévoué de la cité, comme il se qualifie lui-même, et à mes récents accusateurs que je vais essayer de répondre. [...] Prenons [...] le texte de leur plainte. Le voici à peu près : « Socrate, dit-elle, est coupable de corrompre les jeunes gens, de ne pas croire aux dieux auxquels croit la cité et de leur substituer des divinités nouvelles. » Telle est la plainte. Examinons-la point par point.

Il prétend donc que je suis coupable de corrompre les jeunes gens. Eh bien, moi, Athéniens, je prétends que Mélétos est coupable de plaisanter en matière sérieuse, quand, à la légère, il traduit des gens en justice, quand il fait semblant de prendre grand intérêt à des choses dont il n'a jamais eu le moindre souci. Et je vais essayer de vous montrer qu'il en est ainsi.

Approche donc, Mélétos, et dis-moi : n'attaches-tu pas la plus grande importance à ce que nos jeunes gens soient aussi bien élevés que possible ?

---

4. Mode musical, au caractère grave, qui convient à l'éducation des militaires.

MÉLÉTOS : Assurément.

SOCRATE : Cela étant, dis à ces juges qui est capable de les rendre meilleurs. Il n'est pas douteux que tu ne le saches, puisque c'est là ton souci. Tu as découvert, comme tu le déclares toi-même, celui qui les corrompt : c'est moi ; et voilà pourquoi tu me traduis ici comme accusé. Nomme donc aussi celui qui les rend meilleurs, révèle-leur qui il est. Quoi ? tu te tais, Mélétos ? tu ne sais que dire ? Ne sens-tu pas que cela ne te fait pas honneur et que tu confirmes par ton silence ce que je dis, quand j'assure que tu ne t'en soucies aucunement ? Allons, mon ami, parle : qui les rend meilleurs ?

MÉLÉTOS : Ce sont les lois.

SOCRATE : Oh ! ce n'est pas répondre à ma question, excellent jeune homme. Je demande quel est l'homme qui les rend meilleurs, celui qui tout d'abord connaît au mieux ces lois dont tu parles.

MÉLÉTOS : Regarde ici, Socrate, ce sont ces juges.

SOCRATE : Que dis-tu Mélétos ? Ces juges sont capables de former des jeunes gens et de les rendre meilleurs ?

MÉLÉTOS : Oui, vraiment.

SOCRATE : Mais le sont-ils tous ? ou bien quelques-uns d'entre eux seulement, les autres, non ?

MÉLÉTOS : Ils le sont tous !

SOCRATE : Par Héra, voilà une bonne parole : nous ne manquerons pas de gens capables de nous faire du bien. Et alors, dis-moi, ceux-ci, qui nous écoutent, peuvent-ils aussi les rendre meilleurs, oui ou non ?

MÉLÉTOS : Ils le peuvent également.

SOCRATE : Et les membres du Conseil ?

MÉLÉTOS : Eux aussi.

SOCRATE : Et les citoyens qui forment l'Assemblée, les ecclésiastes, est-ce que par hasard ils corrompent les jeunes gens ? ou bien, eux aussi, tous, les rendent-ils meilleurs ?

MÉLÉTOS : Oui, ceux-là aussi.

SOCRATE : Ainsi, tous les Athéniens, à ce qu'il paraît, peuvent former les jeunes gens, tous, excepté moi. Seul, moi, je les corromps. C'est bien là ce que tu dis ?

MÉLÉTOS : C'est cela exactement.

SOCRATE : En vérité, quelle mauvaise chance tu m'attribues ! Voyons réponds-moi : est-ce que, d'après toi, il en est de même lorsqu'il s'agit de chevaux ? Crois-tu que tout le monde est en état de les dresser, et qu'un seul les gâte ? Ou bien, au contraire, qu'un seul est capable de les bien dresser, tout au plus quelques-uns, dont c'est le métier, tandis que tous les autres, quand ils se chargent d'eux et les montent, ne font que les gâter ? N'en est-il pas ainsi, Mélétos, et des chevaux et des autres animaux ? Oui, assurément, quoi que vous puissiez en dire, Anytos et toi. Ah ! certes, ce serait un grand bonheur pour les jeunes gens, s'il était vrai qu'un seul homme les corrompt et que tous les autres leur font du bien. Mais non, Mélétos : et tu fais assez voir que jamais tu n'eus souci des jeunes gens ; ce que tu as démontré clairement, c'est ton indifférence absolue aux choses dont tu m'accuses.

Autre question, Mélétos : dis-moi, au nom de Zeus, s'il vaut mieux vivre avec d'honnêtes gens ou avec des malfaiteurs... Allons, mon ami, réponds-moi ; je ne te demande rien d'embarrassant. N'est-il pas vrai que les malfaiteurs font toujours quelque mal à ceux qui les approchent, tandis que les gens de bien leur font du bien ?

MÉLÉTOS : J'en conviens.

SOCRATE : Maintenant, y a-t-il un homme qui aime mieux être maltraité que bien traité par ceux qu'il fréquente ? Réponds donc, mon ami ; la loi exige que tu répondes. Y a-t-il un homme qui veuille être maltraité ?

MÉLÉTOS : Non, à coup sûr.

SOCRATE : Bien. D'autre part, en m'accusant de corrompre les jeunes gens, de les porter au mal, prétends-tu que je le fais à dessein ou involontairement ?

MÉLÉTOS : A dessein, certes.

SOCRATE : Qu'est-ce à dire, Mélétos ? Jeune comme tu l'es, me surpasses-tu tellement en expérience, moi qui suis âgé ? Quoi ? tu sais, toi, que les gens malfaisants font toujours du mal à ceux qui les approchent, tandis que les gens de bien leur font du bien ; et moi, je suis assez ignorant pour ne pas même savoir que, si je rends malfaisant un de ceux qui vivent avec moi, je risque qu'il me fasse du mal ! Et c'est à dessein, selon toi, que j'agis ainsi ! Non Mélétos, cela, tu ne le feras croire ni à moi, ni, je pense, à personne au monde. Donc, ou bien je ne suis pas un corrupteur, ou bien, si je corromps quelqu'un, c'est involontairement. Dans un cas comme dans l'autre, tu mens. D'ailleurs, si je corromps quelqu'un sans le vouloir, il s'agit d'une de ces fautes involontaires, qui, d'après la loi, ne ressortissent pas à ce tribunal, mais dont il faut seulement avertir ou réprimander l'auteur en particulier. Car il y a tout lieu de croire qu'ainsi éclairé je ne ferai plus ce que je fais sans le vouloir. Néanmoins, tu t'es bien gardé, toi, de venir causer avec moi, de m'instruire ; tu ne l'as pas voulu ; et tu me cites devant ce tribunal, auquel la loi défère ceux qu'il faut châtier, mais non ceux qu'il s'agit d'éclairer.

En voilà assez, Athéniens, pour démontrer, comme je le disais à l'instant, que Mélétos n'a jamais eu le moindre souci de tout cela.

Partie II

Toutefois, explique-nous, Mélétos, de quelle façon tu prétends que je corromps les jeunes gens. Ou plutôt, ne résulte-t-il pas du texte même de ta plainte que c'est en leur enseignant à ne pas croire aux dieux auxquels croit la cité, mais à d'autres, à des dieux nouveaux ? C'est bien ainsi, selon toi, que je les corromps ?

MÉLÉTOS : En effet, je l'affirme énergiquement.

SOCRATE : En ce cas, Mélétos, au nom de ces dieux mêmes dont il est question, explique-nous plus clairement encore ta pensée, à ces juges et à moi. Il y a une chose que je ne comprends pas bien : admets-tu que j'enseigne l'existence de certains dieux — en ce cas, croyant moi-même à des dieux, je ne suis en aucune façon un athée, et à cet égard je suis hors de cause —, mais prétends-tu seulement que mes dieux ne sont pas ceux de la cité, que ce sont d'autres dieux, et est-ce de cela que tu me fais grief ? Ou bien soutiens-tu que je ne crois à aucun dieu et que j'enseigne à n'y pas croire ?

MÉLÉTOS : Oui, voilà ce que je soutiens : c'est que tu ne crois à aucun dieu.

Socrate : Merveilleuse assurance, Mélétos ! Mais enfin, que veux-tu dire ? que je ne reconnais pas même la lune et le soleil pour des dieux, comme tout le monde ?

MÉLÉTOS : Non, juges, il ne les reconnaît pas pour tels ; il affirme que le soleil est une pierre et que la lune est une terre.

SOCRATE : Mais, c'est Anaxagore que tu crois accuser, mon cher Mélétos ! En vérité, estimes-tu si peu ces juges, les crois-tu assez illettrés pour ignorer que ce sont les livres d'Anaxagore de Clazomène qui sont pleins de ces théories ? Et ce serait auprès de moi que les jeunes gens viendraient s'en instruire, lorsqu'ils peuvent, à l'occasion, acheter ces livres dans l'orchestra[5], pour une drachme tout au plus, et ensuite se moquer de Socrate, s'il donnait pour siennes ces idées ; d'autant plus qu'elles ne sont pas ordinaires. Enfin, par Zeus, c'est là ta pensée : je ne crois à aucun dieu ?

MÉLÉTOS : A aucun, par Zeus, à aucun absolument.

SOCRATE : Quelle défiance, Mélétos ? tu en viens, ce me semble, à ne plus te croire toi-même. Ma pensée, Athéniens, est qu'il se moque de nous impudemment ; et dans son accusation, telle qu'il l'a rédigée, se manifeste insolemment la témérité brouillonne de son âge. J'en suis à me dire qu'il a voulu composer une énigme pour m'éprouver. « Voyons un peu, s'est-il dit, si le savant qu'est Socrate s'apercevra que je plaisante et que je me contredis moi-même, ou si je l'attraperai et, avec lui, nos auditeurs. » Car il est clair pour moi qu'il se contredit à plaisir dans sa plainte, qui, en somme, revient à ceci : « Socrate est coupable de ne pas croire aux dieux, bien que d'ailleurs il croie aux dieux. » N'est-ce pas là une simple plaisanterie ?

---

5. Partie de la place publique.

Examinez avec moi, juges, de quel droit j'interprète ainsi ce qu'il dit; et toi, Mélétos, réponds-nous. Seulement, rappelez-vous ce que je vous ai demandé en commençant, et ne protestez pas si j'interroge à ma manière habituelle.

Y a-t-il un seul homme, Mélétos, qui croie à la réalité des choses humaines sans croire à celles des hommes?... Allons, qu'il me réponde, juges, et qu'il ne proteste pas à tort et à travers. Y a-t-il quelqu'un qui ne croie pas aux chevaux, tout en croyant à l'équitation? quelqu'un qui ne croie pas aux joueurs de flûte, tout en croyant à leur art? Non, mon cher, non. Puisque tu ne veux pas répondre, c'est moi qui le dis pour toi et pour ceux-ci. Du moins, réponds à ce que je demande maintenant: Y a-t-il quelqu'un qui croie à la puissance des démons, bien que d'ailleurs il ne croie pas aux démons?

MÉLÉTOS: Non, il n'y en a pas.

SOCRATE: Quel service tu me rends, en me répondant cette fois, même à contre-cœur et parce que ces juges t'y obligent. Ainsi donc, tu déclares que je crois à la puissance des démons, et que j'enseigne leur existence, que ce soient d'ailleurs des démons anciens ou nouveaux. Oui, je crois à la puissance des démons, c'est toi qui le dis, et même tu l'as attesté par serment dans ta plainte. Mais si je crois à la puissance des démons, il faut bien, nécessairement, que je crois aussi aux démons, n'est-il pas vrai? Incontestablement. Je dois admettre que tu en conviens, puisque tu ne réponds pas.

Maintenant, ne considérons-nous pas les démons comme des dieux ou comme des enfants des dieux? Oui ou non?

MÉLÉTOS: Oui, assurément.

SOCRATE: Alors, si j'admets l'existence des démons, comme tu le déclares, et si, d'autre part, les démons sont des dieux à quelque titre que ce soit, n'ai-je pas raison de dire que tu parles par énigmes et que tu te moques de nous? Tu affirmes d'abord que je ne crois pas aux dieux, et ensuite, que je crois à des dieux, du moment que je crois aux démons! Autre hypothèse: si les démons sont des enfants bâtards des dieux, nés des nymphes ou d'autres mères, comme on le rapporte, qui donc admettrait qu'il existe des enfants des dieux, mais qu'il n'y a pas de dieux? Autant vaudrait dire qu'il y a des mulets issus de juments et d'ânes, mais qu'il n'y a ni ânes ni juments. Non, Mélétos, il n'est pas croyable que tu eusses ainsi formulé ta plainte, si tu n'avais pas voulu nous éprouver; à moins que tu n'aies pas su où trouver un grief sérieux contre moi. Quant à faire admettre par une personne tant soit peu sensée que ce n'est pas le fait du même homme de croire à la puissance des démons et à celle des dieux, ou, au contraire, de ne croire ni aux démons, ni aux dieux, ni aux héros, voilà qui est radicalement impossible. Cela établi, Athéniens, je ne crois pas avoir besoin de démontrer plus longuement que l'accusation de Mélétos ne repose sur rien. Ce que j'en ai dit suffit.

Criton

Platon, *Criton* (extrait), dans *Apologie de Socrate, Criton, Phédon*,
Paris, GF-Flammarion, 1965, p. 74-80.

SOCRATE : […] Suppose qu'au moment où nous allons nous évader, ou quel que soit le terme dont il faut qualifier notre sortie, les lois et l'État viennent se présenter devant nous et nous interrogent ainsi : «Dis-nous, Socrate, qu'as-tu dessein de faire ? Que vises-tu par le coup que tu vas tenter, sinon de nous détruire, nous, les lois et l'État tout entier, autant qu'il est en ton pouvoir ? Crois-tu qu'un État puisse encore subsister et n'être pas renversé, quand les jugements rendus n'y ont aucune force et que les particuliers les annulent et les détruisent ?» Que répondrons-nous, Criton, à cette question, et à d'autres semblables ? Car que n'aurait-on pas à dire, surtout un orateur, en faveur de cette loi détruite, qui veut que les jugements rendus soient exécutés ? Leur répondrons-nous : «L'État nous a fait une injustice, il a mal jugé notre procès ?» Est-ce là ce que nous répondrons ou dirons-nous autre chose ?

CRITON : C'est cela, Socrate, assurément.

SOCRATE : Et si les lois nous disaient : «Est-ce là, Socrate, ce qui était convenu entre nous et toi ? Ne devrais-tu pas t'en tenir aux jugements rendus par la cité ?» Et si nous nous étonnions de ce langage, peut-être diraient-elles : «Ne t'étonne pas, Socrate, de ce que nous disons, mais réponds-nous, puisque tu as coutume de procéder par questions et par réponses. Voyons, qu'as-tu à reprocher à nous et à l'État pour entreprendre de nous détruire ? Tout d'abord, n'est-ce pas à nous que tu dois la vie et n'est-ce pas sous nos auspices que ton père a épousé ta mère et t'a engendré ? Parle donc : as-tu quelque chose à redire à celles d'entre nous qui règlent les mariages ? les trouves-tu mauvaises ? — Je n'ai rien à y reprendre, dirais-je. — Et à celles qui président à l'élevage de l'enfant et à son éducation, éducation que tu as reçue comme les autres ? Avaient-elles tort, celles de nous qui en sont chargées, de prescrire à ton père de t'instruire dans la musique et la gymnastique ? — Elles avaient raison, dirais-je. — Bien. Mais après que tu es né, que tu as été élevé, que tu as été instruit, oserais-tu soutenir d'abord que tu n'es pas notre enfant et notre esclave, toi et tes ascendants ? Et s'il en est ainsi, crois-tu avoir les mêmes droits que nous et t'imagines-tu que tout ce que nous voudrons te faire, tu aies toi-même le droit de nous le faire à nous ? Quoi donc ? Il n'y avait pas égalité de droits entre toi et ton père ou ton maître, si par hasard tu en avais un, et il ne t'était pas permis de lui faire ce qu'il te faisait, ni de lui rendre injure pour injure, coup pour coup, ni rien de tel; et à l'égard de la patrie et des lois, cela te serait permis! et, si nous voulons te perdre, parce que nous le trouvons juste, tu pourrais, toi, dans la mesure de tes moyens, tenter de nous détruire aussi, nous, les lois et ta patrie, et tu prétendrais qu'en faisant cela, tu ne fais rien que de juste, toi qui pratiques réellement la vertu! Qu'est-ce donc que ta sagesse, si tu ne sais pas que la patrie est plus précieuse, plus respectable, plus sacrée qu'une mère, qu'un père et que tous les ancêtres, et qu'elle tient un plus haut rang chez les dieux et chez les hommes sensés; qu'il faut avoir pour elle, quand elle est en colère, plus de vénération, de soumission et d'égards que pour un père, et, dans ce cas, ou la ramener par la persuasion ou faire ce qu'elle ordonne et souffrir en silence ce qu'elle vous ordonne de souffrir, se laisser frapper ou enchaîner ou conduire à la guerre pour y être blessé ou tué ; qu'il faut faire tout cela parce que la justice le veut ainsi ; qu'on ne doit ni céder, ni reculer, ni abandonner son poste, mais qu'à la guerre, au tribunal et partout il faut faire ce qu'ordonnent l'État et la patrie, sinon la faire changer d'idée par des moyens qu'autorise la loi ? Quant à la violence, si elle est impie à l'égard d'une mère ou d'un père, elle l'est bien davantage encore envers la patrie. » Que répondrons-nous à cela, Criton ? que les lois disent la vérité ou non ?

CRITON : La vérité, à mon avis.

SOCRATE : « Vois donc, Socrate, pourraient dire les lois, si nous disons la vérité, quand nous affirmons que tu n'es pas juste de vouloir nous traiter comme tu le projettes aujourd'hui. C'est nous qui t'avons fait naître, qui t'avons nourri et instruit ; nous t'avons fait part comme aux autres citoyens de tous les biens dont nous disposions, et nous ne laissons pas de proclamer, par la liberté que nous laissons à tout Athénien qui veut en profiter, que, lorsqu'il aura été inscrit parmi les citoyens et qu'il aura pris connaissance des mœurs politiques et de nous, les lois, il aura le droit, si nous lui déplaisons, de s'en aller où il voudra en emportant ses biens avec lui. Et si l'un de vous veut se rendre dans une colonie, parce qu'il s'accommode mal de nous et de l'État, ou aller s'établir dans quelque ville étrangère, nous ne l'empêchons ni ne lui défendons d'aller où il veut et d'y emporter ses biens. Mais, qui que ce soit de vous qui demeure ici, où il voit de quelle manière nous rendons la justice et administrons les autres affaires publiques, dès là nous prétendons que celui-là s'est de fait engagé à faire ce que nous commanderons et que, s'il ne nous obéit pas, il est trois fois coupable, d'abord parce qu'il nous désobéit, à nous qui lui avons donné la vie, ensuite parce qu'il se rebelle contre nous qui l'avons nourri, enfin parce que, s'étant engagé à nous obéir, ni il ne nous obéit, ni il ne cherche à nous convaincre, si nous faisons quelque chose qui n'est pas bien, et, bien que nous proposions nos ordres, au lieu de les imposer durement, et que nous lui laissions le choix de nous convaincre ou de nous obéir, il ne fait ni l'un ni l'autre.

Voilà, Socrate, les accusations auxquelles, nous t'en avertissons, tu seras exposé, si tu fais ce que tu as en tête ; tu y seras même exposé plus que tout autre Athénien. » Et si je leur demandais la raison, peut-être me gourmanderaient-elles justement, en me rappelant que plus que tout autre Athénien je me suis engagé à leur obéir. Elles pourraient me dire : « Nous avons, Socrate, de fortes preuves que nous te plaisions, nous et l'État. Et en effet tu ne serais pas resté dans cette ville plus assidûment que tout autre Athénien, si elle ne t'avait pas agréé plus qu'à tout autre, au point même que tu n'en es jamais sorti pour aller à une fête, sauf une fois, à l'isthme, ni quelque part ailleurs, si ce n'est en expédition militaire ; que tu n'as jamais fait, comme les autres, aucun voyage ; que tu n'as jamais eu la curiosité de voir une autre ville ni de connaître d'autres lois, et que nous t'avons toujours suffi, nous et notre cité, tant tu nous a préférées à tout, tant tu étais décidé à vivre suivant nos maximes. Tu as même eu des enfants dans cette ville, témoignant ainsi qu'elle te plaisait. Il y a plus : même dans ton procès, tu pouvais, si tu l'avais voulu, te taxer à la peine de l'exil, et, ce que tu projettes aujourd'hui malgré la ville, l'exécuter avec son assentiment. Mais tu te vantais alors de voir la mort avec indifférence ; tu déclarais la préférer à l'exil ; et aujourd'hui, sans rougir de ces belles paroles, sans te soucier de nous, les lois, tu entreprends de nous détruire, tu vas faire ce que ferait le plus vil esclave, en essayant de t'enfuir au mépris des accords et des engagements que tu as pris avec nous de te conduire en citoyen. Réponds-nous donc d'abord sur ce point : Disons-nous la vérité, quand nous affirmons que tu t'es engagé à vivre sous notre autorité, non en paroles, mais en fait, ou n'est-ce pas vrai ? » Que pouvons-nous répondre à cela, Criton ? Ne faut-il pas en convenir ?

CRITON : Il le faut, Socrate.

SOCRATE : « Que fais-tu donc, poursuivraient-elles, que de violer les conventions et les engagements que tu as pris avec nous, sans qu'on t'y ait forcé, ni trompé, ni laissé trop peu de temps pour y penser, puisque tu as eu pour cela soixante-dix ans pendant lesquels tu pouvais t'en aller, si nous ne te plaisions pas et si les conditions du traité ne te paraissaient pas justes. Or tu n'as préféré ni Lacédémone, ni la Crète, dont tu vantes en toute occasion les bonnes lois, ni aucun autre État, grec ou barbare, et tu es moins souvent sorti d'ici que les boîteux, les aveugles et autres estropiés, tellement tu étais satisfait, plus que les autres Athéniens, et de la ville et aussi de nous, évidemment ; car qui aimerait une ville sans aimer ses lois ? Et aujourd'hui tu manquerais à tes engagements ! Tu ne le feras pas, Socrate, si tu nous en crois, et tu ne te rendras pas ridicule en t'échappant de la ville.

Réfléchis donc : si tu violes tes engagements, si tu manques à quelqu'un d'eux, quel bien t'en reviendra-t-il à toi ou à tes amis ? Que ceux-ci risquent d'être exilés, eux aussi, d'être exclus de la ville ou de perdre leur fortune, c'est chose à peu près certaine. Pour toi, tout d'abord, si tu te retires dans quelqu'une des villes les plus voisines, Thèbes ou Mégare, car toutes les deux ont de bonnes lois, tu y arriveras, Socrate, en ennemi de leur constitution, et tous ceux qui ont souci de leur ville te regarderont d'un œil défiant comme un corrupteur des lois, et tu confirmeras en faveur de tes juges l'opinion qu'ils ont bien jugé ton procès ; car tout corrupteur des lois passe à juste titre pour un corrupteur de jeunes gens et de faibles d'esprit. Alors, éviteras-tu les villes qui ont de bonnes lois et les hommes les plus civilisés ? Et si tu le fais, sera-ce la peine de vivre ? Ou bien t'approcheras-tu d'eux et auras-tu le front de leur tenir… quels discours, Socrate ? Ceux mêmes que tu tenais ici, que les hommes n'ont rien de plus précieux que la vertu et la justice, la légalité et les lois ? Et crois-tu que l'inconvenance de la conduite de Socrate échappera au public ? Tu ne peux pas le croire.

Mais peut-être t'éloigneras-tu de ces pays-là pour te rendre en Thessalie, chez les hôtes de Criton. C'est là que tu trouveras le plus de désordre et de licence, et peut-être aura-t-on plaisir à t'entendre raconter de quelle façon grotesque tu t'es évadé de ta prison, affublé de je ne sais quel costume, d'une casaque de peau ou de tel autre accoutrement coutumier aux esclaves fugitifs, et tout métamorphosé extérieurement. Mais qu'âgé comme tu l'es, n'ayant vraisemblablement plus que peu de temps à vivre, tu aies montré un désir si tenace de vivre, au mépris des lois les plus importantes, est-ce une chose qui échappera à la médisance ? Peut-être, si tu n'offenses personne. Sinon, Socrate, tu entendras bien des propos humiliants pour toi. Tu vivras donc en flattant tout le monde, comme un esclave ; et que feras-tu en Thessalie que de festiner, comme si tu t'y étais rendu pour un banquet ? Et alors, ces beaux discours sur la justice et sur la vertu qu'en ferons-nous ? Mais peut-être veux-tu te conserver pour tes enfants, afin de les élever et de les instruire. Quoi ? les emmèneras-tu en Thessalie pour les élever et les instruire, et faire d'eux des étrangers, pour qu'ils te doivent encore cet avantage ? Ou bien non, c'est ici qu'ils seront élevés ; mais penses-tu que, parce que tu seras en vie, ils seront mieux élevés, mieux instruits que si tu ne vis pas avec eux ? Les amis que tu laisses en prendront soin, dis-tu. Mais, s'ils en prennent soin au cas où tu t'exilerais en Thessalie, n'en prendront-ils pas soin aussi si tu t'en vas chez Hadès ? Si vraiment tu peux attendre quelque service de ceux qui se disent tes amis, ils en auront soin, tu n'en dois pas douter.

Allons, Socrate, écoute-nous, nous qui t'avons nourri, et ne mets pas tes enfants, ni ta vie, ni quoi que ce soit au-dessus de la justice, afin qu'arrivé chez Hadès, tu puisses dire tout cela pour ta défense à ceux qui gouvernent là-bas. Car, si tu fais ce qu'on te propose, il est manifeste que dans ce monde ta conduite ne sera pas meilleure, ni plus juste, ni plus sainte, ni pour toi, ni pour aucun des tiens, et que tu ne t'en trouveras pas mieux, quand tu arriveras là-bas. Si tu pars aujourd'hui pour l'autre monde, tu partiras condamné injustement, non par nous, les lois, mais par les hommes. Si, au contraire, tu t'évades après avoir si vilainement répondu à l'injustice par l'injustice, au mal par le mal, après avoir violé les accords et les contrats qui te liaient à nous, après avoir fait du mal à ceux à qui tu devais le moins en faire, à toi, à tes amis, à ta patrie et à nous, alors nous serons fâchées contre toi durant ta vie et là-bas, nos sœurs, les lois de l'Hadès, ne t'accueilleront pas favorablement, sachant que tu as tenté de nous détruire, autant qu'il dépendait de toi. Allons, ne te laisse pas gagner aux propositions de Criton ; écoute-nous plutôt. »

Voilà, sache-le bien, Criton, mon cher camarade, ce que je crois entendre, comme les gens en proie à la fureur des corybantes croient entendre les flûtes, et le son de ces paroles bourdonne en moi et me rend incapable d'entendre autre chose. Dis-toi donc que dans l'état d'esprit où je suis, quoi que tu m'objectes, tu perdras ta peine. Cependant, si tu crois pouvoir réussir, parle.

CRITON : Non, Socrate, je n'ai rien à dire.

SOCRATE : Alors laissons cela, Criton, et faisons ce que je dis, puisque c'est la voie que le dieu nous indique.

LECTURES SUGGÉRÉES

BRUN, Jean. *Socrate*, Paris, PUF, 1960, coll. « Que sais-je ? », n° 899.

HERSCH, Jeanne. *L'étonnement philosophique ; une histoire de la philosophie*, Paris, Gallimard, 1993, coll. « Folio/Essais », n° 216. Voir les pages 27 à 34.

PLATON. *Apologie de Socrate, Criton, Phédon*, Paris, GF-Flammarion, 1965.

Nota : La maison d'édition Les Belles Lettres publie les œuvres complètes de Platon dans la langue originale avec, en regard, la traduction française.

Platon

Voilà, Phèdre, de quoi je suis amoureux, moi : c'est des analyses et des synthèses ; j'y vois le moyen d'apprendre à parler et à penser. Et si je trouve quelque autre capable de voir les choses dans leur unité et leur multiplicité, voilà l'homme que je suis à la trace comme un dieu. Ceux qui en sont capables, Dieu sait si j'ai tort ou raison de leur appliquer ce nom, mais enfin jusqu'ici je les appelle dialecticiens.

PLATON, *Phèdre*, 266b-c.

LES SOURCES DE LA PENSÉE DE PLATON

Platon est né à Athènes en 427 avant notre ère, et il est mort en - 347. Il appartenait à une famille aristocratique dont plusieurs membres s'occupaient activement de politique. La famille de son père était, semble-t-il, de sang royal, et celle de sa mère se rattachait indirectement à Solon[1]. Dans sa jeunesse, Platon avait lui-même des visées politiques. À Athènes, vers la fin du Ve siècle avant Jésus-Christ, de multiples dissensions internes avaient corrompu l'exercice de la démocratie et entraîné un état de grave désordre social. Platon voulait participer à l'instauration d'un régime politique droit. Mais il a éprouvé assez tôt une grande désillusion.

D'abord, l'exercice du pouvoir OLIGARCHIQUE, qui dura de - 404 à - 403 et dont le cousin de sa mère, Critias, était l'un des TRENTE TYRANS, avait ébranlé la conception que Platon s'était faite de ce régime et brisé l'espoir qu'il y avait mis. Ensuite, la condamnation de Socrate, qu'il avait fréquenté pendant huit ans, a bouleversé Platon. Il ne comprenait pas comment Athènes, qui se glorifiait d'être la plus juste de toutes les cités-États, pouvait mettre à mort un homme qui, selon lui, était le plus juste d'entre tous les hommes. Prenant conscience de la difficulté d'administrer correctement les affaires de l'État, Platon s'est alors détourné de la politique active pour se consacrer à la philosophie ; il fallait d'abord, pensait-il, redéfinir les fondements d'un régime politique droit.

Suivant le modèle de son maître Socrate, Platon se met alors à la recherche d'un discours universel s'imposant comme vrai et s'opposant à la multitude des opinions contradictoires. Il croit que la philosophie va lui révéler la véritable nature de la justice et les moyens de rétablir un ordre social où les « beaux parleurs » n'auront plus la possibilité de tromper le peuple et de l'entraîner à commettre l'injustice. À partir de ce moment, Platon est convaincu que seule la possession du savoir philosophique par ceux qui gouvernent les États peut remédier aux maux des communautés humaines. Ayant l'espoir de voir se réaliser un gouvernement des philosophes, Platon se rend trois fois à Syracuse, où il tente d'inculquer ses théories politiques au tyran Denys l'Ancien, d'abord, puis à son successeur, Denys le Jeune. Mais tous ces voyages tournent mal et Platon, après de courts séjours, est chaque fois forcé de revenir à Athènes.

L'OLIGARCHIE est un régime politique dirigé par un petit groupe de personnes qui exercent leur pouvoir de façon tyrannique. Ce régime se caractérise par l'imposition d'un cens qui a pour conséquence l'exclusion des pauvres des charges publiques.

En -404, Athènes subit l'occupation militaire spartiate. Les groupements anti-démocrates d'Athènes profitèrent de l'occasion pour contraindre le peuple à remettre la souveraineté à un conseil de 30 citoyens. Les abus politiques auxquels se livrèrent ces derniers furent tels qu'on leur donna le nom de TRENTE TYRANS.

---

1. Voir le chapitre 5, « La démocratie athénienne ».

Platon, l'index pointé vers le ciel, nous invite à la contemplation des Idées, alors qu'Aristote, la main tournée vers le sol, nous convie à l'étude des êtres d'ici-bas.

En −387, à son premier retour de Syracuse, Platon fonde une école de philosophie qui va devenir prestigieuse, la célèbre Académie. Des élèves, dont Aristote, y viennent de tous les coins de la Grèce pour assister aux cours du maître et participer au développement des recherches. Celles-ci ont une étendue encyclopédique. Elles couvrent des questions de métaphysique, de mathématiques, de philosophie de la nature, de philosophie du langage, d'éducation, de religion, de morale.

Platon tente de réconcilier différentes conceptions philosophiques élaborées par ses prédécesseurs. Il a étudié la doctrine des pythagoriciens, dont l'influence se fait sentir dans sa croyance en la réincarnation de l'âme et dans l'importance qu'il donne aux mathématiques. L'étude des mathématiques est, selon Platon, une propédeutique indispensable pour aborder la philosophie. C'est pourquoi Platon fait inscrire sur le fronton de l'Académie la formule suivante : « Que nul n'entre ici s'il n'est géomètre. »

Par ailleurs, Platon veut prolonger l'entreprise morale de Socrate, mais il veut d'abord démontrer, à l'encontre de Parménide, que les choses sensibles ne sont pas que du non-être. Pour Parménide, l'être (le monde intelligible) et le non-être (le monde sensible) constituaient deux mondes séparés l'un de l'autre par un fossé infranchissable[2]. Mais Platon, qui, avant sa rencontre avec Socrate, a été l'élève de l'héraclitéen CRATYLE, est convaincu de la réalité des choses sensibles, bien que celles-ci soient en perpétuel changement. Toutefois, il juge que la doctrine d'HÉRACLITE est incomplète et que la connaissance des choses sensibles nécessite l'existence de certaines réalités qui, tout en étant distinctes, leur donnent un sens. Platon tente donc de jeter un pont entre l'être permanent de Parménide et les êtres changeants d'Héraclite. Bien que, comme Parménide, Platon croie que l'être est avant tout du côté de ce qui est toujours le même et que nos sensations sont impuissantes à nous dévoiler l'être des choses, il veut rendre légitime l'étude du changement.

Platon veut montrer que les choses changeantes de la réalité sensible ont une existence véritable, qu'elles ne sont pas qu'objets d'opinions contradictoires, et qu'il est possible d'établir sur des fondements solides notre connaissance des êtres de la nature et les pratiques humaines. Selon lui, pour n'importe quel genre de choses, il existe un principe qui en détermine l'ordre et le sens véritables, bien que cet ordre et ce sens ne puissent être connus sans un travail de la raison. C'est ce que nous verrons dans ce chapitre.

Nous ne savons presque rien de CRATYLE, à part le fait que c'est un disciple d'Héraclite et qu'il a été le maître de Platon. L'un des dialogues de Platon, dans lequel il est question de l'origine du langage, porte son nom.

Selon HÉRACLITE, le changement est l'être même des choses. Tout ce qui existe n'existe que grâce à la lutte entre les contraires.

2. Voir le chapitre 2, partie I, p. 35.

L'école de Platon par Paul Buffet.
Platon et ses disciples se livraient à des recherches d'une étendue encyclopédique.

Nous traiterons d'abord de la doctrine des Idées[3] et de celle de la participation, sur lesquelles Platon fonde la vérité de l'être des choses sensibles. Il sera ensuite question de ce qu'est la science selon Platon ; nous verrons l'analogie de la ligne, ainsi que la célèbre allégorie de la caverne, dont le philosophe se sert pour opposer la science à l'ignorance. Nous verrons également quelle est, selon Platon, et en continuité avec la méthode socratique, la démarche qu'il faut suivre pour quitter l'obscurité où nous enferme le pseudo-savoir et accéder à la lumière de la vérité. Enfin, nous considérerons les retombées pratiques qu'ont eues les recherches métaphysiques de Platon. Toute sa vie durant, les conflits politiques ont préoccupé Platon, qui s'est consacré à la recherche des fondements d'un bon gouvernement. Nous examinerons donc l'État idéal qu'il propose pour mettre fin au désordre politique qui sévit à Athènes à son époque. Nous parlerons aussi de la division de l'âme individuelle, qui sert de modèle à l'organisation de la cité, ainsi que du problème de la responsabilité morale.

L'IDÉALISME DE PLATON

Pour résoudre l'impasse dans laquelle Parménide a placé la science, Platon superpose les deux mondes que ce dernier avait opposés. En plaçant la réalité idéale au-dessus de la réalité sensible, de deux réalités distinctes, il fait un seul monde.

La réalité sensible, celle d'ici-bas, est composée de la multitude des êtres que nous pouvons percevoir au moyen de nos sens : les phénomènes naturels, les êtres

---

3. Nous emploierons le « I » majuscule quand il est question des « Idées platoniciennes », afin de les distinguer des « idées », au sens courant du terme.

vivants, les objets fabriqués et toutes les affaires humaines, par exemple, les lois et les actions. Puisqu'ils sont vus, entendus, touchés, ces êtres appartiennent forcément au monde matériel, et c'est pourquoi ils sont, par ailleurs, changeants. En effet, aucun de ces êtres n'est éternel; tous se caractérisent par une naissance et une mort, par un commencement et une fin. Bien que, contrairement à Parménide, Platon accorde une existence réelle aux êtres en devenir, selon lui, la réalité sensible comporte tout de même une grande part de non-être et d'imperfection. L'être au sens absolu est par définition ÉTERNEL.

Au-dessus de la réalité sensible se situe la réalité idéale. Elle est composée d'**Idées** ou de formes qui correspondent à l'être au sens absolu. Au contraire des êtres sensibles, qui sont changeants, les Idées sont immuables, c'est-à-dire qu'elles restent toujours identiques à elles-mêmes; elles sont absolument exemptes de changement. Comme elles ne sont constituées d'aucune matière, elles ne peuvent pas être perçues par les sens. Seule l'intelligence est en mesure de les saisir.

Selon Platon, à chaque réalité du monde sensible correspond une Idée. Aux êtres humains singuliers (Pierre, Marie, Philippe, etc.) correspond l'Idée d'humain; aux animaux, l'Idée d'animal; aux chats, l'Idée de chat; aux plantes, l'Idée de plante; aux choses grandes, l'Idée de grandeur; aux choses justes, l'Idée de justice; aux choses belles, l'Idée de beauté. Toutes les choses sensibles, sans exception, se rattachent à une Idée. Cependant, alors que les êtres sensibles sont multiples et changeants, l'Idée est invariablement constante et universelle. Il n'y a qu'une seule Idée pour chaque groupe d'êtres auxquels nous donnons le même nom. Par exemple, pour tous les humains de notre monde, il n'y a qu'une seule Idée d'humain, qui est toujours la même bien que les humains diffèrent entre eux et qu'ils changent. L'Idée d'humain convient à tous les humains qui ont été, qui sont et qui seront.

L'Idée est en quelque sorte un concept universel ou une représentation générale d'une chose faite par l'intelligence. Cependant, l'Idée est en même temps plus qu'un simple concept. L'Idée, selon Platon, a une existence réelle, séparée du monde sensible. Ce n'est pas simplement un produit de la raison, un être logique, une notion universelle appartenant à une pluralité de choses. Elle existe en elle-même et par elle-même antérieurement aux être sensibles et sans avoir besoin d'exister dans quoi que ce soit qui fait partie de notre monde. Son existence est de loin ce qu'il y a de plus réel et de plus parfait, car, contrairement aux êtres sensibles, l'Idée est inaltérable; rien ne peut lui faire subir de modifications. Par exemple, même si notre monde était victime d'un cataclysme et que la moitié des êtres humains périssaient, l'Idée d'humain resterait identique à elle-même. Elle a plus d'être que nous parce qu'elle n'est composée d'aucun mélange; elle est sans matière; elle est simple.

Si, malgré la superposition de la réalité idéale et de la réalité sensible, cette dernière reste imparfaite et changeante, comment alors dépasser le pessimisme de Parménide ? Qu'est-ce qui nous permet de dire que les êtres de notre monde ne sont pas que de vaines apparences ? Comment élever la connaissance du sensible à une connaissance qui soit vraie, qui soit scientifique et qui ne soit pas seulement du domaine de l'opinion ?

Selon Platon, il n'existe qu'un seul moyen de prouver que le monde sensible n'est pas un pur non-être. Entre les deux réalités, Platon insère un rapport de participation : les êtres sensibles existent véritablement dans la mesure où ils participent des Idées. Autrement dit, les Idées, qu'on appelle alors «formes», peuvent être engagées dans le monde sensible – par exemple, la forme du beau dans les choses belles. Dans ce cas, Platon dit que les choses belles ont un rapport de participation à l'Idée de beauté, que c'est cette dernière qui est la cause du fait que certaines choses sont véritablement belles. De même, c'est parce que les humains participent de l'Idée d'humain qu'ils ont une existence réelle. C'est donc par leur participation au monde stable et ordonné des Idées que les êtres de notre monde acquièrent un sens, une stabilité et une existence réelle.

Idée d'humain (forme universelle)

↑

Rapport de participation

Multiplicité des êtres humains

Les êtres sensibles restent toutefois des imitations imparfaites de l'Idée de laquelle ils participent; ils n'en sont que de pâles copies. Ainsi, si tous les êtres humains, bien que différents les uns des autres, sont de façon égale des humains (aucun humain n'est plus un humain qu'un autre humain), aucun d'entre eux n'est aussi parfait que l'Idée d'humain et n'est identique à elle. La même chose peut être dite d'absolument tous les êtres vivants et de tous les objets fabriqués. Dans *La République*[4], Platon donne l'exemple d'un lit, reproduit par un peintre dans un tableau. Le peintre, dit Platon, ne nous montre qu'un aspect partiel du lit sensible. Nous y reconnaissons un lit, parce que ce que nous voyons est une copie du lit qui a servi de modèle au peintre, ou des lits que nous utilisons dans la vie de tous les jours. Toutefois, cette image du lit n'est pas aussi réelle que le lit en tant qu'objet sensible : elle n'en est qu'une imitation.

À son tour, le lit sensible n'a de réalité (d'être) que celle qu'il reçoit de l'Idée de lit. Le fabricant de lits accomplit son art en ayant à l'esprit la forme générale de ce qu'il veut fabriquer. Bien que tous les lits qu'il fabrique diffèrent les uns des autres (certains sont de bois, d'autres de fer ou de cuivre; certains sont peints, d'autres non; certains sont grands, d'autres petits, etc.), nous les reconnaissons

---

4. Platon, *La République,* livre X, p. 596a-598c.

en tant que lits parce qu'ils participent tous de cette forme générale ou de l'Idée de lit ; c'est cette dernière qui regroupe en une même classe d'êtres la multitude des différents lits. Cependant, comme on ne peut dire d'un lit particulier qu'il est plus un lit qu'un autre lit, le vrai lit n'est nulle part sinon dans l'Idée de lit. Si le lit sensible est tout de même réel, c'est qu'il participe de la forme idéale du lit.

Finalement, la forme idéale du lit est supérieure à toute représentation que nous nous faisons de cette forme. Celle-ci se suffit à elle-même, car elle n'a besoin d'aucune autre chose pour exister, alors que tous les autres lits reçoivent d'elle leur existence. Ainsi, il y a trois sortes de lits, qui possèdent chacun un degré d'être différent.

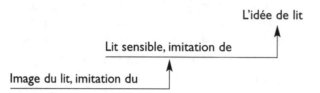

Les Idées sont donc les causes de tout ce qui existe dans le monde sensible : les humains, les animaux, les plantes, les objets fabriqués. Grâce aux Idées, les êtres sensibles ne sont pas que du néant, du non-être ; ils sont plus que de simples apparences. Les Idées définissent la nature essentielle des êtres ; elles font que les êtres sont toujours ce qu'ils sont, malgré le changement qu'ils subissent. Sans elles, nous ne pourrions avoir de connaissance véritable des choses : les êtres changeants de la nature, les délibérations politiques, la justice, l'éducation, etc., tout cela ne serait alors qu'affaire d'opinion. Chacun pourrait en juger d'après les représentations partielles et changeantes qui s'offrent à lui, et la vérité différerait d'un individu à l'autre ; l'accord des opinions ne serait rendu possible que par la persuasion ou la violence.

Platon a justement abandonné le projet de faire de la politique active parce que, à l'époque où il vivait, les mœurs et les croyances entraînaient un grand nombre d'injustices et de scissions au sein de la cité. Se tournant alors vers la philosophie, il a tenté de trouver les fondements d'une connaissance véritable qui permettrait de rétablir l'unité et la paix. Ses recherches l'ont conduit à penser que seule l'imitation aussi parfaite que possible des Idées peut assurer la stabilité politique. Toutefois, cela n'est rendu possible que si l'on est capable de rapporter la multiplicité changeante de notre monde aux Idées correspondantes.

Même si Platon recherchait une solution concrète et réelle aux maux qui affligeaient le monde dans lequel il vivait, on dit généralement qu'il est un **idéaliste**. Selon lui, les êtres du monde sensible reçoivent leur existence d'un être supérieur à eux et séparé d'eux. La réalité idéale est un monde éternel qui transcende tout ce qui se trouve dans notre monde : l'Idée transcende le réel.

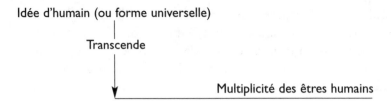

Idée d'humain (ou forme universelle)

Transcende

Multiplicité des êtres humains

L'Idée du bien

Au-dessus de toutes les Idées, Platon place l'Idée du bien. «L'Idée du bien est la plus haute des connaissances, celle à qui la justice et les autres vertus empruntent leur utilité et leurs avantages[5]. » L'Idée du bien est l'Idée transcendante par excellence parce que, étant supérieure à toutes les autres, elle les contient toutes en elle. Elle est le principe de l'existence de tous les êtres et de la connaissance que nous pouvons en avoir. L'Idée du bien est, dans le domaine de l'intelligible, comparable au Soleil dans le domaine du sensible. Le Soleil, en dispensant sa lumière, donne naissance aux autres êtres sensibles et il nous permet de les voir. Il est la cause du mouvement des êtres sensibles et de la perception que nous en avons. De la même façon, l'Idée du bien, en dispensant la lumière de la vérité, fait exister les êtres intelligibles et nous permet de les connaître. Elle est le principe de l'être et de la science. Elle dispose de la façon la plus juste et la plus belle les Idées et toutes les choses du monde sensible qui leur correspondent. C'est grâce à elle que les autres Idées sont ordonnées de façon harmonieuse entre elles. Par conséquent, c'est grâce à l'Idée du bien que tout ce qui existe dans notre monde, en imitant l'ordre de la réalité idéale, tient de cette dernière l'ordre qui lui est propre. S'exercer à la connaissance des Idées, à la philosophie, c'est donc s'assurer d'une connaissance véritable de notre monde.

Notons que cette conception de l'être se rapproche de celles qu'on rencontre dans les modes de pensée mythique et religieux. Par exemple, tout comme, dans la philosophie de Platon, le degré de réalité des êtres dépend de leur degré de participation à l'Idée du bien, dans la pensée religieuse, le degré de réalité des êtres dépend de leur degré de participation à l'être de Dieu.

| TABLEAU 7.1 | Des conceptions hiérarchisées de l'être |

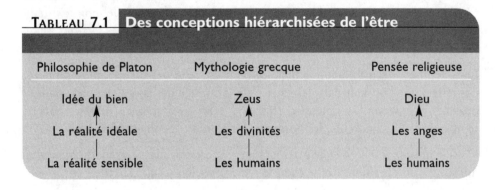

Philosophie de Platon	Mythologie grecque	Pensée religieuse
Idée du bien	Zeus	Dieu
La réalité idéale	Les divinités	Les anges
La réalité sensible	Les humains	Les humains

---

5. Platon. *La République*, livre VI, introduction, traduction et notes de R. Baccou, Paris, Garnier-Flammarion, 1966, p. 505a.

En résumé, la réalité est, pour Platon, davantage du côté de l'intelligible que du côté du sensible. Connaître, c'est connaître au-delà du sensible. Ces deux réalités, le sensible et l'intelligible, ne forment qu'un monde. Les formes idéales possèdent cependant l'existence parfaite ; comparativement à ces dernières, les êtres sensibles ne sont que des êtres de participation.

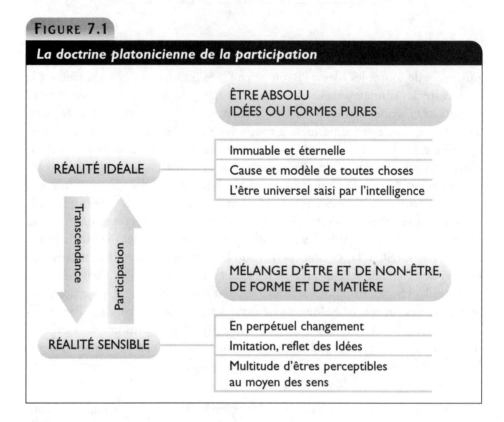

FIGURE 7.1

La doctrine platonicienne de la participation

ÊTRE ABSOLU
IDÉES OU FORMES PURES

RÉALITÉ IDÉALE
- Immuable et éternelle
- Cause et modèle de toutes choses
- L'être universel saisi par l'intelligence

Transcendance
Participation

MÉLANGE D'ÊTRE ET DE NON-ÊTRE,
DE FORME ET DE MATIÈRE

RÉALITÉ SENSIBLE
- En perpétuel changement
- Imitation, reflet des Idées
- Multitude d'êtres perceptibles au moyen des sens

L'ANALOGIE DE LA LIGNE

D'après Platon, il existe divers modes d'être, et ceux-ci sont ordonnés de façon hiérarchique selon le degré de clarté ou d'obscurité qu'ils offrent à notre connaissance. Platon représente cette conception par une ligne coupée en deux sections inégales qui figurent respectivement le monde sensible et le monde intelligible ; chacune des deux sections est ensuite coupée en deux autres sections, selon les mêmes proportions[6].

Dans le monde sensible, le premier segment est celui des images, des ombres et des reflets que l'on voit dans les eaux ou à la surface des corps opaques, polis et brillants. Le second segment correspond aux êtres mêmes que les images représentent : les animaux, les hommes, les plantes, les objets fabriqués.

Dans le monde intelligible, le premier segment est celui des êtres mathématiques, qui sont à mi-chemin entre le monde sensible et le monde parfaitement intelligible. Le second segment est celui des Idées.

---

6. Platon, *La République*, livre VI, p. 509d-511e.

FIGURE 7.2

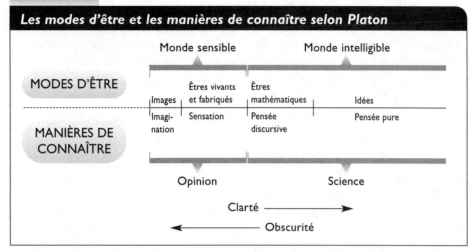

Les modes d'être et les manières de connaître selon Platon

À ces divers modes hiérarchisés de l'être, Platon fait correspondre quatre manières hiérarchisées de connaître. Le premier groupe d'êtres, celui des images, est connu au moyen de l'imagination. Cette façon de connaître est, selon Platon, celle qui contient le plus d'obscurité ; elle porte sur les choses qui sont les plus éloignées de la vérité. Vient ensuite la sensation, qui nous fait connaître le monde des êtres vivants et fabriqués. En l'absence de recours à la raison, la croyance en ce que révèlent les sens nous fait identifier l'être et l'apparence ; cette croyance ne peut donc nous procurer de connaissance plus haute que l'opinion, qui, tout comme le monde sensible, est changeante.

Au troisième segment d'êtres, les êtres mathématiques, correspond la pensée dis-cursive, c'est-à-dire la pensée qui procède par raisonnements qu'elle déduit successivement l'un de l'autre. Ici, l'âme part, par exemple, de figures sensibles (le tracé de figures géométriques : le triangle rectangle, le triangle isocèle, etc.) et construit ses hypothèses concernant des réalités intelligibles (les figures en soi ; par exemple, le triangle), qu'elle ne peut connaître qu'au moyen de la rai-son. Ensuite, partant de ces mêmes hypothèses, elle déduit toutes les propriétés des objets mathématiques.

Enfin, au quatrième segment, celui des Idées, correspond la pensée pure. Ici, l'âme fait ses hypothèses à l'aide de la seule pensée et elle s'élève jusqu'à la saisie de principes universels (qui ne sont plus de simples hypothèses), desquels elle peut, sans se tromper, déduire toutes les connaissances qui en dépendent. Elle atteint ainsi à la science la plus élevée.

Grâce à cette analogie, nous pouvons dégager deux éléments importants de la philosophie de Platon. Le premier, c'est que l'être intelligible est plus réel et plus vrai que l'être sensible. Sans la participation de l'être sensible à l'être intelligible, notre monde ne serait que non-être. C'est pourquoi les gens qui aiment la sagesse et qui recherchent la vérité doivent exercer leur âme à la connaissance des Idées immuables et éternelles.

Le second, c'est que sans la connaissance rationnelle des Idées, nous ne pourrions acquérir aucune connaissance véritable du monde sensible. Selon Platon, ce n'est qu'une fois que nous connaissons les Idées que nous pouvons avoir la science de ce que nous percevons par les sens ; la raison peut alors reconnaître les formes qui sont engagées dans la réalité sensible. Par exemple, dans le domaine politique, c'est seulement si nous connaissons la forme idéale de la justice que nous serons en mesure d'établir une société politique juste et ordonnée. L'Idée de justice nous fait voir ce qu'il y a d'essentiel et de vrai dans nos discours et dans notre pratique de la justice. Elle nous fait distinguer entre ce qui représente véritablement la justice et ce qui n'en est que l'apparence.

Selon Platon, on ne doit donc pas faire comme ceux qui promènent leur regard sur la multitude des choses sensibles sans voir ce qu'il y a en elles de plus vrai ; ou comme ceux qui énoncent leur opinion sur la multitude des choses justes sans connaître ce qu'est la justice en soi. Connaître, c'est, au contraire, regrouper la diversité des êtres sous leurs essences respectives ; c'est, par exemple, savoir que telle ou telle chose est belle (un bel objet, un beau visage, un beau corps, une belle connaissance), parce que la définition du beau en soi est valable pour chacune de ces choses.

L'exemple qui suit montre la supériorité de l'intelligence sur les sens. Il serait impossible de définir ce qu'est le Soleil si l'on se fiait aux diverses représentations que nous avons grâce à nos sens. À chaque moment de la journée, le Soleil change de position ; sa lumière change d'intensité. À eux seuls, nos sens ne peuvent nous dire si c'est le même Soleil que nous voyons ou si c'est chaque fois un Soleil différent – y a-t-il un seul ou plusieurs Soleils ? Seule l'intelligence, au moyen des Idées, nous permet de savoir que c'est le même Soleil ; elle seule nous indique l'unité à travers la multiplicité et le changement. L'intelligence perçoit un Soleil, toujours le même, à travers les multiples aspects qu'il adopte. C'est donc l'intelligence qui saisit l'être véritable de chaque chose.

L'ALLÉGORIE DE LA CAVERNE

Le chemin qui mène à la vérité est une route longue et escarpée qui nécessite un entraînement rigoureux. C'est pourquoi, selon Platon, la conversion de l'âme doit être entreprise dès la petite enfance. Au moyen de disciplines comme la musique et, surtout, les mathématiques, les enfants doivent être amenés lentement à distinguer le sensible de l'intelligible.

Mais, malgré ses souhaits, Platon sait que cette connaissance n'est pas le lot de tous. La grande majorité des humains n'ont pas reçu une éducation solide, et ils s'attachent comme des insensés à des ombres qu'ils prennent pour la vérité. Ils croient que l'acharnement qu'ils mettent à défendre leurs opinions est le signe de leur liberté ; au fond, ce ne sont que des esclaves qui chérissent les chaînes qu'ils se sont créées. Et si un jour ils rencontrent quelqu'un qui peut les guider sur la voie de la vérité, plutôt que de le suivre, ne voulant faire aucun effort, ils préfèrent le ridiculiser et même le tuer. Socrate est l'exemple parfait de celui qui a été condamné pour s'être battu contre l'ignorance de ceux qui prétendaient se préoccuper de justice sans savoir ce qu'elle était vraiment.

L'allégorie de la caverne.

Dans *La République*, Platon se sert d'une allégorie pour opposer la connaissance véritable à l'ignorance[7]. On y retrouve Socrate, qui discute avec Glaucon et lui demande de se représenter ce qui suit.

Des hommes vivent, depuis leur enfance, dans une demeure souterraine, en forme de caverne. Ces hommes ont les jambes et le cou enchaînés « de sorte qu'ils ne peuvent bouger ni voir ailleurs que devant eux ». Une faible lumière, qui pénètre par une ouverture faite sur toute la largeur de la caverne, leur permet de voir ; cette lumière « leur vient d'un feu allumé sur une hauteur », loin derrière eux. Entre le feu et eux, sur une route élevée, est construit un mur le long duquel des hommes portent des objets qui le dépassent : des statuettes d'hommes et d'animaux, en pierre, en bois et en toutes sortes de matières. Dans une telle situation, les prisonniers de la caverne, qui n'ont jamais vu autre chose que les ombres des objets qui sont projetées par le feu, devant eux, croient que celles-ci constituent la réalité même.

Socrate demande alors à Glaucon d'imaginer ce qui se produirait si l'on détachait l'un de ces prisonniers, qu'on le forçait à se dresser, à marcher, à se tourner vers la lumière ; qu'on l'arrachait de sa caverne, qu'on lui faisait gravir la montée rude et escarpée et qu'on le traînait jusqu'à la lumière du Soleil. Évidemment, cet homme, aveuglé par la lumière, croirait que les ombres qu'il voyait auparavant étaient plus vraies et plus réelles que ce qu'on lui montre maintenant. Toutefois, après une longue habitude, lorsqu'il serait disposé à voir les objets de la région supérieure : d'abord, les images qui se reflètent dans les eaux, ensuite les objets fabriqués et les humains, puis la clarté des astres et de la Lune et, finalement, le Soleil, il ne pourrait que s'en réjouir. Sa difficile progression, à partir de la vue

---

7. Platon, *La République*, livre VII. Voir à la fin du chapitre, le texte « L'allégorie de la caverne ».

des ombres projetées sur le mur de la caverne jusqu'à la vue de la lumière du Soleil, l'aurait amené à comprendre que la véritable source de lumière, celle qui donne l'existence aux êtres de la nature et à leurs ombres, c'est le Soleil. Sans lui, même le monde de la caverne ne pourrait exister.

À l'écoute de ce récit, Glaucon se rend compte que l'ascension du prisonnier dans le monde du jour est le bien le plus désirable qui soit. Socrate compare alors cette opposition entre l'obscurité de la caverne et la clarté du jour à l'opposition qui existe entre le monde sensible et le monde intelligible. De même que le monde du jour, éclairé par le Soleil, est plus réel et plus vrai que le monde de la caverne, le monde intelligible, éclairé par l'Idée du bien, est plus réel et plus vrai que le monde sensible. Dans le monde intelligible, l'Idée du bien est souveraine et source de tout ce qui existe et de toute connaissance ; c'est même elle qui, dans le monde sensible, a engendré le Soleil.

Platon utilise l'allégorie de la caverne pour illustrer l'originalité de la démarche du philosophe (le prisonnier qui se libère) dans son ascension vers le monde des Idées, alors que le commun des mortels (les autres prisonniers) vivent dans la confusion des fausses représentations et des illusions que leur livre le monde sensible.

LA DIALECTIQUE PLATONICIENNE

Selon Platon, le but de l'éducation philosophique est de détourner l'âme de la séduction qu'exerce le monde sensible et des tentations qu'il offre, et de la diriger vers la contemplation de l'être véritable. Cette conversion nécessite cependant une méthode dont l'ordre et les règles conduisent à la vérité. La méthode platonicienne a pour nom **dialectique**. Platon l'oppose à la rhétorique des sophistes, comme la science s'oppose à l'opinion et au vraisemblable. Selon lui, la rhétorique ne se soucie pas de vérité quand il s'agit de questions aussi importantes que la justice et le bien. Elle ne fait qu'exploiter des connaissances préliminaires et techniques qui n'ont aucune valeur sans la connaissance de ce dont on traite. Selon Platon, les sophistes visent non pas la vérité, mais l'utilité et leurs propres intérêts. Ils enseignent non pas ce qu'est réellement le juste, mais ce qui semble tel. Les dialecticiens visent, au contraire, à faire naître la justice véritable dans l'âme de leurs auditeurs. Pour cela, ils doivent connaître l'essence des choses dont ils parlent ; ils doivent posséder la connaissance des formes universelles, desquelles dépendent tous les cas particuliers.

La dialectique platonicienne consiste en deux opérations de la raison : la synthèse et la division ou analyse.

D'abord, il faut ramener à l'unité les notions éparses afin d'éclaircir, par la définition universelle, le sujet dont on veut traiter : c'est la synthèse. L'esprit doit s'élever jusqu'à la saisie des Idées ou principes premiers. Par exemple, dans leur recherche sur la nature de l'amour, les dialecticiens partent de différentes hypothèses (l'amour est l'union harmonieuse des contraires ; l'amour est le dieu qui inspire les poètes ; l'amour est le désir des plaisirs charnels ; l'amour est le désir du bien, etc.) ; ils font un examen rationnel de ces hypothèses pour en révéler les contradictions, jusqu'à ce qu'ils aboutissent à la découverte de la définition essentielle de l'amour.

Une fois atteinte l'essence du sujet dont on traite, la division, ou analyse, consiste à redistribuer l'Idée en ses différentes parties, en tâchant de ne rien omettre. Ainsi, à partir de la forme la plus générale, les dialecticiens s'attachent à déduire toutes les connaissances qui en découlent. Ils résolvent les contradictions nées de l'affrontement des opinions, parce qu'ils examinent chacune de ces dernières à la lumière des formes universelles.

Selon Platon, la dialectique est l'unique méthode qui permet de discourir de façon scientifique sur toutes choses, parce qu'elle fonde la légitimité de nos discours sur les liaisons essentielles qu'entretiennent entre elles les choses. L'âme des dialecticiens leur permet de discerner les relations qui existent entre les formes intelligibles, de voir leurs hiérarchies, leurs ressemblances et leurs différences, ainsi que l'ordre qui régit les copies qui composent le monde sensible. Seuls les dialecticiens sont capables de cette intuition, ou vision d'ensemble, parce que leur âme est tournée tout entière vers la lumière du bien qui ordonne tout dans le monde intelligible et dans le monde sensible.

Il est possible de voir dans la méthode platonicienne, la dialectique, un prolongement de la méthode socratique, la discussion réfutative.

FIGURE 7.3

Les démarches de la dialectique

PRINCIPES (PHILOSOPHIE)

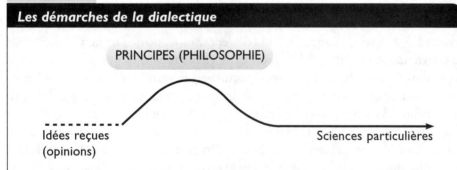

Idées reçues (opinions)

Sciences particulières

1. *Démarche préliminaire.* Destruction des idées reçues. Cette démarche est l'œuvre de Socrate.

2. *Démarche ascendante ou synthèse.* Élévation jusqu'à la saisie des Idées ou des principes premiers. C'est ici que se situe la science du dialecticien ou philosophe.

3. *Démarche descendante ou division.* Application des principes à la réalité ou constitution des sciences particulières. À partir des principes, il est possible de déduire toutes les connaissances qui concernent la nature et les pratiques humaines.

La théorie de la réminiscence

Même si notre monde n'est qu'un flux perpétuel de contradictions, qu'il ne nous offre rien de plus que le spectacle de copies imparfaites de l'être véritable, nous avons, selon Platon, le désir de posséder une vérité plus grande que ce qui apparaît à nos sens. Mais d'où nous vient ce désir ?

Selon Platon, il nous vient du plus profond de nous, car les formes universelles préexistent déjà en nous et, si nous sommes à l'écoute de notre âme, nous pouvons nous servir de l'expérience sensible pour nous les remémorer.

Platon croit en la transmigration successive de l'âme. Avant d'entrer pour la première fois dans le corps d'un être humain, toute âme a vécu, pour un temps plus ou moins long, dans le lieu supracéleste, où elle a assisté à la contemplation des formes éternelles. Ces formes sont le lien qui rattache son existence dans ce monde-ci à son existence dans le monde de l'au-delà. Il est donc possible pour l'âme, au moyen d'un exercice intellectuel intense, de posséder à nouveau ce savoir perdu. Par exemple, les choses belles peuvent éveiller en elle la pensée de l'Idée du beau.

Pour l'âme, la connaissance est donc un « ressouvenir » de ce qu'elle a contemplé avant sa descente dans un corps. Connaître, ce n'est pas recevoir un enseignement d'autrui, c'est chercher au fond de nous les connaissances innées qui y sont enfouies et, une fois que nous les tenons, y rattacher la diversité de l'expérience sensible. C'est précisément à cela que, selon Platon, s'appliquent avec méthode les philosophes.

Le philosophe-roi et la cité idéale

Tout comme Socrate, Platon veut rendre les citoyens vertueux. Cependant, alors que Socrate semblait croire que la rééducation morale des individus pouvait entraîner une société meilleure, avec Platon apparaît la nécessité de réformer d'abord la société, conçue comme un tout indivisible. Si la cité est organisée en fonction de la justice, chaque individu deviendra juste, pense Platon. Celui-ci fonde sa conviction sur le fait que la majorité des êtres humains – puisque les hommes sages sont naturellement très rares – acquièrent la vertu par l'habitude et l'exercice, sans être en mesure de distinguer le bien du mal. Laissés à eux-mêmes, ils ont tendance à suivre leurs désirs irrationnels, à chercher le plaisir plutôt qu'à obéir à la raison qui les guide vers le bien ; ils se laissent séduire facilement par ce qui n'a que l'apparence du bien. Ce faisant, ils détruisent l'harmonie naturelle de leur âme, disloquent le lien social et s'éloignent de plus en plus de la vérité. C'est pourquoi il faut administrer la vie politique de telle sorte que tout citoyen se perçoive comme une partie indissociable de l'unité sociale et qu'il soit amené, pour lui-même et pour la cité entière, à désirer le bien véritable.

Platon adresse plusieurs critiques à la démocratie telle qu'elle est pratiquée à son époque. Selon lui, la démocratie aboutit inévitablement à l'anarchie politique ; pis encore, elle conduit progressivement au règne de la tyrannie la plus cruelle.

D'abord, la démocratie encourage les démagogues qui sont en mal de pouvoir personnel. Ceux-ci sont prêts à user de n'importe quel moyen pour plaire à la foule, et ne se préoccupent pas du tout de la vérité et du bien commun. Mais, selon Platon, l'ordre politique doit imiter l'ordre divin des Idées; il doit reposer sur une norme universelle du bien et non sur l'opinion. Ensuite, la démocratie suppose l'existence d'une multitude de lois, de décrets et de réformes qui finissent par être trop nombreux pour que le peuple les connaisse et les respecte. La scène politique, qui devrait être le lieu de la justice, devient donc alors celui des intérêts particuliers. Enfin, il y a un désordre total dans les rôles et les fonctions que chacun est appelé à remplir. Selon Platon, il est insensé qu'un artisan, un cordonnier ou un commerçant soit membre de l'Assemblée qui délibère sur les lois alors qu'il n'a pas les connaissances nécessaires pour jouer ce rôle. La liberté qui s'exprime dans le fait que tout citoyen est tour à tour gouvernant et gouverné est, selon lui, à l'origine de l'injustice et de tous les vices. Pour toutes ces raisons, Platon oppose à la démocratie son modèle d'une cité idéale où régnerait l'ordre. Son but est de rendre les citoyens meilleurs.

De même que, dans la conception platonicienne du monde, l'Idée du bien précède tout, dans la cité idéale, il y a antériorité de l'Idée de justice par rapport à l'organisation des affaires humaines. La justice est conçue comme l'ordre imposé à l'individu et à la cité tout en respectant la nature profonde de chacun. Cet ordre, imitant l'ordre céleste des Idées, préside à l'unité de la cité et assure ainsi le bonheur de la cité tout entière. Dans l'État idéal, le bien commun l'emporte sur la poursuite des biens individuels, et cette préséance est garante de l'entente mutuelle.

L'Idée de justice est, par ailleurs, supérieure aux lois. Selon Platon, la sauvegarde de l'ordre ne peut reposer sur une multitude de lois qui n'ont que l'apparence de la justice. Ce qu'il faut, c'est implanter la vertu dans la vie de chaque citoyen. L'éducation doit faire en sorte que les individus ne consacrent pas leur existence à la poursuite égoïste de biens matériels et de luxe, mais qu'ils se tournent plutôt vers la recherche du bien véritable. Platon souhaite la substitution d'un désir rationnel de ce qui est juste au désir irrationnel d'acquérir du pouvoir et des richesses de plus en plus grandes. Selon lui, les lois ne devraient pas légitimer l'exercice de telles libertés individuelles.

Buste de guerrier lacédémonien.

Pour contrer le désordre de la démocratie, Platon veut rétablir des fonctions précises pour chaque classe de citoyens. Il croit en une harmonie dans laquelle chacun se tient à sa place et en est content. Cette harmonie représente la vertu des hommes ; elle correspond à la réalisation concrète de l'Idée de justice. Selon Platon, « la nature n'a pas fait chacun de nous semblable à chacun, mais différent d'aptitudes, et propre à telle fonction »[8]. Par conséquent, dans la cité idéale, les classes sont fondées non sur la répartition des richesses, mais sur la répartition des fonctions.

La cité idéale comprend trois classes. Les deux premières classes sont composées des gardiens de la cité : la première comprend les chefs qui gouvernent et délibèrent sur les lois ; la deuxième, les guerriers qui veillent au respect de l'ordre. La troisième classe correspond au peuple : les artisans, les agriculteurs, les ouvriers, les commerçants de tout ordre qui s'occupent des biens de subsistance pour l'ensemble des citoyens.

Les gardiens de la cité

1. Les chefs ou philosophes-rois   2. Les guerriers   3. Le peuple

La place qui revient à chaque individu n'est pas déterminée héréditairement. Elle repose sur les aptitudes de chacun, qu'un système d'éducation bien administré révèle. Autrement dit, dans le cas d'un grand mérite ou, à l'inverse, d'une grande incapacité, on peut passer d'une classe à une autre. Cette possibilité vaut par ailleurs autant pour les femmes que pour les hommes ; dans la cité de Platon, les femmes peuvent être chefs.

Platon croit que ce sont les philosophes qui doivent détenir le pouvoir ; c'est une condition nécessaire à la réalisation de la cité idéale. Les philosophes savent comment réaliser le bonheur des hommes, car, ayant contemplé la vérité et le monde des Idées, ils peuvent établir ici-bas les lois du beau, du juste et du bon. C'est donc aux philosophes que revient la tâche de construire une cité juste, car ce sont eux qui s'attachent à la justice pour ce qu'elle est en soi, indépendamment de ce qui apparaît à chacun. Ils ne confondent pas les Idées et les choses qui participent des Idées ; ils ne prennent jamais les choses belles pour le beau ni le beau pour les choses belles. Ils s'opposent aux sophistes et aux démagogues, qui sont toujours à l'affût d'assemblées politiques et de spectacles, sans jamais avoir contemplé les Idées du juste et du beau. Les sophistes ne s'élèvent jamais au-dessus de l'opinion et encouragent la création d'une multitude de lois sans intérêt pour la recherche de la vérité. Platon veut remplacer ces ambitieux qui cherchent à tout prix le pouvoir par des dirigeants qui connaissent la vérité et se préoccupent du bien-être collectif. Selon lui, il n'y a aucun bonheur possible si les chefs ne sont pas des philosophes. Même si la contemplation des Idées est la seule chose qu'ils désirent, les philosophes ont donc le devoir de redescendre des cieux sur la terre pour y réaliser l'humanité véritable. Mais les hommes sages sont rares. La cité sera gouvernée par une monarchie ou une aristocratie, selon qu'il y aura une seule ou plusieurs personnes qui surpassent les autres en sagesse.

---

8. Platon, *La République*, livre II, introduction, traduction et notes de R. Baccou, Paris, Garnier-Flammarion, 1966, p. 370b.

Les guerriers doivent veiller sévèrement à ce que chacun remplisse sa fonction et à ce que le goût de la nouveauté et du luxe ne se développe pas chez les citoyens. Leur mission consiste à garantir la subordination des bonheurs individuels au bonheur collectif. À cette fin, les guerriers sont eux-mêmes assujettis à un mode de vie très strict. La communauté des biens leur est imposée ; ainsi, affranchi des petitesses individuelles, leur esprit peut se tourner, à tous les niveaux, vers la recherche de fins plus nobles et l'exercice de la vertu.

La propriété individuelle n'est permise que dans le peuple, où elle est maintenue dans de justes limites. Les chefs eux-mêmes sont ceux qui, dans les faits, possèdent le moins de richesses matérielles. Ils travaillent uniquement pour le bien de la collectivité. Selon Platon, la justice nécessite cette répartition équitable des biens : de trop grands écarts entre riches et pauvres entraîneraient une division au sein de la cité et empêcheraient la réalisation de l'unité dans l'harmonie, la concorde et la vérité.

Cette division de la société en trois classes imite la division platonicienne de l'âme. Selon Platon, l'âme comprend trois parties : l'élément rationnel (en grec : *logistikón*), l'élément irascible (en grec : *thumós*) et l'élément concupiscible ou désir irrationnel (en grec : *epithumía*). Dans *La République*, Platon associe à chacun de ces éléments une vertu et une fonction conforme à cette vertu.

L'élément rationnel de l'âme a la propriété de s'élever au-dessus des choses sensibles et d'accéder au monde des Idées. La vertu de cet élément est par conséquent la connaissance vraie des choses, c'est-à-dire la sagesse. Conformément à cela, le rôle de la raison est de commander. L'individu agit vertueusement lorsqu'il obéit aux ordres de la raison, puisqu'elle seule sait ce qu'est véritablement la vertu ; ses actions sont belles et justes parce que sa raison connaît les Idées du beau et du juste. C'est pour cela que, selon Platon, l'ordre politique repose sur le règne des philosophes-rois, car ils sont ceux qui ont contemplé les formes du juste, du beau, du bien. De même que, dans l'individu, les désirs multiples doivent être assujettis à la raison, dans la cité, le peuple doit être gouverné par la raison unificatrice des chefs.

La partie intermédiaire de l'âme, l'élément irascible, est droite lorsqu'elle contraint les désirs irrationnels à obéir aux ordres de la raison. Sa vertu est le courage. Le courage est «cette force qui sauvegarde constamment l'opinion droite et légitime, touchant les choses qui sont ou ne sont pas à craindre»[9]. Lorsque, au contraire, l'élément irascible se laisse entraîner par les appétits de l'élément concupiscible, au lieu d'être courageux, il est lâche et coléreux de façon incontrôlée ; il n'exerce plus sa fonction. L'élément irascible correspond dans l'âme individuelle à ce que sont les guerriers dans la cité.

Enfin, la partie concupiscible, ou désir irrationnel, est l'élément qui entraîne l'âme vers les plaisirs sensuels et l'acquisition de richesses. En cela, l'élément concupiscible fait obstacle à la connaissance de la vérité. Selon Platon, il est comparable au peuple. Toutefois, l'individu, tout comme le peuple, est dit tempérant lorsqu'il

---

9. Platon, *La République*, livre IV, introduction, traduction et notes de R. Baccou, Paris, Garnier-Flammarion, 1966, p. 430b.

La roue de la Fortune. Edward Burne-Jones, 1883.

accepte d'être gouverné par la raison ; sinon, il devient esclave de lui-même et déréglé. La tempérance est la vertu du caractère qui valorise la maîtrise de soi et la modération dans les plaisirs des sens. « Elle consiste en cette concorde, harmonie naturelle entre le supérieur et l'inférieur sur le point de savoir qui doit commander, et dans la cité et dans l'individu[10]. » Dans l'âme, la tempérance établit la concorde entre l'élément le plus faible (le désir irrationnel), l'élément intermédiaire (l'élément irascible) et l'élément le plus fort (la raison). Dans la cité, la tempérance établit la concorde entre la classe inférieure (le peuple), la classe auxiliaire (les guerriers) et la classe supérieure (les chefs). La réalisation de la justice est atteinte lorsqu'il y a harmonie entre ces différents éléments et que chacun remplit vertueusement sa fonction et est heureux de la place qu'il occupe.

Dans *Phèdre*, Platon illustre cette division de l'âme à l'aide d'une image, celle d'un char ailé tiré par un attelage de deux chevaux, un blanc et un noir, et conduit par un cocher. Le cocher étant le guide de l'attelage, il représente la raison ; afin de mener l'équipage à bon port, il doit faire preuve de sagesse et gouverner avec fermeté. Le cheval blanc, celui de droite, est d'excellente race ; il est bon et bien dressé. Il représente l'amour de l'honneur et le courage. Il se laisse conduire facilement par les paroles du cocher. Le cheval noir, celui de gauche, est mauvais ; rebelle et indiscipliné, il n'écoute que ses élans sauvages. Il représente le désir irrationnel. Il tire le cocher et l'autre cheval vers les désirs les plus vils et il n'obéit qu'avec peine aux coups de fouet qu'il reçoit du cocher. Conduire un tel char – tenir les rênes de notre âme – est donc une tâche bien difficile. Au terme de cette lutte, si le désir irrationnel sort vainqueur, l'âme, tout comme le char, perd ses ailes ; du ciel où elle vivait, elle est alors entraînée dans l'oubli d'elle-même et de ce qu'il y a de meilleur en elle. Cependant, lorsque, au contraire, les éléments supérieurs l'emportent, l'âme est libre ; elle vit dans le bonheur parfait.

---

10. *Ibid.,* p. 432a.

LE CHOIX D'UNE VIE BONNE

La République se termine avec un mythe **eschatologique** qui rattache l'étude de la philosophie à la fin dernière de l'être humain. Er le Pamphylien, qui est mort dans une bataille, revient à la vie après 12 jours. Il a été choisi par les juges célestes pour être le messager de l'au-delà auprès des humains. Il raconte comme suit le spectacle du Jugement dernier auquel il a assisté lors de son séjour parmi les morts.

Après la mort, les âmes qui ont eu une bonne vie vont au ciel, où elles assistent à des visions splendides; celles qui ont eu une mauvaise vie habitent les profondeurs de la terre, où elles expient leurs fautes. Mais tous les mille ans, à moins qu'elles n'aient commis de trop grands crimes, les âmes sont admises au choix d'une nouvelle vie terrestre. Des modèles de vie sont alors placés devant les âmes : des vies d'animaux et des vies humaines de toutes sortes. Les âmes doivent choisir à tour de rôle, selon le rang qui leur a été attribué par le sort. Les premières âmes s'élancent souvent à l'aveuglette et choisissent les destins les plus mauvais, échangeant une bonne vie contre une mauvaise. Beaucoup d'entre elles, n'ayant jamais appris à distinguer rationnellement entre le bien et le mal, se laissent séduire par le pouvoir ou par la renommée et choisissent des vies de tyrans ou des vies dans lesquelles elles recevront des honneurs liés à la beauté ou à la force. Ces âmes ne voient pas que le mal qu'elles accompliront sur la terre leur sera remis au décuple après leur mort.

Ce n'est qu'après avoir fait leur choix que les âmes peuvent lire leur destin; alors certaines se mettent à pleurer et à avoir peur, car ce choix est irrémédiable. Les dieux n'y sont cependant pour rien; ils n'interviennent qu'une fois que les choix ont été faits. C'est alors seulement que la déesse Nécessité et ses filles, les Moires, veillent à ce que la destinée de chaque mortel soit accomplie. Chaque âme aura, sur terre, le démon gardien (le dieu personnel) qui convient au choix qu'elle aura fait et dont elle est responsable.

Ce mythe illustre, selon Platon, que le choix le meilleur est celui d'une vie vertueuse, et qu'il ne faut pas tenir compte de tout le reste : pouvoir, richesses, honneurs. Il faut à tout prix fuir les excès. Durant la vie terrestre, il faut se laisser guider par les philosophes, qui savent discerner les bonnes et les mauvaises conditions; il faut aussi philosopher soi-même, car ceux qui s'adonnent à la philosophie sont heureux non seulement sur terre, mais aussi pendant leur voyage dans l'au-delà.

Il convient de remarquer l'importance que prend, avec Socrate et Platon, la question de la responsabilité morale. Bien que la séparation de l'ordre politique et de l'ordre religieux ait déjà été accomplie aux débuts de la philosophie, la croyance au destin est encore, à l'époque de Platon, omniprésente. Comme tel, le problème philosophique de la responsabilité et de la liberté humaines ne fait pas encore l'objet de discussions ouvertes. Mais comme on peut le voir, les réflexions de Platon conduiront à ce nouveau problème.

DÉFINITIONS

ESCHATOLOGIQUE
Concerne l'étude des fins dernières de l'univers et de l'humanité. Ce terme est employé surtout en théologie pour désigner le problème du Jugement dernier.

RÉSUMÉ

Platon

Les sources de la pensée de Platon

Très tôt, Platon abandonne l'idée de faire de la politique et se consacre à la philosophie. Selon lui, seule la possession du savoir philosophique par les chefs peut assurer le salut de l'État. En −387, Platon fonde l'Académie. Il veut prolonger l'entreprise morale de Socrate, mais il réconcilie d'abord les conceptions de l'être qu'ont élaborées ses prédécesseurs. Selon lui, la connaissance véritable de la nature et la rectitude des pratiques humaines reposent sur des principes permanents et rationnels.

L'idéalisme de Platon

La réalité sensible est un mélange d'être et de non-être. La réalité idéale correspond à l'être au sens absolu. Pour chaque espèce d'êtres du monde sensible, il y a une Idée, qui reste toujours la même. L'Idée existe séparément et antérieurement aux êtres sensibles. Ces derniers reçoivent leur existence de leur participation à la réalité idéale. Ils ne sont que des imitations des Idées, tout comme leur propre image n'est qu'une imitation d'eux-mêmes. Pour avoir une connaissance de la nature essentielle des choses, il faut rapporter la multiplicité des êtres de notre monde aux Idées correspondantes. Platon est un idéaliste, car, selon lui, l'Idée transcende le réel. L'Idée du bien est supérieure à toutes les autres. Les Idées ont une existence parfaite, alors que l'existence des êtres sensibles dépend de leur degré de participation à la réalité idéale.

L'analogie de la ligne

Il existe quatre modes hiérarchisés d'être — les images, les êtres vivants et fabriqués, les êtres mathématiques et les Idées —, auxquels correspondent des manières hiérarchisées de connaître : l'imagination, la sensation, la pensée discursive et la pensée pure. Les sens ne peuvent nous procurer de connaissance supérieure à l'opinion. Seule la pensée pure a accès aux principes universels. L'être intelligible est plus réel et plus vrai que l'être sensible. Accéder à une connaissance scientifique de la réalité sensible nécessite la connaissance préalable des Idées. La raison, contrairement aux sens, rassemble la diversité sensible sous des essences communes.

L'allégorie de la caverne

L'éducation doit viser la conversion de l'âme, afin que les humains se débarrassent de leurs opinions et chérissent la vérité. La plupart des humains ressemblent aux prisonniers de la caverne qui prennent de vaines ombres pour la vérité. L'obscurité de la caverne est à la clarté du jour ce que l'obscurité de la réalité sensible est à la clarté de la réalité intelligible. L'Idée du bien est source de toute connaissance ; sans elle, les humains sont condamnés à l'ignorance.

La dialectique platonicienne

La méthode des philosophes est, selon Platon, la dialectique. Celle-ci s'oppose à la rhétorique. Elle procède par synthèse et analyse. La synthèse consiste à rassembler en une unité tout ce qui concerne le sujet dont on traite. L'analyse consiste à rediviser le sujet en ses vraies parties ou à déduire d'une même forme universelle toutes les connaissances qui en dépendent. Les dialecticiens sont capables d'une vision d'ensemble des réalités intelligible et sensible. La dialectique platonicienne complète la méthode socratique de la réfutation.

La théorie de la réminiscence

Notre âme a déjà contemplé les Idées dans une vie antérieure. Elle peut, dans ce monde-ci, se servir de l'expérience sensible pour se remémorer les formes en soi.

Le philosophe-roi et la cité idéale

La vertu des individus dépend de l'organisation politique de la cité. Il existe trois raisons principales pour lesquelles Platon s'oppose à la démocratie. Premièrement, elle encourage le pouvoir des démagogues et des flatteurs. Deuxièmement, elle conduit à l'existence d'une trop grande quantité de lois. Troisièmement, le fait que chacun soit tour à tour gouvernant et gouverné conduit au désordre social. Dans *La République*, Platon propose des solutions à ces problèmes. D'abord, il fait reposer l'ordre de la cité sur des efforts pour implanter la justice dans l'âme des citoyens plutôt que sur une multitude de lois qui légitiment la poursuite d'intérêts individuels. Ensuite, la cité doit être conçue comme un tout dans lequel chaque citoyen remplit la fonction qui convient à ses aptitudes. Enfin, le pouvoir doit être confié aux philosophes, car ces derniers sont les seules personnes capables d'établir les lois du beau, du juste et du bon. La cité idéale est divisée en trois classes qui imitent les trois parties de l'âme. Dans la cité, le gouvernement des philosophes correspond, dans l'âme, à la partie rationnelle, dont la vertu est la sagesse. La classe des guerriers correspond à l'élément irascible de l'âme, dont la vertu est le courage. Enfin, le peuple correspond à la partie irrationnelle de l'âme, dont la vertu est la tempérance.

Le choix d'une vie bonne

Le mythe d'Er est un mythe eschatologique qui rattache l'étude de la philosophie à la fin dernière de l'être humain. L'âme a la responsabilité du genre de vie qu'elle choisit. Le meilleur choix est celui d'une vie vertueuse. Il faut se laisser guider par les philosophes. Les réflexions de Platon ouvrent la voie aux discussions portant sur le problème de la liberté et de la responsabilité.

Activités d'apprentissage

L'idéalisme de Platon

1. Dans «L'Idée du bien», Platon compare l'Idée du bien au Soleil.

   a) Faites ressortir une ressemblance.

   b) Faites ressortir une différence.

2. Dans un texte d'environ une demi-page, expliquez, dans vos mots, la théorie platonicienne de la participation.

L'analogie de la ligne

3. Après avoir lu «Phédon», répondez aux questions suivantes.

   a) Pourquoi Socrate dit-il que nous n'atteindrons la vérité que lorsque nous aurons trépassé? Donnez votre réponse dans un texte d'environ une demi-page.

   b) Que veut dire l'expression «la chasse des réalités»?

   c) Quel est, d'après vous, le thème de ce texte?

L'allégorie de la caverne

4. Après la lecture de «L'allégorie de la caverne», répondez aux questions suivantes.

   a) Pourquoi Socrate dit-il que si l'on détache l'un des prisonniers et qu'on le force à lever les yeux vers la lumière, il croira que les ombres de la caverne sont plus réelles que les objets qui sont à l'extérieur de la caverne?

   b) Quelles raisons Socrate donne-t-il à Glaucon pour lui démontrer que l'Idée du bien dans le monde intelligible est comparable au Soleil dans le monde visible?

   c) Au sujet de quelle vertu morale Socrate oppose-t-il celui qui a contemplé les Idées à ceux qui s'occupent des affaires humaines?

   d) Pourquoi Socrate dit-il que si quelqu'un tentait de libérer et de conduire les autres prisonniers à l'extérieur de la caverne, ces derniers le tueraient?

   e) Le monde de la caverne et le monde du jour possèdent, chacun, une source de lumière et deux niveaux hiérarchisés de réalités. Le monde de la caverne a pour source de lumière le feu; le niveau supérieur de réalités y est constitué d'objets fabriqués, et le niveau inférieur des ombres de ces objets. Le monde du jour a pour source de lumière le Soleil; le niveau supérieur de réalités y est constitué d'êtres vivants, et le niveau inférieur des ombres de ces êtres et de leurs reflets dans les eaux.

   Socrate démontre à Glaucon que le monde du jour est plus vrai et plus réel que le monde de la caverne. Toutefois, le monde du jour, qui en réalité est semblable au monde sensible, est lui-même inférieur au monde intelligible.

   Dites: 1) quelle est la source de lumière du monde intelligible, 2) de quoi est constitué son niveau supérieur de réalités et 3) son niveau inférieur.

   f) Dans un court paragraphe, expliquez pourquoi, d'après vous, beaucoup d'êtres humains n'aspirent pas au savoir.

La dialectique platonicienne

5. Selon Platon, « connaître, c'est rattacher la diversité de l'expérience sensible aux formes universelles ». Défendez cette thèse dans un court texte d'argumentation qui comprend les éléments suivants :

a) une introduction avec un thème, un problème, une antithèse et la thèse ;

b) trois prémisses ;

c) deux objections (empruntées aux théories des sophistes) ;

d) deux réfutations ;

e) une brève conclusion.

Le philosophe-roi et la cité idéale

6. Dans « Le philosophe-roi », Platon fait dire à Socrate qu'« il n'y aura de cesse aux maux de la cité, tant que les philosophes ne seront pas rois ».

a) Trouvez trois prémisses qui justifient cette thèse.

b) Choisissez l'une des trois prémisses et expliquez-la dans vos propres mots.

c) Expliquez, dans vos propres mots, ce que Socrate veut faire comprendre à Adimante en établissant une comparaison entre le vrai pilote et le philosophe.

7. Pensez-vous qu'il soit possible que les citoyens voient dans le bien de l'État leur propre bonheur ? Pour répondre à cette question, vous devez :

a) formuler une thèse ;

b) appuyer votre thèse sur un argument rationnel ;

c) émettre une objection ;

d) réfuter cette objection.

L'Idée du Bien

Platon, *La République*, livre VI, introduction, traduction et notes de R. Baccou,
Paris, Garnier-Flammarion, 1966, p. 264-267.

SOCRATE : Nous disons […] qu'il y a de multiples choses belles, de multiples choses bonnes, etc., et nous les distinguons dans le discours.

GLAUCON : Nous le disons en effet.

SOCRATE : Et nous appelons beau en soi, bien en soi et ainsi de suite, l'être réel de chacune des choses que nous posions d'abord comme multiples, mais que nous rangeons ensuite sous leur idée propre, postulant l'unité de cette dernière.

GLAUCON : C'est cela.

SOCRATE : Et nous disons que les unes sont perçues par la vue et non par la pensée, mais que les idées sont pensées et ne sont pas vues.

GLAUCON : Parfaitement.

SOCRATE : Or, par quelle partie de nous-mêmes percevons-nous les choses visibles ?

GLAUCON : Par la vue.

SOCRATE : En admettant que les yeux soient doués de la faculté de voir, que celui qui possède cette faculté s'efforce de s'en servir, et que les objets auxquels il l'applique soient colorés, s'il n'intervient pas un troisième élément, destiné précisément à cette fin, tu sais que la vue ne percevra rien et que les couleurs seront invisibles.

GLAUCON : De quel élément parles-tu donc ? […]

SOCRATE : De ce que tu appelles la lumière […].

GLAUCON : Tu dis vrai.

SOCRATE : Quel est donc de tous les dieux du ciel celui que tu peux désigner comme le maître de ceci, celui dont la lumière permet à nos yeux de voir de la meilleure façon possible, et aux objets visibles d'être vus ?

GLAUCON : Celui-là même que tu désignerais, ainsi que tout le monde ; car c'est le soleil évidemment que tu me demandes de nommer.

SOCRATE : Sache donc que c'est lui que je nomme le fils du bien, que le bien a engendré semblable à lui-même. Ce que le bien est dans le domaine de l'intelligible à l'égard de la pensée et de ses objets, le soleil l'est dans le domaine du visible à l'égard de la vue et de ses objets.

GLAUCON : Comment ? […] explique-moi cela.

SOCRATE : Tu sais […] que les yeux, lorsqu'on les tourne vers des objets dont les couleurs ne sont plus éclairées par la lumière du jour, mais par la lueur des astres nocturnes, perdent leur acuité et semblent presque aveugles comme s'ils n'étaient point doués de vue nette.

GLAUCON : Je le sais fort bien.

SOCRATE : Mais lorsqu'on les tourne vers des objets qu'illumine le soleil, ils voient distinctement et montrent qu'ils sont doués de vue nette.

GLAUCON : Sans doute.

SOCRATE : Conçois donc qu'il en est de même à l'égard de l'âme ; quand elle fixe ses regards sur ce que la vérité et l'être illuminent, elle le comprend, le connaît, et montre qu'elle est douée d'intelligence ; mais quand elle les porte sur ce qui est mêlé d'obscurité, sur ce qui naît et périt, sa vue s'émousse, elle n'a plus que des opinions, passe sans cesse de l'une à l'autre, et semble dépourvue d'intelligence.

GLAUCON : Elle en semble dépourvue, en effet.

SOCRATE : Avoue donc que ce qui répand la lumière de la vérité sur les objets de la connaissance et confère au sujet qui connaît le pouvoir de connaître, c'est l'idée du bien ; puisqu'elle est le principe de la science et de la vérité, tu peux la concevoir comme objet de connaissance, mais si belles que soient ces deux choses, la science et la vérité, tu ne te tromperas point en pensant que l'idée du bien en est distincte et les surpasse en beauté ; comme dans le monde visible, on a raison de penser que la lumière et la vue sont semblables au soleil, mais tort de croire qu'elles sont le soleil, de même, dans le monde intelligible, il est juste de penser que la science et la vérité sont l'une et l'autre semblables au bien, mais faux de croire que l'une ou l'autre soit le bien ; la nature du bien doit être regardée comme beaucoup plus précieuse.

GLAUCON : Sa beauté, d'après toi, est au-dessus de toute expression s'il produit la science et la vérité et s'il est encore plus beau qu'elles. Assurément, tu ne le fais pas consister dans le plaisir.

SOCRATE : Ne blasphème pas […] ; mais considère plutôt son image de cette manière.

GLAUCON : Comment ?

SOCRATE : Tu avoueras, je pense, que le soleil donne aux choses visibles non seulement le pouvoir d'être vues, mais encore la génération, l'accroissement et la nourriture, sans être lui-même génération.

GLAUCON : Comment le serait-il, en effet ?

SOCRATE : Avoue aussi que les choses intelligibles ne tiennent pas seulement du bien leur intelligibilité, mais tiennent encore de lui leur être et leur essence, quoique le bien ne soit point l'essence, mais fort au-dessus de cette dernière en dignité et en puissance.

Alors Glaucon s'écria de façon comique : Par Apollon ! voilà une merveilleuse supériorité !

Phédon

Platon, *Phédon*, dans *Œuvres complètes*, tome IV, 1re partie, texte établi et traduit par Léon Robin, Paris, Les Belles Lettres, 1963, p. 14-16.

SOCRATE : Mais que dire maintenant, Simmias, de ce que voici ? Affirmons-nous l'existence de quelque chose qui soit « juste » tout seul, ou la nions-nous ?

SIMMIAS : Nous l'affirmons, bien sûr, par Zeus !

SOCRATE : Et aussi, n'est-ce pas, de quelque chose qui soit « beau », et « bon » ?

SIMMIAS : Comment non ?

SOCRATE : Maintenant, c'est certain, jamais aucune chose de ce genre, tu ne l'as vue avec tes yeux ?

SIMMIAS : Pas du tout […].

SOCRATE : Mais alors, c'est que tu les as saisies par quelque autre sens que ceux dont le corps est l'instrument ? Or ce dont je parle là, c'est pour tout, ainsi pour « grandeur », « santé », « force », et pour le reste aussi, c'est, d'un seul mot et sans exception, sa réalité : ce que précisément chacune de ces choses est. Est-ce donc par le moyen du corps que s'observe ce qu'il y a en elles de plus vrai ? Ou bien, ce qui se passe n'est-ce pas plutôt que celui qui, parmi nous, se sera au plus haut point et le plus exactement préparé à penser en elle-même chacune des choses qu'il envisage et prend pour objet, c'est lui qui doit le plus se rapprocher de ce qui est connaître chacune d'elles ?

SIMMIAS : C'est absolument certain.

SOCRATE : Et donc ce résultat, qui le réaliserait dans sa plus grande pureté sinon celui qui, au plus haut degré possible, userait, pour approcher de chaque chose, de la seule pensée, sans recourir dans l'acte de penser ni à la vue, ni à quelque autre sens, sans en traîner après soi aucun en compagnie du raisonnement ? celui qui, au moyen de la pensée en elle-même et par elle-même et sans mélange, se mettrait à la chasse des réalités, de chacune en elle-même aussi et par elle-même et sans mélange ? et cela, après s'être le plus possible débarrassé de ses yeux, de ses oreilles, et, à bien parler, du corps tout entier, puisque c'est lui qui trouble l'âme et l'empêche d'acquérir vérité et pensée, toutes les fois qu'elle a commerce avec lui ? N'est-ce pas, Simmias, celui-là, si personne au monde, qui atteindra le réel ?

SIMMIAS : Impossible, Socrate, […] de parler plus vrai !

SOCRATE : Ainsi donc, nécessairement, […] toutes ces considérations font naître en l'esprit des philosophes authentiques une croyance capable de leur inspirer dans leurs entretiens un langage tel que celui-ci :

« Oui, peut-être bien y a-t-il une sorte de sentier qui nous mène tout droit, quand le raisonnement nous accompagne dans la recherche ; et c'est cette idée : aussi longtemps que nous aurons notre corps et que notre âme sera pétrie avec cette chose mauvaise, jamais nous ne posséderons en suffisance l'objet de notre désir ! Or cet objet, c'est, disons-nous, la vérité. Et non seulement mille et mille tracas nous sont en effet suscités par le corps à l'occasion des nécessités de la vie ; mais des maladies surviennent-elles, voilà pour nous de nouvelles entraves dans notre chasse au réel ! Amours, désirs, craintes, imaginations de toute sorte, innombrables sornettes, il nous en remplit si bien, que par lui (oui, c'est vraiment le mot connu) ne nous vient même, réellement, aucune pensée de bon sens ; non, pas une fois ! Voyez plutôt : les guerres, les dissensions, la bataille, il n'y a pour les susciter que le corps et ses convoitises ; la possession des biens, voilà en effet la cause originelle de toutes les guerres, et, si nous sommes poussés à nous procurer des biens, c'est à cause du corps, esclaves attachés à son service ! Par sa faute encore, nous mettons de la paresse à philosopher à cause de tout cela. Mais ce qui est le comble, c'est que, sommes-nous arrivés enfin à avoir de son côté quelque tranquillité, pour nous tourner alors vers un objet quelconque de réflexion, nos recherches sont à nouveau bousculées en tous sens par cet intrus qui nous assourdit, nous trouble et nous démonte, au point de nous rendre incapables de distinguer le vrai. Inversement, nous avons réellement la preuve que, si nous devons jamais savoir purement quelque chose, il nous faudra nous séparer de lui et regarder avec l'âme en elle-même les choses en elles-mêmes. C'est alors, à ce qu'il semble, que nous appartiendra ce dont nous nous déclarons amoureux : la pensée ; oui, alors que nous aurons trépassé, ainsi que le signifie l'argument, et non point durant notre vie ! Si en effet il est impossible, dans l'union avec le corps, de rien connaître purement, de deux choses l'une : ou bien d'aucune façon au monde il ne nous est donné d'arriver à acquérir le savoir, ou bien c'est une fois trépassés, car c'est à ce moment que l'âme sera en elle-même et par elle-même, à part du corps, mais non auparavant. En outre, pendant le temps que peut durer notre vie, c'est ainsi que nous serons, semble-t-il, le plus près de savoir, quand le plus possible nous n'aurons en rien avec le corps société ni commerce à moins de nécessité majeure, quand nous ne serons pas non plus contaminés par sa nature, mais que nous serons au contraire purs de son contact, et jusqu'au jour où le Dieu aura lui-même dénoué nos liens. Étant enfin de la sorte parvenus à la pureté parce que nous aurons été séparés de la démence du corps, nous serons vraisemblablement unis à des êtres pareils à nous ; et par nous, rien que par nous, nous connaîtrons tout ce qui est sans mélange. Et c'est en cela d'autre part que probablement consiste le vrai. N'être pas pur et se saisir pourtant de ce qui est pur, voilà en effet, on peut le craindre, ce qui n'est point permis ! »

Tels sont, je crois, Simmias, nécessairement les propos échangés, les jugements portés par tous ceux qui sont, au droit sens du terme, des amis du savoir. Ne t'en semble-t-il pas ainsi ?

SIMMIAS : Oui, rien de plus probable, Socrate.

L'allégorie de la caverne

Platon, *La République*, livre VII, introduction, traduction et notes de R. Baccou, Paris, Garnier-Flammarion, 1966, p. 273-277.

[handwritten annotations: Analogie de la ligne / Science lumière / Opinion / discernité]

SOCRATE : Maintenant, [...] représente-toi de la façon que voici l'état de notre nature relativement à l'instruction et à l'ignorance. Figure-toi des hommes dans une demeure souterraine, en forme de caverne, ayant sur toute sa largeur une entrée ouverte à la lumière ; ces hommes sont là depuis leur enfance, les jambes et le cou enchaînés, de sorte qu'ils ne peuvent bouger ni voir ailleurs que devant eux, la chaîne les empêchant de tourner la tête ; la lumière leur vient d'un feu allumé sur une hauteur, au loin derrière eux ; entre le feu et les prisonniers passe une route élevée : imagine que le long de cette route est construit un petit mur, pareil aux cloisons que les montreurs de marionnettes dressent devant eux, et au-dessus desquelles ils font voir leurs merveilles.

GLAUCON : Je vois cela [...].

SOCRATE : Figure-toi maintenant le long de ce petit mur des hommes portant des objets de toute sorte, qui dépassent le mur, et des statuettes d'hommes et d'animaux, en pierre, en bois, et en toute espèce de matière ; naturellement, parmi ces porteurs, les uns parlent et les autres se taisent.

GLAUCON : Voilà [...] un étrange tableau et d'étranges prisonniers.

SOCRATE : Ils nous ressemblent, [...] et d'abord, penses-tu que dans une telle situation ils aient jamais vu autre chose d'eux-mêmes et de leurs voisins que les ombres projetées par le feu sur la paroi de la caverne qui leur fait face ?

GLAUCON : Et comment ? [...] s'ils sont forcés de rester la tête immobile durant toute leur vie ?

SOCRATE : Et pour les objets qui défilent, n'en est-il pas de même ?

GLAUCON : Sans contredit.

SOCRATE : Si donc ils pouvaient s'entretenir ensemble ne penses-tu pas qu'ils prendraient pour des objets réels les ombres qu'ils verraient ?

GLAUCON : Il y a nécessité.

SOCRATE : Et si la paroi du fond de la prison avait un écho, chaque fois que l'un des porteurs parlerait, croiraient-ils entendre autre chose que l'ombre qui passerait devant eux ?

GLAUCON : Non, par Zeus [...].

SOCRATE : Assurément, [...] de tels hommes n'attribueront de réalité qu'aux ombres des objets fabriqués.

GLAUCON : C'est de toute nécessité.

SOCRATE : Considère maintenant ce qui leur arrivera naturellement si on les délivre de leurs chaînes et qu'on les guérisse de leur ignorance. Qu'on détache l'un de ces prisonniers, qu'on le force à se dresser immédiatement, à tourner le cou, à marcher, à lever les yeux vers la lumière : en faisant tous ces mouvements il souffrira, et l'éblouissement l'empêchera de distinguer ces objets dont tout à l'heure il voyait les ombres. Que crois-tu donc qu'il répondra si quelqu'un lui vient dire qu'il n'a vu jusqu'alors que de vains fantômes, mais qu'à présent, plus près de la réalité et tourné vers des objets plus réels, il voit plus juste ? si, enfin, en lui montrant chacune des choses qui passent, on l'oblige, à force de questions, à dire ce que c'est ? Ne penses-tu pas qu'il sera embarrassé, et que les ombres qu'il voyait tout à l'heure lui paraîtront plus vraies que les objets qu'on lui montre maintenant ?

GLAUCON : Beaucoup plus vraies [...].

SOCRATE : Et si on le force à regarder la lumière elle-même, ses yeux n'en seront-ils pas blessés ? n'en fuira-t-il pas la vue pour retourner aux choses qu'il peut regarder, et ne croira-t-il pas que ces dernières sont réellement plus distinctes que celles qu'on lui montre ?

GLAUCON : Assurément.

SOCRATE : Et si [...] on l'arrache de sa caverne par force, qu'on lui fasse gravir la montée rude et escarpée, et qu'on ne le lâche pas avant de l'avoir traîné jusqu'à la lumière du soleil, ne souffrira-t-il pas vivement, et ne se plaindra-t-il pas de ces violences ? Et lorsqu'il sera parvenu à la lumière, pourra-t-il, les yeux tout éblouis par son éclat, distinguer une seule des choses que maintenant nous appelons vraies ?

GLAUCON : Il ne le pourra pas, [...] du moins dès l'abord.

SOCRATE : Il aura [...] besoin d'habitude pour voir les objets de la région supérieure. D'abord ce seront les ombres qu'il distinguera le plus facilement, puis les images des hommes et des autres objets qui se reflètent dans les eaux, ensuite les objets eux-mêmes. Après cela, il pourra, affrontant la clarté des astres et de la lune, contempler plus facilement pendant la nuit les corps célestes et le ciel lui-même, que pendant le jour le soleil et sa lumière.

GLAUCON : Sans doute.

SOCRATE : À la fin, j'imagine, ce sera le soleil — non ses vaines images réfléchies dans les eaux ou en quelque autre endroit — mais le soleil lui-même à sa vraie place, qu'il pourra voir et contempler tel qu'il est.

GLAUCON : Nécessairement [...].

SOCRATE : Après cela il en viendra à conclure au sujet du soleil, que c'est lui qui fait les saisons et les années, qui gouverne tout dans le monde visible, et qui, d'une certaine manière, est la cause de tout ce qu'il voyait avec ses compagnons dans la caverne.

GLAUCON : Évidemment, c'est à cette conclusion qu'il arrivera.

SOCRATE : Or donc, se souvenant de la première demeure, de la sagesse que l'on y professe, et de ceux qui y furent ses compagnons de captivité, ne crois-tu pas qu'il se réjouira du changement et plaindra ces derniers ?

GLAUCON : Si, certes.

SOCRATE : Et s'ils se décernaient alors entre eux honneurs et louanges, s'ils avaient des récompenses pour celui qui saisissait de l'œil le plus vif le passage des ombres, qui se rappelait le mieux celles qui avaient coutume de venir les premières ou les dernières, ou de marcher ensemble, et qui par là était le plus habile à deviner leur apparition, penses-tu que notre homme fût jaloux de ces distinctions, et qu'il portât envie à ceux qui, parmi les prisonniers, sont honorés et puissants ? Ou bien, comme le héros d'Homère, ne préférera-t-il pas mille fois n'être qu'un valet de charrue, au service d'un pauvre laboureur, et souffrir tout au monde plutôt que de revenir à ses anciennes illusions et de vivre comme il vivait ?

GLAUCON : Je suis de ton avis [...] il préférera tout souffrir plutôt que de vivre de cette façon là.

SOCRATE : Imagine encore que cet homme redescende dans la caverne et aille s'asseoir à son ancienne place : n'aura-t-il pas les yeux aveuglés par les ténèbres en venant brusquement du plein soleil ?

GLAUCON : Assurément si [...].

SOCRATE : Et s'il lui faut entrer de nouveau en compétition, pour juger ces ombres, avec les prisonniers qui n'ont point quitté leurs chaînes, dans le moment où sa vue est encore confuse et avant que ses yeux se soient remis (or l'accoutumance à l'obscurité demandera un temps assez long), n'apprêtera-t-il pas à rire à ses dépens, et ne diront-ils pas qu'étant allé là-haut il en est revenu avec la vue ruinée, de sorte que ce n'est même pas la peine d'essayer d'y monter ? Et si quelqu'un tente de les délier et de les conduire en haut, et qu'ils le puissent tenir en leurs mains et tuer, ne le tueront-ils pas ?

GLAUCON : Sans aucun doute [...].

SOCRATE : Maintenant, mon cher Glaucon, [...] il faut appliquer point par point cette image à ce que nous avons dit plus haut, comparer le monde que nous découvre la vue au séjour de la prison, et la lumière du feu qui l'éclaire à la puissance du soleil. Quant à la montée dans la région supérieure et à la contemplation de ses objets, si tu la considères comme l'ascension de l'âme vers le lieu intelligible, tu ne te tromperas pas sur ma pensée, puisque aussi bien tu désires la connaître. Dieu sait si elle est vraie. Pour moi, telle est mon opinion : dans le monde intelligible l'idée du bien est perçue la dernière et avec peine, mais on ne la peut percevoir sans conclure qu'elle est la cause de tout ce qu'il y a de droit et de beau en toutes choses; qu'elle a, dans le monde visible, engendré la lumière et le souverain de la lumière; que, dans le monde intelligible, c'est elle-même qui est souveraine et dispense la vérité et l'intelligence; et qu'il faut la voir pour se conduire avec sagesse dans la vie privée et dans la vie publique.

GLAUCON : Je partage ton opinion [...] autant que je le puis.

SOCRATE : Eh bien! partage-la encore sur ce point, et ne t'étonne pas que ceux qui se sont élevés à ces hauteurs ne veuillent plus s'occuper des affaires humaines, et que leurs âmes aspirent sans cesse à demeurer là-haut. Cela est bien naturel si notre allégorie est exacte.

GLAUCON : C'est, en effet, bien naturel [...].

SOCRATE : Mais quoi ? Penses-tu qu'il soit étonnant qu'un homme qui passe des contemplations divines aux misérables choses humaines ait mauvaise grâce et paraisse tout à fait ridicule, lorsque, ayant encore la vue troublée et n'étant pas suffisamment accoutumé aux ténèbres environnantes, il est obligé d'entrer en dispute, devant les tribunaux ou ailleurs, sur des ombres de justice ou sur les images qui projettent ces ombres, et de combattre les interprétations qu'en donnent ceux qui n'ont jamais vu la justice elle-même ?

GLAUCON : Il n'y a rien d'étonnant.

SOCRATE : En effet, [...] un homme sensé se rappellera que les yeux peuvent être troublés de deux manières et par deux causes opposées : par le passage de la lumière à l'obscurité, et par celui de l'obscurité à la lumière ; et, ayant réfléchi qu'il en est de même pour l'âme, quand il en verra une troublée et embarrassée pour discerner certains objets, il n'en rira pas sottement, mais examinera plutôt si, venant d'une vie plus lumineuse, elle est, faute d'habitude, offusquée par les ténèbres, ou si passant de l'ignorance à la lumière, elle est éblouie de son trop vif éclat ; dans le premier cas il l'estimera heureuse en raison de ce qu'elle éprouve et de la vie qu'elle mène ; dans le second, il la plaindra, et s'il voulait rire à ses dépens, ses moqueries seraient moins ridicules que si elles s'adressaient à l'âme qui redescend du séjour de la lumière.

GLAUCON : C'est parler [...] avec beaucoup de sagesse.

SOCRATE : Il nous faut donc, si tout cela est vrai, en conclure ceci : l'éducation n'est point ce que certains proclament qu'elle est : car ils prétendent l'introduire dans l'âme, où elle n'est point, comme on donnerait la vue à des yeux aveugles.

GLAUCON : Ils le prétendent, en effet.

SOCRATE : Or, [...] le présent discours montre que chacun possède la faculté d'apprendre et l'organe destiné à cet usage, et que, semblable à des yeux qui ne pourraient se tourner qu'avec le corps tout entier des ténèbres vers la lumière, cet organe doit aussi se détourner avec l'âme tout entière de ce qui naît, jusqu'à ce qu'il devienne capable de supporter la vue de l'être et de ce qu'il y a de plus lumineux dans l'être ; et cela nous l'appelons le bien, n'est-ce pas ?

GLAUCON : Oui.

SOCRATE : L'éducation est donc l'art qui se propose ce but, la conversion de l'âme, et qui recherche les moyens les plus aisés et les plus efficaces de l'opérer ; elle ne consiste pas à donner la vue à l'organe de l'âme, puisqu'il l'a déjà ; mais comme il est mal tourné et ne regarde pas où il faudrait, elle s'efforce de l'amener dans la bonne direction.

Le philosophe-roi

Platon, *La République*, livres V et VI, introduction, traduction et notes de R. Baccou, Paris, Garnier-Flammarion, 1966, p. 229-258 (extraits).

SOCRATE : Tant que les philosophes ne seront pas rois dans les cités, ou que ceux qu'on appelle aujourd'hui rois et souverains ne seront pas vraiment et sérieusement philosophes ; tant que la puissance politique et la philosophie ne se rencontreront pas dans le même sujet ; tant que les nombreuses natures qui poursuivent actuellement l'un ou l'autre de ces buts de façon exclusive ne seront pas mises dans l'impossibilité d'agir ainsi, il n'y aura de cesse, mon cher Glaucon, aux maux des cités, ni, ce me semble, à ceux du genre humain, et jamais la cité que nous avons décrite tantôt ne sera réalisée, autant qu'elle peut l'être, et ne verra la lumière du jour. Voilà ce que j'hésitais depuis longtemps à dire, prévoyant combien ces paroles heurteraient l'opinion commune. Il est en effet difficile de concevoir qu'il n'y ait pas de bonheur possible autrement, pour l'État et pour les particuliers.

GLAUCON : Quels sont alors, selon toi, les vrais philosophes ?

SOCRATE : Ceux qui aiment le spectacle de la vérité [...].

GLAUCON : Tu as certainement raison [...] mais qu'entends-tu par là ?

SOCRATE : Ce ne serait pas facile à expliquer à un autre ; mais je crois que tu m'accorderas ceci.

GLAUCON : Quoi ?

SOCRATE : Puisque le beau est l'opposé du laid ce sont deux choses distinctes.

GLAUCON : Comment non ?

SOCRATE : Mais puisque ce sont deux choses distinctes, chacune d'elles est une ?

GLAUCON : Oui.

SOCRATE : Il en est de même du juste et de l'injuste, du bon et du mauvais et de toutes les autres formes : chacune d'elles, prise en soi, est une ; mais du fait qu'elles entrent en communauté avec des actions, des corps, et entre elles, elles apparaissent partout, et chacune semble multiple.

GLAUCON : Tu as raison [...].

SOCRATE : C'est en ce sens que je distingue d'une part ceux qui aiment les spectacles, les arts, et sont des hommes pratiques, et d'autre part ceux dont il s'agit dans notre discours, les seuls qu'on puisse à bon droit appeler philosophes.

GLAUCON : En quel sens ? [...]

SOCRATE : Les premiers, [...] dont la curiosité est toute dans les yeux et dans les oreilles, aiment les belles voix, les belles couleurs, les belles figures et tous les ouvrages où il entre quelque chose de semblable, mais leur intelligence est incapable de voir et d'aimer la nature du beau lui-même.

GLAUCON : Oui, il en est ainsi.

SOCRATE : Mais ceux qui sont capables de s'élever jusqu'au beau lui-même, et de le voir dans son essence, ne sont-ils pas rares ?

GLAUCON : Très rares.

SOCRATE : Celui donc qui connaît les belles choses, mais ne connaît pas la beauté elle-même et ne pourrait pas suivre le guide qui le voudrait mener à cette connaissance, te semble-t-il vivre en rêve ou éveillé ? Examine : rêver n'est-ce pas, qu'on dorme ou qu'on veille, prendre la ressemblance d'une chose non pour une ressemblance, mais pour la chose elle-même ?

GLAUCON : Assurément, c'est là rêver.

SOCRATE : Mais celui qui croit, au contraire, que le beau existe en soi, qui peut le contempler dans son essence et dans les objets qui y participent, qui ne prend jamais les choses belles pour le beau, ni le beau pour les choses belles, celui-là te semble-t-il vivre éveillé ou en rêve ?

GLAUCON : Éveillé, certes.

SOCRATE : Donc, ne dirions-nous pas avec raison que sa pensée est connaissance, puisqu'il connaît, tandis que celle de l'autre est opinion, puisque cet autre juge sur des apparences ?

GLAUCON : Sans doute.

SOCRATE : Puisque sont philosophes ceux qui peuvent atteindre à la connaissance de l'immuable, tandis que ceux qui ne le peuvent, mais errent dans la multiplicité des objets changeants, ne sont pas philosophes, lesquels faut-il prendre pour chefs de la cité ?

GLAUCON : Que dire ici pour faire une sage réponse ?

SOCRATE : Ceux qui paraîtront capables de veiller sur les lois et les institutions de la cité sont ceux que nous devons établir gardiens.

GLAUCON : Bien [...].

SOCRATE : Mais [...] la question se pose-t-elle de savoir si c'est à un aveugle ou à un clairvoyant qu'il faut confier la garde d'un objet quelconque ?

GLAUCON : Comment [...] se poserait-elle ?

SOCRATE : Or, en quoi diffèrent-ils, selon toi, des aveugles ceux qui sont privés de la connaissance de l'être réel de chaque chose, qui n'ont dans leur âme aucun modèle lumineux, ni ne peuvent, à la manière des peintres, tourner leurs regards vers le vrai absolu, et après l'avoir contemplé avec la plus grande attention, s'y rapporter pour établir ici-bas les lois du beau, du juste et du bon, s'il est besoin de les établir, ou veiller à leur sauvegarde, si elles existent déjà ?

GLAUCON : Par Zeus, [...] ils ne diffèrent pas beaucoup des aveugles !

SOCRATE : Les prendrons-nous donc comme gardiens, de préférence à ceux qui connaissent l'être de chaque chose, et qui, d'ailleurs, ne le leur cèdent ni en expérience ni en aucun genre de mérite ?

GLAUCON : Il serait absurde d'en choisir d'autres que ces derniers, si, pour le reste, ils ne le cèdent en rien aux premiers ; car sur le point qui est peut-être le plus important ils détiennent la supériorité.

ADIMANTE : Mais alors, […] comment est-on fondé à prétendre qu'il n'y aura point de cesse aux maux qui désolent les cités tant que celles-ci ne seront pas gouvernées par ces philosophes que nous reconnaissons, par ailleurs, leur être inutiles ?

SOCRATE : Tu me poses là une question à laquelle je ne puis répondre que par une image.

ADIMANTE : Pourtant, […] il me semble que tu n'as pas coutume de t'exprimer par images !

SOCRATE : Bien, […] tu me railles après m'avoir engagé dans une question si difficile à résoudre. Or donc, écoute ma comparaison afin de mieux voir encore combien je suis attaché à ce procédé. Le traitement que les États font subir aux hommes les plus sages est si dur qu'il n'est personne au monde qui en subisse de semblable, et que, pour en composer une image, celui qui les veut défendre est obligé de réunir les traits de multiples objets, à la manière des peintres qui représentent des animaux moitié boucs moitié cerfs, et d'autres assemblages du même genre. Imagine donc quelque chose comme ceci se passant à bord d'un ou de plusieurs vaisseaux. Le patron, en taille et en force, surpasse tous les membres de l'équipage, mais il est un peu sourd, un peu myope, et a, en matière de navigation, des connaissances aussi courtes que sa vue. Les matelots se disputent entre eux le gouvernail : chacun estime que c'est à lui de le tenir, quoiqu'il n'en connaisse point l'art, et qu'il ne puisse dire sous quel maître ni dans quel temps il l'a appris. Bien plus, ils prétendent que ce n'est point un art qui s'apprenne, et si quelqu'un ose dire le contraire, ils sont prêts à le mettre en pièces. Sans cesse autour du patron, ils l'obsèdent de leurs prières, et usent de tous les moyens pour qu'il leur confie le gouvernail ; et s'il arrive qu'ils ne le puissent persuader, et que d'autres y réussissent, ils tuent ces derniers ou les jettent par-dessus bord. Ensuite ils s'assurent du brave patron, soit en l'endormant avec de la mandragore, soit en l'enivrant, soit de toute autre manière ; maîtres du vaisseau, ils s'approprient alors tout ce qu'il renferme et, buvant et festoyant, naviguent comme peuvent naviguer de pareilles gens ; en outre, ils louent et appellent bon marin, excellent pilote, maître en l'art nautique, celui qui sait les aider à prendre le commandement — en usant de persuasion ou de violence à l'égard du patron — et blâment comme inutile quiconque ne les aide point : d'ailleurs, pour ce qui est du vrai pilote, ils ne se doutent même pas qu'il doit étudier le temps, les saisons, le ciel, les astres, les vents, s'il veut réellement devenir capable de diriger un vaisseau ; quant à la manière de commander, avec ou sans l'assentiment de telle ou telle partie de l'équipage, ils ne croient pas qu'il soit possible de l'apprendre, par l'étude ou par la pratique, et en même temps l'art du pilotage. Ne penses-tu pas que sur les vaisseaux où se produisent de pareilles scènes le vrai pilote sera traité par les matelots de bayeur aux étoiles, de vain discoureur et de propre à rien ?

ADIMANTE : Sans doute […].

SOCRATE : Tu n'as pas besoin, je crois, de voir cette comparaison expliquée pour y reconnaître l'image du traitement qu'éprouvent les vrais philosophes dans les cités : j'espère que tu comprends ma pensée.

ADIMANTE : Sans doute.

SOCRATE : Présente donc, d'abord, cette comparaison à celui qui s'étonne de voir que les philosophes ne sont pas honorés dans les cités, et tâche de lui persuader que ce serait une merveille bien plus grande qu'ils le fussent.

ADIMANTE : Je le ferai.

SOCRATE : Ajoute que tu ne te trompais pas en déclarant que les plus sages d'entre les philosophes sont inutiles au plus grand nombre, mais fais observer que de cette inutilité ceux qui n'emploient pas les sages sont la cause, et non les sages eux-mêmes. Il n'est pas naturel, en effet, que le pilote prie les matelots de se laisser gouverner par lui, ni que les sages aillent attendre aux portes des riches. L'auteur de cette plaisanterie a dit faux. La vérité est que, riche ou pauvre, le malade doit aller frapper à la porte du médecin, et que quiconque a besoin d'un chef doit aller frapper à celle de l'homme qui est capable de commander : ce n'est pas au chef, si vraiment il peut être utile, à prier les gouvernés de se soumettre à son autorité. Ainsi, en comparant les politiques qui gouvernent aujourd'hui aux matelots dont nous parlions tout à l'heure, et ceux qui sont traités par eux d'inutiles et de bavards perdus dans les nuages aux véritables pilotes, tu ne te tromperas pas.

SOCRATE : Aussi bien, Adimante, celui dont la pensée s'applique vraiment à la contemplation des essences n'a-t-il pas le loisir d'abaisser ses regards vers les occupations des hommes, de partir en guerre contre eux, et de s'emplir de haine et d'animosité; la vue retenue par des objets fixes et immuables, qui ne se portent ni ne subissent de mutuels préjudices, mais sont tous sous la loi de l'ordre et de la raison, il s'efforce de les imiter, et, autant que possible, de se rendre semblable à eux. Car penses-tu qu'il y ait moyen de ne pas imiter ce dont on s'approche sans cesse avec admiration ?

ADIMANTE : Cela ne se peut.

SOCRATE : Donc, le philosophe ayant commerce avec ce qui est divin et soumis à l'ordre devient lui-même ordonné et divin, dans la mesure où cela est possible à l'homme; mais il n'est rien qui échappe au dénigrement, n'est-ce pas ?

ADIMANTE : Assurément.

SOCRATE : Or, si quelque nécessité le forçait à entreprendre de faire passer l'ordre qu'il contemple là-haut dans les mœurs publiques et privées des hommes, au lieu de se borner à façonner son propre caractère, penses-tu qu'il serait un mauvais artisan de tempérance, de justice et de toute autre vertu démotique ?

ADIMANTE : Point du tout [...].

SOCRATE : Maintenant si le peuple vient à comprendre que nous disons la vérité sur ce point, s'irritera-t-il encore contre les philosophes, et refusera-t-il de croire avec nous qu'une cité ne sera heureuse qu'autant que le plan en aura été tracé par des artistes utilisant un modèle divin ?

ADIMANTE : Il ne s'irritera point, [...] si toutefois il parvient à comprendre. Mais de quelle manière entends-tu que les philosophes tracent ce plan ?

SOCRATE : Prenant comme toile une cité et des caractères humains, ils commenceront par les rendre nets — ce qui n'est point facile du tout. Mais tu sais qu'ils diffèrent déjà en cela des autres, qu'ils ne voudront s'occuper d'un État ou d'un individu pour lui tracer des lois, que lorsqu'ils l'auront reçu net, ou eux-mêmes rendu tel.

ADIMANTE : Et avec raison.

SOCRATE : Après cela, n'esquisseront-ils pas la forme du gouvernement ?

ADIMANTE : Sans doute.

SOCRATE : Ensuite, je pense, parachevant cette esquisse, ils porteront fréquemment leurs regards, d'un côté sur l'essence de la justice, de la beauté, de la tempérance et des vertus de ce genre, et de l'autre sur la copie humaine qu'ils en font ; et par la combinaison et le mélange d'institutions appropriées, ils s'efforceront d'atteindre à la ressemblance de l'humanité véritable, en s'inspirant de ce modèle qu'Homère, lorsqu'il le rencontre parmi les hommes, appelle divin et semblable aux dieux.

ADIMANTE : Bien [...].

SOCRATE : Et ils effaceront, je pense, et peindront de nouveau, jusqu'à ce qu'ils aient obtenu des caractères humains aussi chers à la Divinité que de tels caractères peuvent l'être.

ADIMANTE : Certes, ce sera là un superbe tableau !

SOCRATE : Eh bien ! [...] aurons-nous convaincu ceux que tu représentais comme prêts à fondre sur nous qu'un tel peintre de constitutions est l'homme que nous leur vantions tout à l'heure, et qui excitait leur mauvaise humeur, parce que nous voulions lui confier le gouvernement des cités ? Se sont-ils adoucis en nous écoutant ?

ADIMANTE : Beaucoup, [...] s'ils sont raisonnables.

LECTURES SUGGÉRÉES

BRUN, Jean. *Platon et l'Académie*, Paris, PUF, 1960, coll. « Que sais-je ? », n° 880.

PLATON. *La République*, introduction, traduction et notes de R. Baccou, Paris, Garnier-Flammarion, 1966. (Il existe aussi plusieurs autres traductions.)

PLATON. *La République*, livres VI et VII, traduction et commentaires de Monique Dixsaut, Paris, Bordas, 1986, coll. « Les Œuvres philosophiques ».

PLATON. *La République*, livre VII, présentation et commentaires de B. Piettre, Paris, Nathan, 1981, coll. « Les Intégrales de Philo ».

RODIS-LEWIS, Geneviève. *Platon et la chasse de l'être : choix de textes*, Paris, Seghers, 1965, coll. « Philosophes de tous les temps ».

Glossaire

A

ABSOLU Qui porte en soi sa raison d'être ; qui ne dépend de rien d'autre. (p. 10)

ABSTRAIRE Considérer une notion en dehors des représentations concrètes où elle est donnée. (p. 5)

AGNOSTIQUE Relatif à l'agnosticisme, qui considère qu'il est inutile de se préoccuper de métaphysique et de théologie, car leur objet est inconnaissable. L'agnosticisme diffère de l'athéisme, qui nie l'existence même de Dieu. (p. 98)

C

CAUSE Raison explicative de l'être. La cause est en quelque sorte un aspect que nous devons absolument considérer si nous voulons avoir une connaissance complète des choses. Dans son sens plus actuel, le mot « cause » est toujours corrélatif du mot « effet » ; « cause » ne peut désigner, en ce sens, que le changement ou la finalité. (p. 10)

CONCEPT Idée générale, connue au moyen de la raison et à l'égard de laquelle les choses ne sont que des cas individuels et concrets. Par exemple, l'humain est un concept alors que Martin, Julie et Pierre sont des individus concrets. Un concept est ce qui donne un sens à un mot. Sans concepts, il ne pourrait y avoir de langage articulé. (p. 5)

CONVENTION Accord auquel on consent par choix, par opposition à ce qui est déterminé par la nature ou par les dieux. (p. 102)

D

DIALECTIQUE Dans la philosophie de Platon, ce terme désigne le mouvement de l'esprit qui, raisonnant sur les opinions formées à partir des sensations, s'élève jusqu'à l'universel, c'est-à-dire jusqu'aux Idées (synthèse), et qui, à partir des Idées, déduit toutes les connaissances (analyse). (p. 158)

DISCUSSION RÉFUTATIVE La discussion réfutative, ou réfutation socratique, comprend l'ensemble des échanges mettant en lumière les contradictions qui peuvent découler d'une thèse. On appelle « réfutation » et non « objection » l'ensemble des prémisses que Socrate rassemble et oppose à la thèse soutenue par son interlocuteur, lorsque ces prémisses rendent la thèse inacceptable. (p. 122)

DUALISME Doctrine métaphysique selon laquelle la réalité est composée de deux types d'êtres distincts et irréductibles. (p. 34)

E

ESCHATOLOGIQUE Concerne l'étude des fins dernières de l'univers et de l'humanité. Ce terme est employé surtout en théologie pour désigner le problème du Jugement dernier. (p. 165)

F

FORME Pour Socrate, la forme correspond à la nature essentielle d'une chose. Dans la définition universelle, la forme fournit la raison pour laquelle une chose particulière appartient à un ensemble donné. Par exemple, Pierre appartient à la classe des êtres humains, non pas parce qu'il a les yeux bleus (ce qui lui est particulier), mais parce qu'il est un animal doué de raison. (p. 124)

H

HUMANISME Doctrine qui subordonne la vérité à l'esprit humain et à l'expérience. L'homme devient le juge exclusif de la réalité. Dans le domaine des choses humaines, l'humanisme privilégie la croyance dans le salut de l'homme au moyen des seules forces humaines. (p. 98)

I

IDÉALISME L'idéalisme pose que le réel ne possède pas par lui-même ses attributs essentiels, mais qu'il les tient uniquement de la pensée ou plus spécifiquement, chez Platon, de l'Idée. (p. 152)

IDÉE Pour Platon, l'Idée et la forme sont identiques ; bien qu'on utilise généralement le terme « Idée » pour désigner leur existence en tant qu'indépendante du monde sensible, le terme « forme » désigne la même réalité, mais engagée dans les êtres sensibles, dont elle constitue la nature essentielle. (p. 150)

IMMANENT Ce qui est compris à l'intérieur même d'un être ou d'un ensemble d'êtres (par exemple, la nature) et qui ne résulte pas de l'action d'êtres extérieurs (par exemple, les divinités). (p. 25)

INTELLIGIBLE Qui ne peut être connu qu'au moyen de l'intelligence ou de la raison, par opposition à ce qui est connu au moyen des sens. (p. 33)

M

MOUVEMENT Les différentes sortes de changement que nous pouvons constater chez les êtres naturels. Par exemple, naître et mourir, croître et décroître. (p. 8)

MYTHE Ce mot vient du grec *mûthos* qui signifie « légende, fable, conte ». Dans l'Antiquité, les mythes étaient, pour la plupart, des légendes ayant des dieux pour personnages principaux, et par lesquels on tentait de reconstituer l'origine de tout ce à quoi on accordait de l'importance. De nos jours, les grandes religions monothéistes s'appuient également sur des mythes de l'origine. (p. 23)

N

NATURE Ce terme vient du mot latin *natura* et correspond au terme grec *phúsis*, qui est à la source de notre terme « physique ». La nature correspond à l'univers sensible, matériel et changeant. (p. 8)

O

OBJECTIF Ce qui concerne la réalité telle qu'elle existe, indépendamment de la perception ou de la connaissance que nous en avons. (p. 9)

P

POSITIVE Est positif ce qui est connu comme fait d'expérience. Une loi positive est une loi tirée de l'expérimentation, que l'on reconnaît comme représentant de façon exacte la réalité. (p. 14)

PRAGMATIQUE Ce terme a plusieurs sens. Dans le présent contexte, on peut le définir ainsi : est pragmatique ce qui ne considère les choses (le mot « chose » en grec se dit *prâgma*) que du point de vue de leur utilité pour la conduite humaine. (p. 101)

PRINCIPE Origine ou point de départ soit d'un mouvement naturel, soit d'une action, soit de la connaissance. Dans le sens d'origine de la connaissance, un principe est une proposition première dont les autres connaissances ne sont que des conséquences. (p. 5)

PROBLÈME Tout objet de questionnement qui suscite la recherche d'une explication rationnelle. (p. 7)

R

RÉFLEXIVE Qualité de la pensée qui a la capacité de se détacher de ses représentations du monde extérieur et d'accomplir un retour sur elle-même, pour examiner son rapport avec les choses et en analyser sa compréhension. (p. 14)

RELATIVISME CULTUREL Théorie qui rattache le bien et le mal à la variabilité des valeurs religieuses et morales, selon les époques et les sociétés. Le relativisme rejette l'existence d'un bien universel. (p. 26)

S

SCEPTICISME Doctrine qui consiste à suspendre son jugement parce que l'esprit humain est inapte à atteindre une vérité certaine et universelle. (p. 99)

SENSIBLE La réalité (ou le monde) sensible est constituée de la somme des choses singulières qui peuvent être perçues par les sens (vue, ouïe, toucher, odorat, goût), bien que cela puisse nécessiter le recours à des instruments qui prolongent les sens (le microscope, le télescope). Si les êtres sensibles peuvent être perçus par les sens, c'est parce qu'ils ont une matière. Par exemple, les animaux sont des êtres sensibles, alors que Dieu ne l'est pas. (p. 8)

SUBJECTIF Ce qui est déterminé par notre propre pouvoir de juger (par nous), par opposition à la réalité elle-même. (p. 9)

SUBJECTIVISME Théorie qui rattache l'existence et la valeur des choses à l'assentiment individuel sans tenir compte des qualités objectives des choses. (p. 100)

T

TRANSCENDANT Se dit de ce qui, tout en étant extérieur et supérieur à un genre ou à une espèce d'êtres, les détermine. Ce qui est transcendant s'oppose à ce qui est immanent. (p. 34)

U

UNITÉ OU UN L'unité appartient à l'être qui est indécomposable en parties autres que lui-même. C'est l'être plein, qui se suffit à lui-même et qui reste toujours égal à lui-même. L'unité s'oppose au multiple, qui correspond à l'être composé de parties distinctes. (p. 27)

UNIVERSEL Ce qui s'applique soit à tous les êtres de l'univers, soit à tous les êtres d'un même genre (par exemple, le genre animal) ou d'une même espèce (par exemple, l'espèce humaine), soit à tous les êtres d'un autre ensemble considéré. (p. 6)

V

VRAISEMBLABLE Qui a une apparence de vérité, sans être nécessairement vrai. (p. 36)

Source des photos

Tableau chronologique

PÉRIODE HELLÉNIQUE

PHILOSOPHES	ÉLÉMENTS CARACTÉRISTIQUES
Thalès — dernier tiers du VIIe s.-milieu du VIe s. — Milet (Ionie)	eau
Anaximandre — v. 610 - v. 547 — Milet (Ionie)	infini
Anaximène — inconnue - v. 520 — Milet (Ionie)	air
Xénophane — v. 570 - v. 475 — Colophon (Ionie)	unité de l'être
Héraclite — v. 540 - v. 480 — Ephèse (Ionie)	feu
Pythagore — inconnue - fin du premier tiers du Ve s. — Samos (Ionie)	nombre
Parménide — fin du VIe s. - v. 450 — Elée (Grande Grèce)	identité de l'être
Anaxagore — v. 500 - v. 428 — Clazomènes (Ionie)	esprit divin (noûs)
Empédocle — v. 490 - v. 430 — Agrigente (Grande Grèce)	amitié et discorde
Protagoras — v. 485 - v. 410 — Abdère (Thrace)	sophiste
Gorgias — v. 483 - v. 380 — Léontini (Sicile)	sophiste
Socrate — 470 - 399 — Athènes	science morale
Démocrite — v. 465 - v. 370 — Abdère (Thrace)	atome
Euclide — 450 - 380 — Mégare	fondateur de l'école mégarienne
Antisthène — 445 - 365 — Athènes	fondateur de l'école cynique
Platon — 427 - 347 — Athènes	fondateur de l'Académie
Diogène — 413 - 327 — Sinope (Asie mineure)	cynique
Aristippe — dates inconnues — Cyrène (Libye)	plaisir
Xénocrate — 400 - 314 — Chalcédoine (Asie Mineure)	académicien
Speusippe — v. 394 - v. 334 — Athènes	académicien
Aristote — 384 - 322 — Stagire (Chalcidique)	fondateur du Lycée
Théophraste — v. 372 - v. 287 — Erèse (Lesbos)	péripatéticien

ÉVÉNEMENTS MARQUANTS DE LA PÉRIODE

- Réforme de Solon (594)
- Début de la démocratie athénienne (508)
- Guerres médiques (les Grecs contre les Perses) (499-479)
- Guerre du Péloponnèse (Athènes contre Sparte) (431-404)
- Oligarchie des « Quatre Cents » (411)
- Oligarchie des « Trente tyrans » (404-403)
- Victoire de Philippe de Macédoine sur la Grèce ; fin de la démocratie athénienne (338)
- Début du règne d'Alexandre le Grand (336)
- Mort d'Alexandre le Grand ; partage de l'empire macédonien entre les généraux (323)

PHILOSOPHES	ÉLÉMENTS CARACTÉRISTIQUES	ÉVÉNEMENTS MARQUANTS DE LA PÉRIODE
PÉRIODE HELLÉNISTIQUE		
Pyrrhon — v. 365 - v. 275 — Elis	scepticisme	➤ La Grèce devient une province romaine (146)
Épicure — 341 - 270 — Samos (Ionie)	fondateur de l'école du Jardin	➤ Cicéron, orateur et homme d'État romain (106-64)
Zénon — v. 335 - v. 264 — Citium (Phénicie)	fondateur de l'école du Portique	➤ Assassinat de Jules César (44)
Cléanthe — v. 331 - 232 — Assos (Asie Mineure)	stoïcien	➤ L'Égypte devient une province romaine (30)
Chrysippe — v. 282 - v. 206 — Cilicie	stoïcien	
Lucrèce — v. 98 - 55 — Rome	épicurien	
FIN DU MONDE ANTIQUE		
Sénèque — 4 - 65 — Cordoue (Espagne)	stoïcien	➤ Naissance de Jésus-Christ
Épictète — v. 56 - v. 138 — Hiérapolis (Asie Mineure)	stoïcien	➤ Règne de Marc-Aurèle (stoïcien) (161-180)
Alexandre dit le Commentateur — v. 160 - v. 230 — Aphrodise (Asie Mineure)	aristotélicien	➤ Sous Constantin, l'Empire romain devient chrétien (313)
Plotin — v. 205 - 270 — Lycopolis (Égypte)	néoplatonicien	➤ Division de l'Empire romain en Empire d'Occident (Rome) et Empire d'Orient (Constantinople) (395)
Porphyre — v. 232 - v. 305 — Tyr (Liban)	néoplatonicien	➤ Fin officielle de l'Empire romain d'Occident (476)
Augustin — 354 - 430 — Tagaste (Algérie)	néoplatonicien (Père de l'Église)	
Boèce — v. 470 - v. 525 — Rome	néoplatonicien	
MOYEN ÂGE		
Scot Érigène, Jean — 1er quart du IXe s. - v. 870 — Irlande	néoplatonicien	➤ Fermeture de l'école d'Athènes sur ordre de Justinien; les philosophes grecs trouvent refuge en Perse (529)
Abélard — 1079 - 1142 — Pallet (France)	anticipation du nominalisme	➤ Règne de Charlemagne, empereur d'Occident (800-814)
Averroës, Ibn Roshd — 1126 - 1198 — Cordoue	aristotélicien	➤ Époque des Croisades (XIe s.- XIIIe s.)
Thomas d'Aquin — 1225 - 1274 — Roccasecca (Italie)	aristotélicien (Docteur de l'Église)	➤ Tribunal de l'Inquisition institué par le pape Grégoire IX (1229-1232)
Duns Scot — 1266 - 1308 — Duns (Écosse)	séparation foi et raison	
Guillaume d'Ockham — 1300 - 1350 — Ockham (Angleterre)	nominalisme	

	PHILOSOPHES	ÉLÉMENTS CARACTÉRISTIQUES	ÉVÉNEMENTS MARQUANTS DE LA PÉRIODE
MOYEN ÂGE			➤ L'Université remplace les Écoles-Cathédrales (XIIIe s.)
			➤ Instauration des ordres dominicain et franciscain (XIIIe s.)
			➤ Guerre de Cent Ans (la France contre l'Angleterre) (1337-1453)
RENAISSANCE	Pomponazzi — 1462-1525 — Pomponace (Italie)	naturaliste	➤ Prise de Constantinople (Byzance) par les Turcs (1453)
	Machiavel — 1469-1527 — Florence (Italie)	pouvoir efficace	➤ La Réforme protestante (début du XVIe s.)
	Erasme — 1469-1536 — Rotterdam	humaniste	➤ La Contre-Réforme (milieu du XVIe s.)
	Luther, Martin — 1483-1546 — Eisleben (Allemagne)	humaniste	➤ Révolution scientifique (XVIIe s.) ; Galilée (1564-1642) fournit la preuve expérimentale du système de Copernic
	Ramus — (P. de La Ramée) — 1515-1572 — Cuts (France)	projet d'une méthode scientifique universelle	
	Montaigne, Michel — 1533-1592 — Dordogne (France)	humaniste	
	Bruno, Giordano — 1548-1600 — Nola (Italie)	naturaliste	
	Sanchez, Francisco — 1550-1623 — Toulouse	humaniste	
	Bacon, Francis — 1561-1626 — Londres	empiriste	
	Hobbes, Thomas — 1588-1679 — Wesport (Angleterre)	méthode empirico-déductive	

Note : Le lecteur notera que, pour alléger la présentation, nous avons omis la mention «avant Jésus-Christ» pour toutes les dates qui figurent dans les périodes hellénique et hellénistique.

La Grèce au Ve siècle

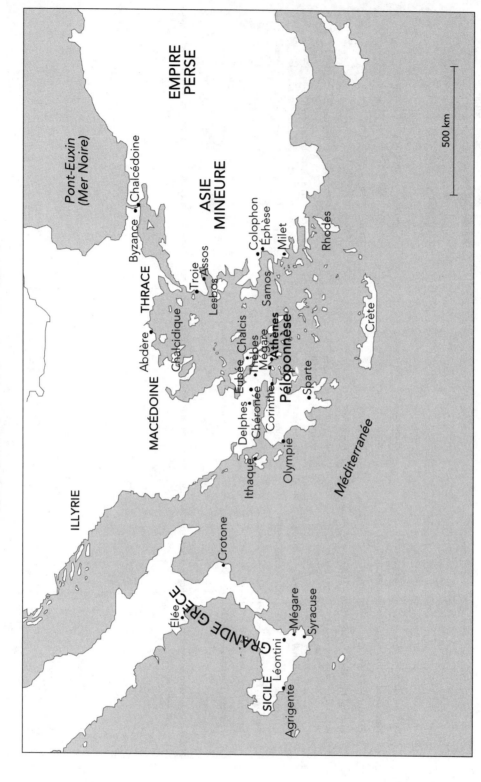

EMPIRE PERSE

Pont-Euxin (Mer Noire)

ASIE MINEURE

500 km

THRACE

Byzance • Chalcédoine

Troie • Assos

Lesbos

Colophon
Éphèse
Milet

Rhodes

Abdère

Chalcidique

Samos

Crète

MACÉDOINE

Eubée • Chalcis
Delphes • Thèbes
Chéronée • Mégare
Corinthe • **Athènes**
Péloponnèse
• Sparte

Olympie

Ithaque

Méditerranée

ILLYRIE

Crotone

Éléa
GRANDE GRÈCE

Mégare • Syracuse

Léontini

SICILE
Agrigente